AMOK
EDICIONES

La casa de las puertas

Título original: *The House of Doors*

AMOK Ediciones
comunicacion@amokediciones.es

Milos Kalvin para TheWhiteRoomLab, por el diseño gráfico
Alicia Escamilla, por la edición de mesa
Natalia Martínez, por la maquetación

ISBN: 978-84-19211-36-1
Depósito legal: M-233- 2024
Impreso por Leitzaran Grafikak
Impreso en España — Printed in Spain

La casa de las puertas

Tan Twan Eng

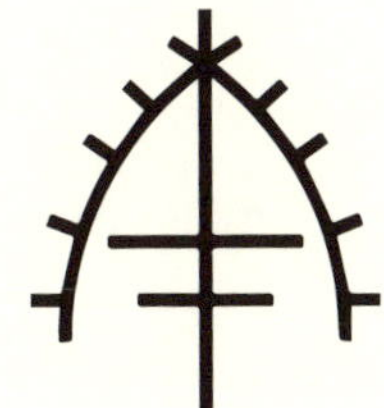

Para A. J. Buys
y en memoria de mi padre,
Tan Ghin Hai (1937-2013)

Realidad y ficción están tan mezcladas en mi obra que ahora,
echando una ojeada, difícilmente puedo
distinguir la una de la otra.

SOMERSET MAUGHAM
Recapitulación

LIBRO PRIMERO

Prólogo

Lesley
Doornfontein, Sudáfrica, 1947

Una historia, al igual que un ave montañesa, puede transportar un nombre más allá de las nubes, incluso más allá del tiempo. Willie Maugham me dijo esto hace muchos años.

Hace mucho que ya no irrumpe en mis pensamientos, pero, mientras contemplo las montañas desde mi *stoep*[1] en esta mañana de otoño, puedo oír su voz, seca y fina, su dicción precisa, correcta, como todo lo demás en él. En mis recuerdos, lo veo de nuevo durante su última noche en nuestra vieja casa al otro lado del mundo, los dos en la veranda, en la parte trasera, hablando tranquilos bajo la luna llena, una barcaza de luz a la deriva en el mar. El resto de las personas en la casa ya se habían retirado a dormir. Por la mañana zarpó de Penang y no lo volví a ver.

Diez mil días y diez mil noches han descendido por el río interminable desde entonces. Ahora vivo en las orillas de un mar diferente, un mar de arena y piedra silenciosa.

Hace media hora, mientras terminaba mi desayuno en el *stoep*, advertí a lo lejos una figura familiar que subía pedaleando por el empinado y polvoriento camino de tierra hacia la cima. La seguí con la mirada mientras ascendía la cuesta y luego avanzaba sin esfuerzo pendiente abajo hasta la pequeña entrada festoneada de chopos. Al llegar al porche, se bajó de la bicicleta y la sostuvo sobre el pie de apoyo.

[1] *Stoep*, en Sudáfrica, es un pequeño balcón o porche. *(N. de la T.)*.

—*Goeie more*[2], señora Hamlyn —gritó.

—Buenos días, Johan.

Sacó un paquete de la saca, subió al *stoep* y me lo entregó. Estaba envuelto en un grueso papel de color marrón y atado con dos vueltas de cordel, pero se notaba que era un libro. Hace casi seis años que murió Robert, pero su correo —catálogos y muestras de libros procedentes de anticuarios de Londres, boletines de sus clubes— continuaba llegando incluso mucho después de haber informado a los remitentes sobre su fallecimiento.

—No es para el señor Hamlyn —me aclaró Johan—. Es para usted.

—¡Ah!

Rebusqué en mis bolsillos para encontrar mis gafas de lectura, me las puse y entrecerré los ojos para leer el nombre impreso en el paquete: «Sra. Lesley C. Hamlyn».

Fijé la vista en la dirección postal durante un momento. Salvo la carta mensual de mi hijo desde Londres, no recordaba la última vez que había recibido correo a mi nombre.

Johan señaló los sellos.

—¡Qué pájaro tan gracioso!

—Es un búcaro —dije.

El pico grande y curvado y el copete pesado y huesudo le daban un aspecto cómico. Estaba encaramado en una rama y debajo aparecían las palabras «B.M.A. MALAYA».

—¿Me los guarda?

Pestañeé.

—¿Qué? Oh… Por supuesto. —Dejé el paquete encima de la mesa—. ¿Una taza de té, Johan?

Meneó la cabeza.

—Hoy tengo un saco lleno de correo. —Se volvió para marcharse, pero le detuve.

—Espera, Johan. —Entré en la casa corriendo y regresé un momento después con una pequeña bolsa de papel—: Aquí tienes unos *koeksusters*[3].

[2] En afrikáans, «buenos días». *(N. de la T.)*.

[3] Dulces tradicionales de Sudáfrica, parecidos a las trenzas. *(N. de la T.)*.

—*¡Bai Dankie!*[4]. Los suyos son los mejores, incluso mejores que los de Tannie Elsie.

—¡Más vale que no se entere!

—*Ja*[5]. Aún está disgustada porque usted ganó el premio a la mejor tarta de leche en el Kerk Bazar. Le dijo a mi madre que ni siquiera deberían permitirle participar en las competiciones.

Después de veinticinco años, aún había personas en el distrito que me consideraban forastera.

Johan me miraba con una expresión algo preocupada. Hizo un gesto con la cabeza, señalando el paquete que me había traído.

—Espero que no sean malas noticias.

No respondí. Le observé mientras se alejaba pedaleando hasta que desapareció por la carretera. Volví a la mesa y me senté, acerqué el envoltorio y lo examiné. No figuraba el remitente, pero los matasellos, emborronados como tatuajes, indicaban que había sido enviado desde Penang en septiembre de 1946. El enredo de direcciones superpuestas por diferentes manos, de alguna manera había logrado localizar mi rastro en el viento: lo habían mandado al antiguo despacho de Robert en Londres antes de reenviarlo a nuestro abogado en Ciudad del Cabo y, casi medio año después, me había sido remitido por correo desde Penang hasta esta granja ovina a veinticinco kilómetros de Beaufort West.

Corté el cordón con el cuchillo de la fruta e inserté la punta en un doblez del envoltorio y, con dos o tres cortes enérgicos, lo rasgué. Se vislumbró una esquina del libro. Continué retirando el papel hasta que apareció el título: *La casuarina*, de W. Somerset Maugham.

No había nada más en el paquete; ninguna carta, ninguna nota. Di la vuelta al libro. Robert coleccionaba primeras ediciones y tenía la obra completa de Willie Maugham —sus novelas y relatos cortos, teatro y ensayo—. Imaginé que el volumen que tenía entre las manos también sería una primera edición. Los tonos de los árboles tropicales y ese cielo azul en la sobrecubierta estaban ya descoloridos.

[4] En afrikáans, «muchas gracias». *(N. de la T.)*.

[5] En afrikáans, «estoy de acuerdo» *(N. de la T.)*.

El índice enumeraba una docena de relatos. Fui pasando las páginas hasta llegar a la última. Al leer en alto, con voz queda, el primer párrafo, me transporté de inmediato a Malaya. Sentí un cargante calor tropical que me sofocaba, denso y vaporoso, y el sabor acre y salado de las marismas me taponó los orificios nasales.

Volví a la primera página, pero no había dedicatoria ni firma alguna. Impreso bajo el título estaba el glifo de aspecto arcaico que Maugham ponía en todos sus libros. Sin embargo, este en particular era un poco diferente: alguna mano desconocida había trazado un rectángulo fino y negro alrededor del símbolo, encuadrándolo. Había otra línea recta, negra trazada de arriba abajo que atravesaba el encuadre exactamente por la mitad.

Fruncí el ceño, confusa.

Un instante después lo vi, comprendí lo que me decían las líneas. Con cuidado, como si temiera hacer cualquier movimiento brusco capaz de desplazar el rectángulo que enmarcaba el símbolo, dejé el libro en la mesa. Una brisa leve curvó la página abierta, que se aplanó un instante después. Me recosté en la silla, mi mirada fija en el glifo; un ancla incrustada en el papel.

Robert y yo habíamos abandonado Penang a finales de 1922 a bordo de un trasatlántico P&O hasta Ciudad del Cabo. Tras una agradable estancia de quince días en un hotel junto al mar, cogimos el tren a Beaufort West, una pequeña ciudad situada a unos cuatrocientos ochenta kilómetros en dirección noreste. Bernard, el primo de Robert, tenía una explotación de ganado ovino, y nos había construido un modesto *bungalow* en sus tierras. Con sus paredes blanqueadas y cubierto con un tejado ondulado de aluminio pintado de verde oscuro, ocupaba un cerro elevado y extenso. Desde la veranda, ancha y sombreada —«nunca me acostumbraré a que los lugareños lo llamen *stoep*», pensé—, teníamos una vista panorámica de las montañas del norte. Se habían formado tras el último episodio de actividad sísmica del planeta, que, hacía ya una eternidad, había comenzado muy al sur, en el extremo confín del continente.

Cuando llegamos era verano y el sol azotaba la tierra. Todo era desolador; el paisaje rocoso, los rostros de las personas e incluso la luz. ¡Cuánto echaba de menos el cielo durante el monzón ecuatorial y los tintes cambiantes de ese mar camaleónico!

Una semana después de instalarnos en nuestro nuevo hogar, fuimos invitados a cenar a la granja. El sol se ocultaba tras las montañas mientras recorríamos los casi dos kilómetros desde nuestro *bungalow*. Tuvimos que parar un par de veces por el camino para que Robert recuperara el aliento. Bernard Presgrave tenía treinta y ocho años, doce menos que mi marido. Robusto y de apariencia rubicunda, me recordaba a Robert cuando nos casamos. Su granja se llamaba Doornfontein, la Fuente de las Espinas, el tipo de nombre poco propicio que hubiera provocado que mi vieja *amah*[6], Ah Peng, protestara con tono tenebroso: «Esto no augura nada bueno». Pero, al parecer, Bernard y su esposa Helena, una chica plácida y sencilla del Cabo, prosperaban.

Los demás invitados, los granjeros de la zona y sus mujeres, ya estaban reunidos en el descuidado jardín trasero de la granja cuando llegamos. Nos unimos a ellos formando un círculo, bajo una acacia espinosa, sus ramas desnudas con finas agujas blancas y punzantes, largas como mi dedo meñique. La risa y los gritos de los niños que jugaban en un extremo del jardín resonaban en el aire nocturno. Un par de bidones de aceite vacíos, abiertos a lo largo por la mitad, se sostenían sobre armazones mientras el fuego de la leña flameaba en su interior. Chuletas de cordero y ristras de longanizas humeaban sobre la rejilla. Los granjeros eran bóeres, de rostro y discurso simples, pero afables una vez que los conocías. Advertí que el cotilleo destacado de esta noche, rumiado una y otra vez hasta agotar el tema en todo el distrito aquella temporada, concernía a un inglés rico de mediana edad y a su bella y joven esposa, que se habían mudado a Beaufort West desde Londres el verano anterior.

—El médico le sugirió que el aire de aquí le vendría bien —dijo Bernard, sin perder de vista las chuletas de la parrilla—. Graham, el marido, había comprado un terreno en la granja de Jannie van der Walt y en ella habían construido su casa, una enorme. Uno de estos días os llevaremos allí para que podáis echar una ojeada. —Bernard

[6] En India y el este de Asia, es una niñera o criada, a veces de origen chino. *(N. de la T.).*

se acercó a los bidones de aceite y dio la vuelta a la carne; las gotas de grasa cayeron al fuego formando nubes de un humo enfurecido que siseaban al aire—. La salud de su mujer mejoró —resumió al sentarse de nuevo—, pero una mañana, hace como tres semanas, ella le abandonó. Se marchó cuando él aún roncaba en su cama.

—Se llevó todas sus joyas —retomó Helena la historia—, pero no dejó ninguna nota para Graham. Pobre hombre, ni siquiera una nota.

Bernard rio.

—Conociendo a Graham, seguro que esa deplorable falta de modales lo enfureció mucho más que otra cosa.

—Ah, eso no tiene gracia, Bernard —le recriminó su mujer.

—Curiosamente, nuestro médico de familia en el *dorp*[7] desapareció esa misma mañana —continuó él—. Dejó a la mujer y no se le ha vuelto a ver el pelo.

Observé a Robert, sentado justo enfrente de mí; nuestras miradas se cruzaron.

—Es justo el tipo de historia con la que Willie hubiera disfrutado —dijo.

—¿Willie? —preguntó Bernard.

—Somerset Maugham —le aclaró Robert.

—¿Quién es ese? —preguntó uno de los invitados.

—Un escritor —dijo Robert—. Uno muy famoso. En realidad, es un viejo amigo. Se hospedó con nosotros en Penang. Prometió visitarnos aquí; os lo presentaremos cuando venga.

—Me gustaron algunos de sus relatos —intervino Helena—, sobre todo, *Lluvia*, nunca lo olvidaré.

—¿Ese no es un poco espeluznante? —preguntó uno de los hombres, frotándose las manos con aire de satisfacción.

—No —replicó Helena—; trata de una mujer… —Su rostro se ruborizó; se alisó los pliegues de la falda sobre las rodillas—: ¡Oh!, ya te dejaré el libro, Gert, lo podrás leer tú mismo.

—Ah, ¿quién tiene tiempo para leer?

Bernard me lanzó una sonrisa burlona.

—¿Os menciona a vosotros en sus historias?

[7] En Sudáfrica, un pueblo de origen holandés. *(N. de la T.)*.

El atardecer se desvanecía en el horizonte. Me ajusté el chal alrededor de los hombros.

—Seguramente pensaría —dije, lanzando una rápida mirada a Robert— que éramos el matrimonio más aburrido que había conocido.

Para nosotros, la vida aquí no era muy diferente de la que teníamos en Penang. Robert y yo disponíamos cada uno de nuestro dormitorio y todas las mañanas nos reuníamos en la veranda para desayunar. A continuación, él se dirigía a su estudio para trabajar en sus memorias, que empezó a escribir poco después de mudarnos aquí. No había mucho que hacer en la casa; Liesbet, la mujer de uno de los trabajadores negros de la granja, cocinaba y limpiaba para nosotros. Tenía unos cuantos años más que yo, era gruesa, de cintura ancha y rostro redondo y sonriente que me recordaba al de las malayas en Penang. Para ocupar mis días, decidí plantar un jardín delante de la casa. La tierra era seca como el polvo de mi polvera, pero con ayuda de Pietman, el hijo de Liesbet, perseveré sin desanimarme.

Por las noches, Robert y yo nos relajábamos en la veranda con nuestros *whiskies* con hielo y nuestros *pahits*[8], y observábamos cómo se desvanecía otro día tras las montañas. Más tarde, antes de retirarnos a nuestros aposentos, yo tocaba el piano un rato. Robert se sentaba en su butaca y absorbía su té Pu-Erh con los ojos cerrados mientras se evadía con la música.

En el gran mapa desplegado en la pared de su estudio se extendían las costas bajas del Gran Karoo, unos doscientos cuarenta kilómetros al norte de Doornfontein. Sin embargo, había días en que me parecían mucho más cercanas y estaba convencida de poder sentir su silencio eterno expandiéndose desde lo más profundo del desierto; su quietud, su infinito vacío. Me vino a la mente una historia que escuché una vez sobre una pareja de exploradores, marido y mujer, que se habían perdido durante una expedición al desierto de Gobi. Para ocultar su creciente desesperación y la sensación de impotencia que los embargaba, a medida que se adentraban en las

[8] Originado en la colonia británica de Malasia, el Gin *Pahit*, Bitter Gin o gin amargo, es un cóctel de ginebra y amargo de angostura; en malayo, «ginebra amarga» *(N. de la T.)*.

profundidades del desierto dejaron de hablarse. A menudo me he preguntado qué resultó más opresivo, si el silencio del desierto o el silencio entre ellos dos.

El sonido de la puerta mosquitera al abrirse y golpear contra la pared me devuelve al presente. Levanto la vista de la página y cierro el libro. Liesbet sale a la veranda, su delantal blanco, almidonado y estirado sobre la prominencia de su vientre. Ahora tan solo viene una vez a la semana, y cada día sin excepción se queja del dolor de sus rodillas mientras limpia la casa.

—¿Otro libro? —dice, al colocar el plato y la taza sobre la bandeja—. Por toda la casa libros, libros, libros.

—Sí..., otro libro...

Deja la bandeja y me observa más de cerca. Le dedico una leve sonrisa y entro en casa con el volumen en la mano.

En la sala de estar paso por delante de mis acuarelas con representaciones de las viejas casas-tienda[9] de Penang y continúo hasta la pared que ocupan las fotografías, sobre el piano Blüthner. Me alejo un poco y las observo, en busca de una de esas imágenes que tengo en mente en particular. No las he mirado, me refiero a contemplar estas fotos con detenimiento, en años.

En muchas se nos ve a Robert y a mí con nuestros dos hijos. A veces aparecen personas que nos visitaron en Penang, por ejemplo, actores, diputados, miembros de la aristocracia, escritores y cantantes de ópera. Ya ni siquiera recuerdo sus nombres y, de cualquier forma, lo más probable es que hayan fallecido hace mucho. En esta pared que ha encarcelado al tiempo, mi retrato de boda reclama su lugar de privilegio. Robert y yo nos encontramos en las escaleras de la iglesia de Saint George, en Penang. Enderezo la ligera inclinación del marco de plata y limpio la fina capa de polvo con mi dedo índice.

La gente de aquí supuso que haría las maletas y regresaría a Penang después de enterrar a Robert. Algunos días me preguntaba por qué no lo hacía. Pero, regresar a casa..., ¿para qué? ¿Y para quién? Todas las personas que conocía en Malaya o bien estaban muertas o

[9] En Malasia, las *shophouses*, «casas-tienda», son viviendas en cuya planta inferior, a pie de calle, las familias tienen sus negocios. *(N. de la T.)*.

habían desaparecido en tierras lejanas, donde llevaban vidas ya muy diferentes. Después, había estallado la guerra en todo el mundo y los japoneses invadieron Malaya. De modo que permanecí aquí, un borrón de pintura hecho por el pincel del tiempo en este extenso y eterno paisaje.

Debajo de mi foto de boda hay una fotografía de dos mujeres, con sus pintorescas y anticuadas blusas, vestidos y sombreros de otra época; Ethel y yo, con un rifle en las manos, y detrás, la fachada imitación de estilo Tudor del club The Spotted Dog en Kuala Lumpur. La instantánea se tomó después de una competición de tiro en el *padang*[10]. Pobre Ethel. Mis ojos se deslizan hasta la siguiente foto. La descuelgo y la estudio a la luz de las ventanas. Al contemplarnos a los cuatro —Willie Maugham, Gerald, Robert y yo— recostados en nuestros sillones de ratán bajo la casuarina del jardín, mis pensamientos retroceden a las dos semanas de 1921 durante las cuales el escritor y su secretario se hospedaron con nosotros en Cassowary House.

Dejo la fotografía. La mañana pierde su luz tras las laderas de las montañas lejanas. Hoy es el equinoccio de otoño; aquí, en la cuenca meridional de la Tierra, los tramos del día y de la noche son exactamente iguales. El mundo está en equilibrio y, sin embargo, yo me encuentro inestable, descentrada.

No hay ni una leve racha de viento ni sonido alguno, ni siquiera el petulante balido de las ovejas desde el valle. El mundo está tan quieto, tan quiescente, que me pregunto si no habrá dejado de girar. De pronto, a una altura elevada del suelo, advierto un movimiento en el aire: un par de aves rapaces, muy lejos de su aguilera en las montañas. Durante un minuto o dos quiero creer que son milanos brahmanes, pero claro, no puede ser…

Mi mirada sigue a las aves mientras fluctúan, sostenidas por la envergadura de sus alas abiertas, describiendo círculos en la página vacía del cielo.

[10] En Malasia, es un campo de juego. *(N. de la T.)*.

Capítulo Uno

Willie
Penang, 1921

Somerset Maugham se despertó sofocado por la falta de aire. La tos violenta sacudía su cuerpo hasta que, por fin, por fortuna, se calmó y pudo respirar de nuevo. Se tumbó en la cama bajo el dosel de la mosquitera, esperando a que su respiración recuperara la normalidad. Su lengua tenía un ligero gusto a barro. Tragó saliva, se relamió los labios y el sabor desapareció de su boca.

Sentía su cuerpo anegado mientras se incorporaba, deslizándose hacia arriba para apoyarse en el cabecero. Había soñado que una ola enorme le arrojaba de la cubierta de una embarcación a un río turbulento; el agua fangosa había penetrado en su garganta, inundando sus pulmones y arrastrándole hacia las profundidades sombrías. En ese instante se había despertado de forma abrupta con un frenético ronquido apneico.

Apartó la mosquitera y se sentó al borde de la cama con los pies plantados en el suelo entarimado. Se sentía más fatigado que cuando se acostó a dormir. Había arrojado el almohadón al suelo y estaba seguro de haber gritado en el momento en que salió del sueño; confiaba en que nadie le hubiera oído. Ladeó la cabeza para escuchar. Solo se percibía el sonido de las olas rompiendo en la playa.

No había demasiados muebles en su dormitorio: un sillón de ratán junto a las ventanas, una pequeña estantería para libros que contenía novelas viejas y amarillentas, una cómoda de madera de roble pegada a la pared y, en la esquina, un lavamanos con una pila de porcelana. El armario de teca, con sus maletas y baúles apilados encima, ocupaba media pared.

Acarició el marco de la fotografía de su madre que descansaba sobre la mesilla de noche e hizo un pequeño ajuste de su posición, girando el rostro de la mujer ligeramente hacia la ventana. Sus ojos castaños siempre se le antojaron tristes, incluso en sus recuerdos; esta mañana tenían un aspecto más melancólico de lo habitual. Recogió el almohadón del suelo y lo colocó de nuevo sobre la cama, antes de cruzar la habitación descalzo. Abrió las contraventanas y se asomó.

El mundo aún permanecía bajo una aguada de tono gris, pero en los bordes del cielo se filtraba un pálido resplandor. Emplazado en una esquina de la primera planta de la casa, su dormitorio tenía amplias vistas al jardín. A su izquierda, a unos nueve metros de distancia, una valla baja de madera separaba la propiedad de la playa. Junto a la valla crecía una casuarina alta con un banco de hierro forjado bajo su sombra. Al observar la playa con los ojos entrecerrados, distinguió la figura de Lesley Hamlyn, de pie junto a la orilla, contemplando el mar. Un momento después se dio la vuelta y comenzó a caminar hacia la casa. Se deslizó tras el parapeto de madera y recorrió el jardín, a continuación desapareció bajo el techado de la veranda sin levantar la mirada hacia él en ningún momento.

El sirviente aún no le había llevado a Willie su jarro de agua caliente para el afeitado. Se lavó la cara en la pila y escogió una muda limpia del armario: una camisa blanca de algodón de manga larga, un par de pantalones caqui y una chaqueta de lino de color crema que el *dhobi*[1] había planchado la noche anterior, mientras cenaban. Encontró sus zapatos colocados frente a la puerta de la habitación, pulidos, con un brillo lustroso. Los dormitorios de los Hamlyn, en el otro extremo del ancho rellano, permanecían con las puertas cerradas. A medio camino había una zona de estar que sobresalía hacia el exterior para formar el tejado de la veranda, cuyas ventanas daban en sus tres lados al jardín delantero y al sendero de acceso, con forma de media luna. Más allá de este espacio cuadrado había otras cuatro habitaciones. En este lado del rellano se encontraba el cuarto de baño de invitados y, al lado, el dormitorio de Gerald, cuyos zapatos, también lustrados, se habían dispuesto junto a la puerta.

[1] En India y Malasia, «lavandero» *(N. de la T.).*

Willie recorrió el pasillo hasta las escaleras, haciendo una pausa de vez en cuando para examinar alguna de las acuarelas que colgaban de la pared. Representaban las casas-tienda locales, y sus finas líneas negras, de precisión arquitectónica, subrayaban los elaborados enyesados de los paramentos. La meticulosidad de los dibujos resaltaba por las pinceladas de colores llamativos que captaban con sutileza el ambiente concurrido y el barullo característico de los barrios asiáticos emplazados en las ciudades de las Colonias del Estrecho. Los cuadros mostraban su título en la esquina inferior derecha —*Moulmein Road*; *Bangkok Lane*; *Ah Quee Street*; *Rope Walk*— y todos ellos, comprobó mientras escudriñaba la firma, habían sido pintados por Lesley Hamlyn.

En el piso inferior, Willie recorrió la casa, luminosa y aireada, hasta la veranda, en la parte trasera, mientras asentía con la cabeza a los sirvientes que le cedían el paso. Robert y Lesley ya se encontraban sentados ante la mesa del desayuno, aislados uno del otro detrás de sus periódicos. Willie los estudió desde la entrada. Recordaba a Robert como un hombre alto, de hombros anchos, por eso le sorprendió la figura encorvada que le había recibido bajo la veranda la tarde anterior. Se apoyaba en un bastón de Malaca con empuñadura de oro y jadeaba levemente; su antaño abundante cabellera había desaparecido, y ahora, la bóveda del cráneo era una superficie lisa con tan solo una estrecha franja de escaso cabello gris sobre las orejas. Tampoco había reconocido la voz de su amigo; el resplandeciente timbre de barítono que solía envidiarle se había marchitado transformándose en un tono áspero y quejumbroso.

El dóberman acostado a los pies de Robert alzó la cabeza y ladró cuando Willie se acercó a la mesa. Marido y mujer levantaron los ojos de sus respectivos periódicos.

—No seas grosero, Claudius —dijo Robert mientras se agachaba para acariciar las orejas del perro—. Buenos días, Willie. Te has levantado temprano. ¿Has dormido bien?

—Como... un bebé —balbuceó el aludido.

—Sírvete tú mismo —sugirió Robert, señalando el aparador con un movimiento de la cabeza.

Willie fue levantando las tapas de los calientaplatos. Arenques ahumados, beicon, longanizas, huevos y tostadas, tal como esperaba. También había un surtido de quesos y cuencos con fruta local, como plátanos, mangos y carambolas. Se sirvió solo medio plato y se sentó a la mesa.

—No seas tímido, Willie —dijo Robert.

—Aún no logro —la mandíbula de Willie sobresalía mientras se esforzaba por pronunciar la siguiente palabra— acostumbrarme… a vuestro apetito *falstaffiano* —dijo, superando por fin el bloqueo de su garganta, que suscitaba compasión e impaciencia en la gente—. Las montañas de alimentos en… todas las comidas… con este calor… —Se volvió hacia Lesley—: Te vi… en la… playa.

—Mi paseo matutino —dijo ella—. Tu secretario, Gerald, ¿se ha levantado ya?

Aunque sutil, Willie captó el tono particular de sus palabras. Le sostuvo la mirada y contestó:

—No es… madrugador. Confío en que no supondrá un inconveniente.

—No seas ridículo, Willie —replicó Robert, y se dirigió a Lesley—: Pídele a Cookie que le aparte algo todas las mañanas, ¿quieres, querida?

Robert cortó un trozo de Camembert y se lo dio al dóberman. El perro lo engulló y a continuación se lamió el morro.

—A Claudius le encanta el queso.

Robert sonrió mientras le ofrecía al animal otro trozo. Los labios de Lesley, reparó Willie, se habían transfigurado en una línea fina y tirante.

—Tenéis visita —apuntó, al tiempo que señalaba un lagarto monitor que surgía de debajo de un seto de hibisco.

La criatura debía de medir alrededor de un metro y su gruesa cola era casi tan larga como el resto del cuerpo. Con su rechoncha musculatura reptó por la hierba mientras su lengua entraba y salía de la boca. Los gorriones que picoteaban aquí y allá alzaron el vuelo.

—Oh, ese es Monty —le informó Robert—. Apareció por aquí hace unos años. Se da un baño todos los días en la piscina de los Warburtons, aquí al lado. Bueno, ¿qué tenemos para hoy, viejo amigo? Lesley estará encantada de mostrarte los lugares de interés.

limpió enérgicamente el rocío sobre el banco. Al terminar, Willie le ofreció un cigarrillo. El hombre le lanzó una sonrisa vampírica. Willie hizo una mueca para sus adentros; incluso después de todos estos meses viajando por los Estados Malayos Federados, la visión de los dientes teñidos de rojo sangre por el zumo de la nuez de betel aún le provocaba náuseas.

Se acomodó en el banco y abrió su diario por una página nueva, le quitó la tapa a la pluma y escribió la fecha en la esquina superior: 2 de marzo de 1921. Se dio unos golpecitos en los dientes con la pluma y añadió con letra pulcra: «Llegué a Cassowary House ayer por la tarde. Aún estoy débil, pero hoy me siento mucho mejor». Estudió la casa con mirada de escritor. Las ventanas de Gerald estaban abiertas y una brisa movía las cortinas. Reflexionó un momento.

> La casa tiene el tamaño adecuado; es cuadrada, con dos plantas, parecida a muchas casas de estilo anglo-indio que he visto en Malaya. Comparada con las de Northam Road que vi de camino ayer desde el puerto —mansiones con columnas corintias y grandes frontones a imitación de pórticos huecos—, Cassowary House no tiene un aspecto pretencioso, sino de una residencia que casa bien con su diseño.

Hizo una pausa antes de añadir: «Las tejas de terracota se asemejan a las escamas de un pangolín».

Volvió a la entrada que había escrito una noche, algo más de un mes atrás, cuando él y Gerald acababan de regresar de Kuching desde el interior. Examinó algunos párrafos y se detuvo. Los acontecimientos aún eran demasiado perturbadores para leer sobre ellos. Ojeó las notas que había tomado sobre Penang de su ejemplar de *Bradshaw's Through Routes to the Chief Cities.* En el pasado, la isla había formado parte del territorio gobernado por el Sultanato de Kedah, en la península. A finales del siglo XVIII, el capitán Francis Light obtuvo un permiso de arrendamiento del sultán a favor de la Compañía de las Indias Orientales y la bautizó con el nombre de Isla de Príncipe de Gales. Light la convirtió en un puerto libre para desviar el comercio de las colonias holandesas al otro lado de los

Estrechos de Malaca. Fue el primer puesto avanzado del sudeste asiático y la capital de las Colonias del Estrecho —«la colonia de la Corona más importante de Gran Bretaña en el Extremo Oriente», según proclamaba Bradshaw—. Desde Penang los británicos se habían extendido hasta Malaca, Singapur y, con el tiempo, hasta los Estados Malayos Federados y los Estados Malayos No Federados. En el siglo XVIII, las minas de estaño atrajeron culis[4] desde el sur de China, mientras que los indios que realizaban trabajos forzados llegaron en barcos para ocuparse de las plantaciones de caucho.

Willie estudió el mapa de Penang que había copiado en su diario. La isla ocupaba aproximadamente una tercera parte del tamaño de Singapur, y su forma le recordaba a la piel de ñu que Syrie había desplegado sobre el suelo de su sala de estar. Aquello le pareció repugnante, de modo que le exigió que se deshiciera de ello, lo cual, de manera inevitable, había desencadenado otra discusión. La expulsó de sus pensamientos. Desde el día en que se marchó de Inglaterra, hacía ya meses, no había vuelto a pensar en ella, y no tenía deseo ni necesidad, gracias a Dios, de hacerlo ahora.

El tamil andaba descalzo por el jardín, las plantas de sus pies, por extraño que pudiera parecer, eran rosadas y sus pisadas, ligeras como… Willie rebuscó en su mente una descripción adecuada, que encontró un segundo después: «como si no fuera otra cosa que un forastero en una tierra extraña». Lo repitió susurrando para sí mismo un par de veces con la intención de tantear el ritmo de la expresión; le gustó y la apuntó en su cuaderno. Contempló la página que reposaba sobre su regazo. Tan solo había escrito un par de frases desde que se sentó. Cerró el diario y se guardó la pluma en el bolsillo. No me voy a sentir culpable. He venido aquí a recuperarme. No voy a trabajar ni un poco. Descansaré y nadaré. Leeré los libros que quiera leer, jugaré al *bridge* y exploraré la isla.

El viento retozaba entre las ramas más altas de los árboles. Las oropéndolas doradas revoloteaban por el jardín. Mientras escuchaba la efervescencia de las olas en la arena, Willie sintió cómo se deshacían lentamente los nudos de su cuerpo. Esperaba tener una estancia

[4] «Culi» es un apelativo usado durante los siglos XIX y XX para designar a los trabajadores de escasa cualificación de Asia, sur de China, Filipinas o Indonesia *(N. de la T.)*.

reconstituyente y ociosa en ese lugar, en compañía de Gerald, libre de toda preocupación.

Lesley apareció en la veranda, agitando algo que llevaba en la mano. Sus ojos la siguieron mientras bajaba las escaleras y cruzaba el jardín hacia él. Era de altura mediana, de complexión delgada y postura erguida, lo que le añadía centímetros y le daba un porte de seguridad. Rondaría los cuarenta, adivinó Willie. Estaba vestida con una blusa de seda de color crema y una falda a juego. El día anterior, a su llegada, había sido muy atenta —les sirvió té y pegajosos pastelitos de arroz en la sala de estar—, sin embargo, se mostraba cautelosa, había algo un tanto hermético en ella.

—No te levantes, Willie —dijo, al hacer el ademán de incorporarse—. Tu correo de Singapur. —Le tendió un fajo de cartas y un paquete pequeño envuelto en papel marrón. Sus dedos, largos y finos, se movían con la gracia articulada de las patas de una araña—. Me voy a la ciudad. Cookie tendrá preparado el almuerzo a la una. Para entonces, ya habrá llegado Robert.

—¿Se encuentra… bien para trabajar?

—Se aburriría como una ostra si se quedara en casa todo el día. De cualquier manera, solo trabaja hasta la hora de comer. ¡Oh!, si tienes pensado salir, pide a uno de los sirvientes que vaya al camino a buscarte un *rickshaw*. Son quince centavos hasta la ciudad. No pagues más que eso.

—Hoy no vamos a ningún sitio…

—Perdona, Willie. —Hizo señas al tamil que desbrozaba junto a la caña de Indias—: ¡Bala!

El hombre se apresuró hacia ella, con el cigarrillo que le había dado Willie aún sin encender y colocado detrás de la oreja. Lesley recorrió el jardín a zancadas, señalando arbustos y macizos de plantas mientras el tamil asentía con energía a sus órdenes. Willie escuchaba la lista de instrucciones, percatándose de que no hablaba la mezcolanza de inglés y malayo que utilizaban las *memsahibs* cuando se dirigían a los nativos, sino lo que en sus oídos iletrados sonaba a malayo fluido.

Willie se puso las gafas de lectura y se dispuso a ojear su correo. Las cartas estaban pintarrajeadas con un embrollo de direcciones tachadas y flechas de diversos colores, la evidencia de que le habían estado persiguiendo por todo el mundo. Reconoció una de sus abogados de Nueva York y otra de su mujer. Frunció el ceño. Lo más seguro era que Syrie le pidiera más dinero; había insistido una y otra vez en la redecoración de la casa antes de que él abandonara Londres. Dejó su carta a un lado, sin abrir, y centró toda su atención en el paquete.

Era del editor, y supo enseguida lo que había dentro. Lo desenvolvió despacio, reprimiendo el impulso de arrancar el envoltorio, y sacó un ejemplar de su último libro, *En un biombo chino.* Era la primera vez que lo tenía entre las manos; se había marchado de Inglaterra poco después de entregar el manuscrito a su agente.

Examinó la cubierta y le complació no encontrar errores o imperfecciones. Sus dedos acariciaron el lomo, dieron la vuelta al volumen y después observó de nuevo la cubierta. Se lo acercó a la nariz y ojeó las páginas, perdiéndose en el aroma ascético de un libro nuevo. Acarició el título y su nombre en la sobrecubierta. Incluso después de tantas novelas e incontables relatos cortos, aún sentía una calurosa oleada de orgullo cada vez que sostenía una obra nueva en las manos.

Apoyó el libro sobre el regazo, cogió la carta de su abogado y la abrió. Seguramente se trataría de una oferta de algún editor o productor de teatro. La leyó una vez y después la releyó. Había invertido cuarenta mil libras —todo su dinero— en Trippe & Company, una firma de corretaje de Nueva York, y esperaba sacar la suficiente rentabilidad como para no tener que volver a escribir por dinero. Pero Trippe & Company había quebrado, sus abogados lamentaban informarle. Había perdido todo su capital, cada centavo.

Una náusea caliente y ácida inundó su estómago y a continuación le abrasó la garganta. Hizo un esfuerzo para reprimir el vómito. Se quedó sentado, la carta sujeta entre pulgar e índice, y las esquinas ondeando al viento.

—¿Estás bien, Willie? ¿Willie?

Alzó el rostro y entrecerró los ojos para protegerse de la radiante luz del sol. Lesley se encontraba de vuelta, a su lado. Su cara, que se acercaba a la suya, aparecía borrosa.

—¡Dios mío, estás blanco como la pared! —Ella clavó su mirada en la carta que sostenía en las manos—. Espero que no sean malas noticias…

Willie tragó saliva repetidas veces para detener las náuseas.

—Es solo… la… la colitis, eso es todo. —Le mortificaba tartamudear más de lo acostumbrado, pero resistirse solo lo empeoraría, lo sabía, aunque no podía evitarlo—. Va y… viene. Aún no me he… recuperado… del todo. La cogí… en… Java.

—No tienes buen aspecto; llamaré al doctor Joyce.

Levantó la mano. Sentía que su brazo, todo su cuerpo, pesaban como el plomo.

—Estoy bien —se apresuró a decir. Dobló la carta y la metió en el bolsillo de su camisa. Sus movimientos hicieron caer el libro a la hierba. Se agachó para recuperarlo y aprovechó la oportunidad para hacer unas cuantas inhalaciones largas y profundas con el fin de calmar el ritmo de sus pensamientos.

—¿Estás seguro? —dijo Lesley.

Deseaba que dejara de hablarle.

—Estoy bien, Lesley —repitió, con displicencia. Para distraer su atención le mostró el libro—: Mi último libro.

—¡Oh, qué maravilla! —exclamó ella—; debes de estar complacido en extremo. —Se fijó en el título que aparecía en la cubierta—: *En un biombo chino.* Muy sugestivo. ¿Es una novela?

—Es una selección de… notas… sobre lo que vi en China; lugares que visité y… personas a las que conocí.

Una expresión de alerta congeló el rostro femenino.

—¿Cuándo estuviste allí?

—Hace dos años.

Su mano recorrió el espacio libre del banco que quedaba a su lado. Lesley permanecía de pie.

—¿Dónde estuviste? —preguntó.

—Empezamos… en Shanghái. Viajamos más de tres mil kilómetros por el Yangtsé en… una barcaza arrocera hasta el corazón de China. El Yangtsé es el río más largo…

—El río más largo de China, sí, sí, ya sé todo eso. ¿Cuánto tiempo estuviste allí?

—Cuatro o cinco meses. Viajamos hacia el interior, anduvimos hasta la extenuación.

—¿Alguna vez… —se detuvo y comenzó otra vez—: ¿Alguna vez has oído mencionar al doctor Sun Yat Sen?

—En casi todos los lugares que visitamos. Un tipo intrigante, por lo que escuché. Al parecer se expresa en inglés con fluidez. Ojalá hubiera podido conocerle y hablar con él.

—Estuvo aquí hace unos diez años.

—¿En serio? ¿Qué hacía en Penang?

—Recaudar fondos para el Tongmenghui, su partido. Planeó la revolución mientras estuvo aquí, ¿sabes?

—¿Lo conociste?

—Robert y yo, sí; nos vimos unas cuantas veces.

Willie la observó con detenimiento. La conversación se estaba poniendo interesante.

—Me gustaría saber más de él. Llevo un tiempo pensando en escribir una novela sobre China. Sun Yat… Sen sería un personaje de lo más… inusual.

Lesley dio un paso adelante, todavía bajo la sombra de la casuarina:

—¿Cómo era aquello? —Su mirada se tornó introspectiva mientras se adentraba en el túnel de sus recuerdos.

—He trabajado en los peores tugurios de Londres, pero nunca había visto tanta miseria hasta llegar a China —respondió, aliviado de que el tartamudeo hubiera remitido—. Los caudillos peleando entre ellos; los cadáveres de los soldados y civiles masacrados y apilados en los campos; los habitantes locales, que huían de sus hogares para ocultarse en el campo. Vimos pueblos en ruinas y miles de campesinos muertos o moribundos por efecto del hambre y las plagas.

—Diez años después de la revolución, diez años después de librarse del emperador —dijo Lesley—, y no ha cambiado nada, ¿verdad? Nada.

La amargura de su voz hizo que la contemplara con más atención. Durante sus viajes por los Estados Malayos Federados y las Colonias del Estrecho nunca había conocido un solo europeo, ya fuera hombre o mujer, que demostrara el mínimo interés por China ni, de hecho, por ningún otro país del entorno. Por el contrario, solo querían oír hablar de lo que pasaba en Inglaterra, de los últimos espectáculos de West End o de los cafés y las tiendas nuevas de Piccadilly. Willie comprendió pronto que había viajado desde

Londres hasta el otro lado del planeta solo para ser interrogado acerca del mundo que había dejado atrás.

—¿Cuándo estuviste allí? —preguntó.

—¿En China? Nunca he estado allí.

Estiró la mano y cogió el libro. Pasó las páginas sin prisa mientras sus ojos las recorrían de arriba abajo. Parecía, pensó Willie, escudriñar el texto como quien draga un terreno en busca de algo enterrado.

Con el cuerpo totalmente inmóvil, la escrutaba. El cabello de Lesley era de un rubio claro y caía a pocos centímetros de sus hombros. La luz del sol esculpía sus pómulos pronunciados. El clima no le había dejado la piel flácida ni había desdibujado el perfil de su mandíbula, pero unas finas líneas brotaban de los bordes exteriores de sus ojos hundidos, del color del té añejo. Las comisuras de los labios estaban algo curvadas hacia abajo; a Willie su aspecto le recordó el de un ánade. Cuando la conoció la tarde anterior, pensó que no era una mujer de gran belleza, y ahora confirmaba esa primera impresión; no obstante, su rostro tenía una cualidad atractiva y triste.

Ella cerró el libro antes de llegar al final. Examinó la cubierta una vez más y se lo tendió.

—¿Quieres que… te lo preste? —preguntó, sorprendiéndose a sí mismo, ya que nunca dejaba a nadie las primeras ediciones de sus libros.

—Oh, estoy segura de que Robert ya habrá pedido un ejemplar. Tiene todos tus libros, ¿sabes? Tenemos una librería excelente en la ciudad, Ackroyd, en Bishop Street. Es tan buena como cualquiera de Singapur.

—No encontrarás este en las estanterías hasta dentro de unos meses.

—Esperaré.

Con una inclinación de la cabeza, la mujer dio media vuelta y atravesó el jardín en dirección a la casa. Willie observó cómo salvaba los tres escalones de la veranda y desaparecía en el interior.

Una voz le reclamaba. Levantó los ojos y vio a Gerald asomado a la ventana.

—Hace una maldita mañana preciosa, ¿eh?

Hasta con el cabello revuelto, recién levantado, su rostro demacrado y sin afeitar, tenía un aspecto magnífico, pensó Willie. La sensación de pesadez en el pecho se esfumó por un momento.

—¡Bajaré enseguida! —anunció Gerald, retirándose de nuevo al interior del dormitorio.

Willie sacó la carta de su bolsillo y la leyó otra vez. Cuarenta mil libras. Todo el dinero que poseía se había esfumado como el humo.

Capítulo Dos

Lesley
Penang, 1921

El tráfico hacia la ciudad aún era intenso cuando salí de casa. Los vehículos de motor nos pitaban cada vez que el *rickshaw* se apartaba del margen de la carretera.

—Lo siento, *mem*[1]—gritó, el tirador del *rickshaw* por encima de su hombro.

—No les hagas caso, Ah Leck —dije.

Apenas unos años atrás, los únicos vehículos que circulaban eran bicicletas, calesas y carruajes de caballos, pero el auge del caucho había traído incontables automóviles a las carreteras. Naturalmente, los empresarios de origen chino poseían los más grandes y costosos, y solo pensaban en alcanzar una velocidad de veinticinco o treinta kilómetros por hora. ¡Treinta kilómetros por hora! Una auténtica locura.

Cualquier otro día, el ritmo constante y cadencioso del *rickshaw* me hubiera adormecido, pero al llegar a la ciudad mis pensamientos seguían centrados en Willie Maugham. El hecho de que supiera algo acerca de Sun Yat Sen me había sorprendido. Era evidente que la carta que leyó le había desconcertado; el pobre parecía enormemente disgustado. Confiaba en que no tuviera una recaída mientras se hospedara con nosotros.

Los viajes del escritor se habían documentado con detalle en los diarios desde el momento de su llegada a Singapur. Unas semanas atrás Robert me anunció que había enviado un telegrama a Maugham a Singapur, ofreciéndole nuestra casa.

[1] Diminutivo de *memsahib*. *(N. de la T.)*.

—¿Crees que será buena idea? —pregunté.

No habíamos tenido ningún invitado desde que Robert regresó de la guerra.

—Hace veinte años que no veo a Willie —dijo Robert—. Sería maravilloso que viniera, absolutamente maravilloso.

Lo cierto es que la casa parecía vacía desde que los chicos regresaron a Inglaterra para el nuevo trimestre. La presencia del escritor sin duda avivaría el ambiente.

—¿Sabe que estás aquí? —pregunté.

—Lo dudo. Perdimos el contacto cuando me mudé a Hong Kong. Pero le encantará vernos, estoy seguro.

La invitación de Robert no obtuvo respuesta, y pensé que el asunto había quedado en el olvido, pero hace unos días, a la hora de comer, llegó blandiendo un telegrama.

—Ha respondido. Willie ha respondido. Sabía que lo haría. Dice que se quedó atónito al saber de mí. No se lo podía creer. En cualquier caso, viene a quedarse.

—Sin duda se ha tomado su tiempo en responder.

—Se encontraba en Sarawak, por eso no había recibido mi carta. Y ha estado muy enfermo.

—¿Cuánto tiempo se quedará? —pregunté.

Cookie había hecho el plato favorito de Robert: pollo frito troceado con una abundante y espesa salsa Worcestershire marrón, servido con guisantes y buñuelos de plátano.

—Dos semanas.

—Eso es mucho, ¿no?

—Deja de preocuparte, querida. No será un invitado difícil. Compartimos habitación durante un año, ¿no te lo conté?

Sus ojos brillaban y en su voz se percibía un tono de emoción. Hacía siglos que no le veía tan animado.

—Le prepararé una habitación.

—Viaja con su secretario. Un tipo llamado… —comprobó de nuevo el telegrama— Haxton. Gerald Haxton.

—Ah. Dos habitaciones entonces.

Robert alzó la mirada. Parpadeó despacio.

—¿Qué? Ah, sí. Dos habitaciones. Por supuesto. —Se ensimismó en sus propios recuerdos mientras masticaba la comida. Un momento después, dejó el cuchillo y el tenedor en el plato y habló—: Solo una cosa más, querida.

—¿El qué?

—Cuidado con lo que le cuentas a Willie. Es mi amigo, pero también es un escritor, y no hay nada que le guste más que husmear en los escándalos y secretos de la gente.

—Oh, vaya.

—Durante la guerra, se decía que trabajaba para el Servicio Secreto.

—¿Quieres decir que... era un espía?

—Se rumoreaba que dirigía una red de agentes en Ginebra.

La idea de tener un espía entre nosotros, fisgoneando en nuestros armarios y cajones y entrometiéndose en nuestras vidas, no me resultó agradable en absoluto.

—Con total certeza, todos esos viajes constantes son una tapadera para recabar información y espiar para el Gobierno —Robert prosiguió—. Me pregunto si aún tartamudea. Solía hacerlo, ¿sabes? Muy penoso.

—Al igual que Clive Featherstone.

—Clive no tartamudea. Tartajea.

—¿Hay alguna diferencia?

—Clive ha-a-a-a-bla a... sí. Un tartamudo no. Un tartamudo se esfuerza... para escupir... la siguiente... palabra de su boca. Se podría decir que es como un estreñimiento vocal.

—Deberíamos volver a pintar las habitaciones —sugerí, mientras cortaba un pequeño trozo de pollo y lo envolvía en la salsa espesa—, tienen un aspecto avejentado y deslucido. Y es preciso que compremos muebles nuevos para la casa, querido. Y cojines, cortinas y alfombras. Es demasiado tarde para ocuparnos ahora, pero debemos hacerlo cuando se marche Maugham.

—He estado pensando —dijo Robert—, sobre la oferta de Bernard.

Tragué saliva y dejé los cubiertos con cuidado en el borde del plato.

—Yo no me marcho de Penang, Robert.

—El doctor Joyce está convencido de que el aire del desierto me sentaría de maravilla.

¡Maldito sea ese viejo charlatán entrometido!

—Tus médicos están aquí. Tus clientes. Todos nuestros amigos. ¿Y qué pasa con los chicos? Este es su hogar. —Inspiré primero con calma y expiré luego con fuerza antes de continuar—: Es completamente absurdo abandonar todo y mudarnos al otro lado del mundo a una… granja ovina, ¡por Dios bendito!, en medio de la nada. ¿A tu edad?

—Tendríamos que vender la casa, como es lógico —dijo.

—¿Vender la casa? ¿No se te ha ocurrido que deberías discutirlo antes conmigo? —Le clavé la mirada y él me la devolvió.

Durante el resto de la semana apenas le hablé. No iba a pasar por alto el astuto cálculo de su anuncio. Esperaría; con seguridad mi enfado terminaría por disiparse durante la estancia de Maugham. Tras quince años de matrimonio, no era difícil calarle.

El *syce* fue enviado al puerto para recibir a Somerset Maugham la tarde de su llegada. Me encontraba haciendo unos últimos ajustes a los lirios de nuestra sala de estar cuando oí el viejo Humber rugiendo hacia el acceso de coches.

—¡Están aquí! —gritó Robert, cojeando desde su estudio. Claudius le pisaba los talones.

Comprobé mi aspecto en el espejo del vestíbulo antes de unirme a él bajo la veranda.

—Vamos, querida —dijo, golpeando el suelo con su bastón—. Vamos.

Una brisa espesa y caliente azotó desde el mar, acercando el olor de las marismas. El Humber se detuvo bajo la veranda. Hassan salió del coche —con cerca de sesenta años, sus movimientos eran rígidos pero dignos; el *songkok* en la cabeza le añadía un aspecto distinguido—, abrió la puerta trasera. Un hombre de complexión mediana salió con los ojos entrecerrados por el resplandor de la tarde. Su chaqueta tropical de color crema caía lacia y sus cabellos negros, peinados hacia atrás desde las cejas con fijador, empezaban a encanecer. Una insinuación precoz de papada sobrecargaba sus mejillas y ensalzaba su mandíbula prominente, otorgándole cierto parecido a una tortuga.

La sonrisa de Robert se expandió casi como sus brazos.

—Mi querido, querido Willie... Bienvenido a Cassowary House.

Percibí el instante de consternación en los ojos del escritor, antes de que intentara enmascararlo.

—Robert, qué... bueno verte —pronunció su voz nasal comprimiendo las palabras—. No has cambiado... ni una pizca.

—Mi mujer, Lesley —dijo Robert.

Maugham me estrechó la mano y se volvió hacia el hombre que salía por el otro lado del coche.

—Gerald Haxton, mi secretario.

Tenía unos veinte años menos que Maugham, una versión más esbelta y bella del escritor, con el mismo peinado hacia atrás y un bigote pequeño, cuidado. El notable parecido entre ellos estaba acentuado por una palidez enfermiza.

Los sirvientes desataron el equipaje del techo del Humber y lo llevaron al vestíbulo; dos baúles de metal, una lona larga y abultada y una maleta de piel. El baúl más grande tenía impresas las palabras SOMERSET MAUGHAM en letras mayúsculas, en un lateral.

Qué vulgar, pensé.

—El resto de tu equipaje lo enviarán aquí, Willie —dije.

Tomamos el té antes de mostrarles sus dormitorios. Le había asignado a Willie el más grande y lujoso; el de Gerald estaba más apartado del rellano. Ya por la noche, bajaron a reunirse con nosotros para disfrutar de unas copas en la veranda; ahora, vestidos ambos con sus esmóquines blancos, su aspecto era fresco y elegante.

—Bueno, Willie —dijo Robert—, debes de estar muy contento de no haber terminado como cirujano naval después de todo.

—Por... —la boca de Willie se abrió y cerró unas cuantas veces, como la de un pez; los músculos de su cuello se veían tensos—, muy poco. —Por fin logró expulsar la palabra de sus labios.

—Pero ¿por qué cirujano naval? —pregunté.

—Hace años —dijo Robert inclinándose hacia mí—, justo antes de que se publicara el primer libro de Willie, juró que, si no lograba ser escritor, trabajaría como cirujano naval.

—Esa era la única manera... —el tartamudeo del escritor comenzó de nuevo; era doloroso ver cómo machacaba las palabras— de que un hombre sin dinero pudiera... ver el mundo. Estaba ansioso por viajar al Este, China, Siam, el archipiélago malayo. Quería dejar mis huellas en todas las islas de los mares del sur.

Nos ofreció un cigarrillo de un estuche de plata, pero rehusé con un gesto.

—Me temo que Robert no puede estar cerca de nadie que fume —dije—. Es por sus pulmones, ¿entiendes?

Cerró el estuche de inmediato.

—Lo siento muchísimo. Por supuesto. Totalmente desconsiderado… por mi parte.

—Inhalé algo que no debía en el campo, en Bélgica —explicó Robert—. Hasta tuve que dejar de fumar en pipa. Tú estuviste en la guerra también, ¿verdad?

—Conductor de ambulancia de la Cruz Roja en Francia, al igual que Gerald.

—Allí fue donde nos conocimos; en un hospital improvisado, establecido en un castillo —dijo el aludido, ofreciendo a Maugham una sonrisa jovial.

Comprendí de súbito. ¿Por qué no lo había visto antes? Eran amantes. Eran homosexuales. Teníamos a un par de malditos homosexuales bajo nuestro techo. Lancé una mirada a Robert: él lo sabía, claro que lo sabía. Pregunté:

—¿Willie, cómo os conocisteis tú y Robert?

—Fue un domingo… en una comida en casa de Edmund Gosse, ¿no es así, Robert? —dijo Willie.

—Creo que sí. Fue aproximadamente un mes después del lanzamiento de tu primer libro.

—Eso debió de ser en torno a octubre del 97. *Liza de Lambeth* tuvo un éxito… modesto —Willie me miró mientras hablaba—, pero hubo bastantes personas a las que el tema les resultó ofensivo, de modo que estuvo muy solicitado por las… anfitrionas de moda en Londres.

—Henry James estuvo allí también, ¿lo recuerdas? —preguntó Robert—. Simplemente no puedo entender por qué la gente lo tiene en tan alta estima. Ese hombre escribe como una vieja solterona quisquillosa.

—Apenas articuló palabra durante el almuerzo. —Willie se volvió hacia mí de nuevo—: Robert y yo éramos… dos jóvenes solteros.

—Es difícil creerlo, ¿no es así? Hace un cuarto de siglo. Recuerdo el día que tú... —Robert tuvo un acceso de tos. Me precipité hacia la vasija junto al aparador y regresé a toda prisa con un vaso de agua, que sostuve junto a sus labios mientras le frotaba la espalda con roces largos y vigorosos. Bebió la mitad y me dio una palmada en la mano con una expresión de gratitud.

—Después de aquella comida, seguimos encontrándonos con asiduidad —continuó Willie, mientras me acomodaba en la silla—, por lo general en el club White's.

—Aún soy miembro —apuntó Robert.

Compartimos un piso durante ocho meses —prosiguió Willie—. Nuestro arreglo era muy... ventajoso para mí; durante el día él trabajaba en su... despacho, de modo que yo tenía todo el piso... para mí, para escribir. Por las noches salíamos para ver los estrenos o cenar con nuestros amigos.

—Qué tiempos tan maravillosos —dijo Robert con una mirada difusa por los recuerdos—. Simplemente maravillosos.

—Y entonces os casasteis —interrumpió Gerald—. Tú, Robert, con una mujer preciosa y amable —dijo, con una sonrisa ladeada, haciéndome un guiño pícaro—; y tú, Willie..., bueno..., tú te casaste con Syrie.

Miré de reojo a Willie; tenía los párpados caídos y una expresión plácida.

—¿Otra copa, Gerald? —propuse, alcanzando la campanilla.

—No hay necesidad de llamar a los esclavos, Lesley. —Gerald se levantó y deambuló hasta el aparador.

—Es una verdadera lástima que nuestros chicos estén fuera —dijo Robert—. Les hubiera encantado conocerte.

—¿Dónde están? —preguntó Willie—. ¿Kuala Lumpur o Singapur?

—En realidad están en Reading —dijo Robert—. En un internado. Edward tiene trece años y James, catorce. Irán a Oxford dentro de un par de años, eso esperamos, siguiendo los pasos de su viejo padre. ¿Y tú, Willie? ¿Algún tallo de la vieja rama?

—Una niña, Elizabeth. Tiene seis años y es encantadora.

—Tu mujer, Syrie, ¿alguna vez viaja contigo? —Me preguntaba si la pobre mujer sabía que su marido se acostaba con hombres.

—Syrie y yo tenemos… intereses distintos; nos gusta visitar lugares diferentes. Yo viajo… con lujo cuando puedo; no tiene sentido pasarlo mal solo por gusto, aunque estoy más que dispuesto a soportar las condiciones más insalubres si es necesario. Syrie, por el contrario… simplemente no puede vivir sin sus pequeños caprichos. Mi mujer tiene muchas cualidades… admirables, pero —el escritor mostró una sonrisa triste e indulgente— no es una persona… intrépida. Ni siquiera le gusta ir al continente.

Su elocuente respuesta me dio la impresión de que le habían hecho la misma pregunta en numerosas ocasiones.

—Oh, la dulce Syrie no duraría ni quince minutos. —Gerald se dejó caer en su silla con una nueva bebida en la mano—. Hemos navegado en embarcaciones oxidadas, en trasatlánticos, en goletas; hemos viajado en tren, en coche y en un sedán. Hemos caminado por estrechos senderos de montaña, dormido en un camastro de paja en establos. Hemos ido a pie y montados en mula durante días. —Dio un largo trago de su vaso de cristal e hizo un gesto señalando el escudo de guerra dayak colgado en la pared—. Vimos muchos de esos en Sarawak, en sus casas comunales. Casi perdemos la vida allí, ¿sabéis?

Willie lanzó una mirada cautelosa a su secretario.

—Gerald…

—¿Qué sucedió? —preguntó Robert.

—Navegábamos río abajo desde la jungla, de vuelta a Kuching —continuó el joven—. Era un día luminoso, cálido, sin nubes, y la superficie del agua estaba plana, como una bebida espumosa del día anterior. Y de pronto, sin previo aviso, una ola inmensa se precipitó sobre nosotros. —Bebió la mitad del contenido de su vaso de un solo trago y se limpió la boca con el dorso de la mano—. Nunca había visto nada parecido. Fue aterrador. Nos barrió de la cubierta y volcó nuestro barco como si fuera una hoja. Hubo aún más avalanchas de olas, todas igual de grandes. Te digo que el río era como el Atlántico en invierno.

—Quedasteis atrapados en un macareo —señaló Robert—. Alejandro también estuvo a punto de perder la vida en uno.

—¿Un amigo tuyo? —preguntó Gerald.

—Puede que sea viejo, querido amigo, pero no tanto. Alejandro Magno.

—No conozco esa historia —dijo Willie.

—Quintus Curtius Rufus dejó constancia de ello en su *Historiae Alexandri Magni* —dijo Robert—. Alejandro había soñado con expandir su imperio hasta el confín del mundo, pero, tras fracasar en la conquista de la India, emprendió el regreso con sus tropas, que anhelaban volver a casa.

Robert comenzó a toser de nuevo y tuvo que tomar un par de sorbos de agua antes de reanudar su relato.

—En su viaje de retorno, Alejandro y su ejército acamparon junto a las orillas del río Indo. Se llevó algunos hombres en barco río abajo para averiguar lo lejos que estaban del mar; aún alimentaba la esperanza de regresar a la patria por mar en lugar de atravesar las elevadas montañas. Al cabo de unos días de navegación, descubrieron que ascendían río arriba y, lo más prometedor, el agua olía a sal. Los hombres de Alejandro se entusiasmaron, convencidos de que se acercaban al mar.

»Pero un segundo más tarde, sus vítores se cortaron en seco. Olas gigantescas que se aproximaban con ruido atronador los azotaron, aplastando la flotilla de Alejandro hasta hacerla añicos. Más de la mitad de los hombres se ahogaron —Robert se detuvo de forma abrupta—. Perdonad que hable largo y tendido, yo mismo empiezo a sonar como un macareo.

Willie y su secretario rieron. Incluso yo, que había oído esa historia más de una vez, no pude evitar sonreír. Robert y Willie se sumergieron de nuevo en la memoria cadenciosa de su antigua amistad. Era obvio, por la actitud relajada con que se trataban, que habían sido buenos amigos. De cuando en cuando, Gerald intervenía en la conversación, pero durante la mayor parte del tiempo permanecía en silencio y bebía. Hubo un momento en que, al observar la risa sincera de Robert, intenté recordar cuándo se había reído así conmigo por última vez. O, ya puestos, yo con él.

El jardín se desvanecía en el crepúsculo, acompañando la fragancia del jazmín y el frangipani. Los sirvientes iban de un lado a otro encendiendo las lámparas eléctricas. Me sobresalté, deslumbrada repentinamente por la luz. Al cabo de un minuto o dos las polillas empezaron a revolotear en torno a los candiles, lanzándose una y otra vez contra las llamas, selladas en el interior del cristal.

Menos de una década antes, la única iluminación tras la puesta de sol provenía de las lámparas de aceite y las llamas de las velas. Al recordar esos tiempos, me invadió un poderoso deseo de sentarme de nuevo en la penumbra, como un Buda en un templo abandonado al anochecer, recordado tan solo por la llama vacilante de una vela encendida por un peregrino de paso. Emergió a la superficie de mi memoria otro recuerdo de años atrás; la noche en que nos había visitado otro viajero de una tierra lejana, un exiliado de China, el doctor Sun Yat Sen, o Sun Wen, como deseaba que le llamáramos. Esa noche en particular parecía muy lejana en el tiempo, irrecuperable.

En China, la monarquía estaba acabada, pero la revolución no había hecho más que empujar a estas tierras antiguas a una guerra civil que parecía no tener fin. Durante los últimos años, había dejado de leer las noticias sobre el país; me parecía demasiado pesaroso, me causaba demasiado dolor. China había abandonado mis pensamientos, mis sueños, como una nube que se aleja flotando hasta otro cielo bajo el horizonte. Pero desde que Robert había anunciado su intención de vender nuestra casa y mudarnos al otro lado del mundo, la necesidad apremiante de averiguar lo que le estaba pasando a Sun Wen había empezado a apoderarse de mí.

Una carta. Debo escribirle una carta. Pero ¿a qué lugar de China tendría que enviarla? Con el hundimiento del antiguo imperio, el consulado chino había sido abandonado, e incluso el Tongmenghui, la Alianza Revolucionaria China, había disuelto su club de lectura. Aunque quizá quedara alguien en su sede en Armenian Street con quien pudiera hablar, alguien capaz de averiguar la dirección de Sun Wen a través de sus archivos.

Sentí el escalofrío de la mirada de Willie; tenía la desagradable sensación de que me había estado observando durante un rato. Le miré directamente a los ojos; desvió los suyos.

—Cassowary, es un pájaro, ¿no es así? —Gerald le preguntaba a Robert—. Es un nombre un tanto extraño para una casa.

—Nadie tiene ni idea de por qué se llama así —dijo Robert—. Pero decidimos no cambiarlo cuando la compramos.

—Recibe el nombre de la casuarina, ese árbol grande junto a la valla. —Tenía la garganta irritada y tomé un sorbo de mi copa—.

Los malayos los llaman *kasuari* porque sus hojas se parecen a las plumas del casuario.

—¿De dónde te has sacado eso? —preguntó Robert.

Desde el techo, un *gecko chichak* nos lanzó chasquidos de desaprobación. El gong que avisaba de la cena sonó desde el interior de la casa.

—Espero que tengáis hambre —dije, poniéndome en pie—. Cookie ha preparado un festín.

—Voraz —respondió Gerald.

Mientras acompañaba a los hombres desde la veranda hasta la casa, oí —y sentí— cómo las suelas de mis zapatos aplastaban los cuerpos de las polillas y las hormigas voladoras que habían caído al suelo con las alas chamuscadas por volar demasiado cerca de los candiles.

Ah Leck me dejó en la entrada de la iglesia de Saint George. Esperé junto a la verja hasta que el *rickshaw* desapareció a la vuelta de la esquina. Se levantó una brisa que arrancó las pequeñas flores amarillas de los angsanas que bordeaban la carretera. Frente a mí, una lluvia de pétalos se esparció por la explanada del templo desperdigándose sobre la cúpula del monumento en honor a Francis Light.

Un tranvía pasó traqueteando, su campana repicaba. Abrí mi sombrilla y me uní a los peatones que se adentraban en la ciudad. Esperé junto a la entrada del templo de la diosa de la Misericordia a que hubiera un hueco entre la multitud. Los tiradores de *rickshaw*, sus tórax ahuecados por el opio, se sentaban en cuclillas para jugar al ajedrez chino en tableros trazados con tiza sobre las baldosas del patio. El tejado de terracota del templo se cernía sobre ellos como una ola negra en el mar. Cuatro dragones de piedra asomaban del borde de los alerones curvados hacia arriba, una imagen familiar en la isla. «Los cielos de Penang están repletos de dragones», me había comentado mi hijo pequeño en cierta ocasión.

Ya en Pitt Street, me abrí camino entre los grandes sacos repletos de chalotas, *ikan bilis*[2] y pescado salado que saturaban los

[2] En Malasia, anchoas deshidratadas al sol. *(N. de la T.)*.

pasillos sombreados frente a los comercios. A poco más de un metro de la mezquita Kapitan Keling, giré directamente hacia Armenian Street.

Miré a mi alrededor. Habían pasado años desde que estuve aquí por última vez, pero las casas-tienda no parecían haber cambiado, y hasta se diría que las personas en la calle permanecían envueltas en un aire de intemporalidad; como el artesano que fabricaba incienso, con sus bandejas de varillas de sándalo hechas a mano desplegadas bajo el sol. De hecho, estaba convencida de que era el mismo hombre que me había entregado una hacía diez años. Ahora su cabello estaba repleto de canas, como si lo hubiera empolvado con la ceniza de esas mismas varillas.

Las casas-tienda de Penang tienen algo bello y sugestivo. Cuando Robert estuvo fuera, en el frente, pasé muchas mañanas con el caballete y mi pequeña banqueta en una esquina de la ciudad, plasmándolas en dibujos y acuarelas. Fueron construidas a finales del siglo XVIII, y en ellas confluyen elementos arquitectónicos de India y el sur de China. Sus fachadas, pintadas en una variedad de colores alegres y adornadas con detalles llamativos de minuciosa factura, son el sueño de cualquier artista. La planta baja forma un soportal estrecho, con arcos y toldos de bambú; es lo que los hokios denominan *goh kaki*, un pasillo continuo de metro y medio de ancho[3], donde a menudo se desarrollan actividades comerciales. El suelo de estos corredores está cubierto con baldosas de terracota de alegres estampados, mientras que las puertas principales que dan a ellos —a menudo de dos hojas que se abren para dar paso a otras dos puertas interiores de madera, sencillas y más robustas— están flanqueadas por contraventanas a ambos lados. Por lo general, encima de las ventanas hay un par de rendijas para la ventilación, con formas que representan murciélagos, y están aseguradas por delgadas barras verticales de hierro. La fachada de la segunda planta se cubre con persianas de madera y, muy a menudo, presenta un parapeto perforado con una hilera de estas rejillas de ventilación realizadas con cerámica de color verde jade.

[3] En inglés *five-foot way*, nombre que podría traducirse como «vía de cinco pies» y que alude a la anchura de este pasillo techado que se encuentra comúnmente frente a las tiendas en Malasia, Singapur e Indonesia. *(N. de la T.)*.

Mientras recorría la calle, fijaba la vista en los números de las casas, grabados en placas metálicas de forma oval sobre los dinteles. Me detuve en el número 120. Un cartel de madera negra colgaba sobre el marco de la puerta, tal como guardaba mi memoria, salvo que estaba tallado con un par de ideogramas chinos y no con los cuatro que yo recordaba. La pintura de cal amarillenta había sido reemplazada por una capa de verde pálido; el altar rojo del dios del Cielo colgado en la pared junto al acceso habría enfurecido a Sun Wen. Las puertas estaban abiertas y, pegada en cada una de las interiores, estas a medio abrir —puertas que, según recuerdo, nunca habían exhibido adorno alguno—, se disponía una franja de papel bermellón con trazos de caligrafía china que mostraban las palabras habituales para atraer fortuna y buena suerte.

Entré en el *goh kaki* y me asomé a través de las puertas que daban al vestíbulo principal. Una mujer china de mediana edad, con un pareo que envolvía sus pechos, dormía la siesta en un sillón de ratán, con un periódico sobre su vientre plano. Llamé con los nudillos y saludé con un grito. Se despertó sobresaltada y el periódico cayó al suelo.

—Estoy buscando al Tongmenghui —dije en hokienés.

Se enderezó, parpadeando confusa.

—¿Qué? Ah, esa gente… Ya no están por aquí.

—¿Sabes adónde fueron?

Se agachó y recogió el periódico mientras se rascaba la axila.

—Hace mucho, mucho tiempo que se marcharon.

—¿Aún es Ah Lim el dueño de esta casa?

Negó con la cabeza.

—Se la vendió a mi hija.

Le di las gracias y me alejé caminando. Me detuve a la altura de una botica china, protegida por la sombra del *goh kaki*, para aclarar mis pensamientos. El viejo boticario estaba ocupado detrás del mostrador, cogiendo hierbas secas de uno los cajones etiquetados que ocupaban toda la pared. Me miró con aire interrogante. Le sonreí y sacudí la cabeza. Los aromas amargos del *ginseng* y el *shiitake*, y de cientos de hierbas que no podría nombrar, emanaron del interior, dejando en el aire un olor medicinal, pero no pudieron reparar la angustia de mi corazón. Durante todo este tiempo había albergado la débil esperanza de que el Tongmenghui aún tuviera algún vínculo, por muy tenue que fuera, con aquella casa. Pero el Tongmenghui había dejado de existir.

Me protegí los ojos del resplandor y contemplé la calle. Debería girar a la izquierda en la intersección que tenía frente a mí para llegar de nuevo a Pitt Street y emprender el regreso hacia la iglesia de Saint George. Sin embargo, antes siquiera de que mi determinación flaqueara, cambié de opinión y crucé la carretera a toda prisa. Continué bajando Armenian Street hasta llegar al último de la larga hilera de edificios.

Esta casa-tienda en particular se encontraba en una esquina y estaba separada del resto por una sombreada calle lateral. Las puertas principales estaban cerradas y la pared por encima del dintel aparecía desnuda. Flanqueando ambos accesos, las dos características ventanas protegidas por finas barras de hierro, con las contraventanas bien cerradas. A pesar de que su aspecto evidenciaba un mantenimiento regular, un aire de ausencia envolvía la casa.

Fui directa hacia las puertas y me quité el guante. Lentamente, deslicé la palma de mi mano desnuda sobre la superficie. La madera estaba sin pintar y tenía una textura cálida y como de polvo. Retiré la mano y me contemplé la palma: estaba cubierta con una capa de hollín que perfilaba visiblemente las líneas de mi destino.

El sol se deslizó trazando una costura oculta entre las nubes y el mundo se desvaneció en una imagen monocroma. Me limpié la mano, me puse el guante y salí a la calle. Antes de marcharme, eché un último vistazo a las puertas y después me fui por donde había venido, de regreso a mi propio mundo.

Capítulo Tres

Willie
Penang, 1921

Lo normal habría sido darle instrucciones a Gerald para hacerlo. En su lugar, Willie no dudó en pedir al «sirviente número uno» que fuera a la oficina de telégrafos a poner un telegrama a sus abogados de Nueva York. «El sirviente número uno», Ah Keng, rondaba los cincuenta años y se había autonombrado criado personal de Willie para atender todas sus necesidades. Aceptó la tarea —así como la propina que el escritor deslizó en su mano— con una devoción sacerdotal.

—He leído su libro, señor Willie —dijo Ah Keng.

—Ah, ¿cuál?

—El que trata de una mujer mala, una prostituta. —Ah Keng blandió un dedo artrítico frente a su cara—. No es una historia para gente decente. Debe escribir historias decentes, señor Willie. Historias bonitas.

—Lo tendré en cuenta, buen hombre —dijo Willie, con sequedad.

Después de desayunar con los Hamlyn, él y Gerald se dirigieron a la playa provistos de libros y toallas. Tumbados bajo las sombras vacilantes de los cocoteros, Willie intentó leer, pero no lograba concentrarse en la página.

—¡Por Dios bendito, Willie, deja de moverte tanto! —protestó Gerald—. ¿Qué diablos te ocurre?

Willie apoyó el libro sobre su vientre.

—No he... dormido muy bien, eso es todo.

—Es por Syrie otra vez, ¿no es así? —La voz de Gerald quedaba amortiguada por el sombrero de paja que cubría su rostro—. ¿Y ahora qué quiere esa zorra? ¿Un abrigo de marta cibelina? ¿Una casa nueva? O, nos atrevemos a albergar esperanzas, ¿un nuevo marido?

—Es esta… maldita enfermedad, que no me suelta. —Observó cómo las palmas del cocotero, en lo alto, se azotaban entre sí—. Y no llames zorra a mi mujer.

Retomó la lectura, pero al poco tiempo se distrajo de nuevo. Al final, cerró el libro de golpe y se levantó no sin esfuerzo.

—Me voy dentro a trabajar un poco.

Gerald retiró el sombrero de su rostro y le miró fijamente.

—Se supone que debes descansar. El médico dijo que…

—Solo voy a apuntar algunas ideas —replicó Willie—. Quédate aquí, no te levantes.

—Ni de coña; no pensaba —dijo Gerald, al tiempo que se colocaba el sombrero de nuevo sobre la cara.

Una vez en la casa, encontró a Lesley en el comedor, consultando algo con voz queda e insistente con un hombre corpulento de traje marrón. Interrumpieron la conversación al verle.

—El doctor Joyce está aquí para ver a Robert —le informó.

—Señor Maugham. —El médico agarró la mano de Willie como si accionara una manivela para encender el motor de un automóvil reacio a arrancar—. Es un honor conocerle. Un verdadero honor.

—¿Robert está bien? —preguntó Willie.

—Es la humedad, que hace estragos en sus pulmones. Le he dado un sedante, pero me temo que no puedo hacer mucho más. Aunque, si estuviéramos en Londres, quizá podría montar una cámara de oxígeno. —Esbozó una mirada de reprobación hacia Lesley—. Ya os había avisado, un clima seco sin duda aliviaría su sufrimiento.

Ella recibió las palabras del médico con las mandíbulas tensas y se volvió hacia Willie, que expresaba su deseo de instalar un escritorio y una silla en su habitación. Lesley le pidió que le diera quince minutos. Él se lo agradeció y, de camino a su dormitorio, decidió detenerse en la biblioteca.

La estancia, ubicada en el ala este de la casa, era espaciosa y alegre. Los paisajes al óleo y los fotograbados, las estanterías de teca desde el suelo hasta el techo y el par de sillones de orejas de piel tachonados le dieron la sensación de estar en la sala de lectura del Ateneo. Pero las piezas de porcelana china de los Estrechos dispersas por cada rincón y cada hornacina de aquel cuarto vinieron a desbaratar su ilusión inicial. Platos y recipientes con tapa, vasijas de estridentes colores rosas, verdes y amarillos decoradas con dragones, aves fénix y peonías.

Buscó sus libros. Era lo primero que hacía siempre que entraba en una librería o en la biblioteca de alguien; y le gratificaba encontrarlos. Le complacía aún más si los hallaba expuestos en buen lugar, a la altura de la vista. Robert había adquirido todos y cada uno de los títulos que había publicado hasta el momento —sus diez novelas y dos colecciones de relatos cortos—. También había obras —no era de extrañar— de Shakespeare, Hazlitt, Dickens, Scott y H. G. Wells; traducciones de novelas francesas, rusas y alemanas; los clásicos que apasionaban a Robert, como Horacio, Homero, Virgilio y Cicerón, además de una selección impresionante de libros sobre Malaya. Sin embargo, lo que llamó su atención fue la extensa colección de volúmenes sobre China: estanterías enteras con libros sobre historia, arte, poesía y ficción chinas.

Sacó un grueso volumen encuadernado en piel de vaca marroquí: *La rebelión Taiping*. El nombre de Lesley y una fecha, 30 de mayo de 1910, estaban impresos en el frontispicio. Cogió otros títulos sobre China al azar, algunos sobre este mismo tema, otros sobre las guerras del Opio y la rebelión de los bóxeres. En todos figuraba su nombre con letra clara y elegante. Y todos estaban datados en abril de 1910 o a partir de esta fecha.

Se alejó de las estanterías hasta un aparador de madera de alcanfor repleto de fotografías con marco de plata. Mostraban al matrimonio Hamlyn y sus dos hijos a lo largo de varios años, los chicos con semblantes pálidos y anodinos. También había fotos de Robert y Lesley en compañía de otros adultos de aspecto sofisticado, en la veranda de Cassowary House y en el jardín de otras residencias. Una instantánea colgada en la pared, que en principio pasaba desapercibida, atrajo no obstante su atención. La cogió por el marco, con cuidado de no desbaratar el conjunto. Lesley, con unos diez o quince años menos, permanecía de pie frente a un tocador con espejo, con la vista clavada en la cámara, su barbilla un poco virada hacia arriba y su mano izquierda reposando en el respaldo de un sillón chino de madera de palo de rosa. Vestía una blusa de manga larga que cubría la curvatura de sus caderas, a juego con una falda lisa que le llegaba hasta los tobillos. Su cabello estaba recogido en un moño. Había visto a las mujeres de la colonia china del Estrecho ataviadas con el mismo tipo de traje en Singapur, pero nunca a una mujer europea. Había conservado la figura al cabo de los años, constató con aprobación. Tenía un aspecto majestuoso y, aunque sus rasgos eran poco convencionales, incluso estaba guapa.

Ah Keng apareció en la puerta para informarle de que *mem* preguntaba por él en su habitación. Willie repuso la fotografía en su sitio con cuidado y se apresuró por las escaleras. Lesley daba órdenes a un par de sirvientes mientras colocaban un escritorio junto a las ventanas.

—Con vistas al jardín y al mar —enlazó las manos a la altura del pecho y le sonrió—: Esto debería inspirarte mientras escribes.

—Gracias. Sin embargo… —Willie señaló la esquina del lado opuesto—, preferiría allí.

—Pero… estarías de cara a la pared.

—Así es como trabajo.

—Si estás seguro… —Aún dubitativa, dio una serie de instrucciones cortas en chino a los criados, que levantaron el escritorio y el sillón Windsor hasta el lugar que él había elegido.

—He estado anotando algunas ideas para el libro sobre Sun Yat Sen.

—Conociendo tu reputación, no creo que sea muy halagador, ¿no es así? —aventuró ella—. Pero espero que al menos sea… justo.

—Mis personajes nunca pierden del todo sus posibilidades de redención, Lesley.

Ella sopesó sus palabras por un momento. A continuación, le indicó que esperara, se acercó hasta su propio dormitorio. Regresó con un libro y se lo tendió.

—Trata de las actividades del doctor Sun cuando estuvo en Penang —dijo Lesley—. Tal vez lo encuentres útil.

Era un volumen delgado, de apenas ochenta páginas: *A Man of the Southern Seas*.

—¿Los mares del sur? —preguntó.

—Así es como los chinos llaman a esta parte del mundo, Nanyang.

Examinó la fotografía del hombre que ocupaba la sobrecubierta. El revolucionario vestía con un traje oscuro de tres piezas y estaba sentado en un antiguo sillón chino. Tenía un rostro delicado, que revelaba su condición de erudito, y sus ojos, grandes y demasiado redondos para ser chino, irradiaban inteligencia.

—Un tipo guapo —comentó.

—Esa se tomó en Penang, en la sede de su partido. Ya rondaba los cuarenta años.

—¿Cuánto tiempo estuvo aquí?

—Cinco o seis meses.

—Me gustaría saber cómo era para ti.

La mirada de Lesley recorrió la habitación hasta posarse en la fotografía enmarcada que ocupaba la mesilla de noche. La tomó y la examinó.

—¿Es tu madre?

—Sí.

—Te pareces a ella. ¿Cómo se llama?

—Edith.

—Tiene unos ojos muy tristes. —Dejó la foto sobre la mesilla—. ¿Tienes alguna de tu mujer?

—No he traído ninguna.

—Oh, ya veo. —Permaneció de pie. Willie se percató de que quería preguntarle algo—. Tu libro, el que me enseñaste el otro día… Me gustaría pedírtelo prestado. A Robert también le encantaría leerlo.

Cogió el volumen de la mesilla de noche y se lo entregó.

—Siento que… se encuentre… mal. Si te parece, me pasaré por su dormitorio más tarde.

—Eso le gustará. Anímale un poco.

—Pobre Robert. Tal vez no debimos venir.

—Oh, no digas eso, Willie. Estaba entusiasmado con vuestra visita, no dejaba de pensar en ello —sonrió—. Vuestra presencia es su mejor medicina. Estará del todo repuesto en un día, ya lo verás.

—No tengo la menor duda.

Cuando se quedó solo, se sentó ante el escritorio y pensó en lo que ella acababa de decirle; sus palabras, sin duda optimistas, no podían ocultar la verdad que expresaba su mirada. Robert se recobraría tras un día de descanso, cierto, pero sus crisis no harían más que empeorar. Pronto llegaría el momento en que ya no fuera capaz de respirar en absoluto. Se ahogaría en el mismo aire que le había dado vida.

Willie abrió sus cuadernos y comenzó a leer las anotaciones sobre anécdotas y personajes que había registrado a lo largo de meses de viaje por los Estados Malayos Federados, filtrándolas en busca de pepitas de oro que esperaba poder fundir y forjar en historias.

Había viajado por primera vez a Extremo Oriente dos años atrás. Salió de Londres una fría mañana de invierno hacia Chicago, donde le esperaba Gerald. Cogieron el tren a San Francisco, y allí abordaron un barco rumbo a Hong Kong. Se demoraron allí una semana antes de embarcar de nuevo, esta vez hacia Shanghái. Con ayuda de guías y porteadores contratados por Gerald, emprendieron camino hacia el interior del Imperio Medio, viajando en embarcaciones fluviales y barcazas arroceras, tambaleándose a lomos de mulas de carga mientras ascendían por estrechos senderos que bordean desfiladeros vertiginosos. Willie había disfrutado cada minuto de ese viaje. Pasaron meses en China antes de navegar de vuelta a Londres. Sus baúles estaban repletos de regalos para Syrie y Elizabeth: porcelana, sedas, jade, artesanía y libros. Sin embargo, no era todo lo que había traído a casa; en su cabeza bullían las historias que le habían contado durante aquel tiempo.

—Te perdiste el cumpleaños de Liza —le recordó Syrie apenas media hora después de pisar el número 2 de Wyndham Place, en Marylebone, una casa de cuatro pisos de estilo Regencia—. Le organicé una fiesta con treinta niños. Te escribí sobre ello. ¿No recibiste mi carta?

Una irritación conocida le aguijoneó. Él siempre llamaba a su hija Elizabeth, pero Syrie prefería llamarla Liza. La niña le miraba con cautela. No te ha visto en ocho meses, se dijo a sí mismo. Lo más seguro es que se haya olvidado de quién eres. Se agachó y, apoyado en una rodilla, le sonrió.

—Elizabeth, querida mía, mira lo que te he traído… para tu cumpleaños. —Sacó un traje culi azul marino del baúl y se lo entregó a su hija.

Ella alargó una mano con timidez, pero Syrie le interceptó el brazo.

—No, Liza querida, no te vas a poner eso. En serio, Willie, ¿quieres que parezca un culi chino?

—Oh, creo, que Elizabeth… estaría absolutamente encantadora vestida con él. —Apretó la ropa con cuidado en las pequeñas manos de su hija y la besó en las mejillas—. ¿No te parece, mi querido ángel?

Estaba entusiasmado por estar de nuevo en su casa. Al restablecer su rutina, empezó a trabajar en un libro sobre sus viajes por China. Todos los días, desde la mañana hasta el mediodía, escribía en su estudio, situado en la última planta de su casa. Nadie podía molestarle. Sumergido por completo en su obra, normalmente hacía caso omiso de las campanas de la iglesia de Saint Mary, en la misma calle, resonando en el silencioso barrio. Sin embargo, de vez en cuando, al reparar en su tañido, levantaba su rostro de la página y en la pausa le invadía una profunda sensación de paz, como una brisa templada de verano.

Pronto comenzaron a llegar invitaciones y, junto con Syrie, reanudó su actividad social, atendiendo a veladas inaugurales en la ópera y en el teatro, donde se ponía al día con sus amigos. Por las mañanas, montaban a caballo en Hyde Park. Pasaba tiempo con Elizabeth y la llevaba al pequeño parque de Bryanston Square por las tardes; leía para ella a la hora de dormir y, por alguna razón incomprensible, en aquellas ocasiones nunca tartamudeaba. La pequeña se ponía el traje culi azul día tras día y se negaba a quitárselo, lo cual irritaba a su madre.

Durante algún tiempo se sintió satisfecho, incluso feliz. Sin embargo, como siempre le ocurría, no tardó en notar que la casa se le caía encima. Echaba de menos a Gerald, que se había quedado en América. Aunque Willie disfrutaba mucho de Londres, la necesidad de escapar y dejar todo atrás siempre le acechaba, corroyéndole los huesos hasta el alma. Syrie lo notaba. Mantenía los ojos bien abiertos, preparada para abalanzarse en el momento en que esa frustración asomara la cabeza. Constantemente requería de él seguridad y con frecuencia demandaba encuentros sexuales. Willie se resistía a todos sus intentos; las viejas discusiones familiares empantanaron de nuevo la convivencia. Se encerraba en su estudio a trabajar y, cuando no escribía, encontraba refugio en el Garrick Club o deambulaba por las calles, haciendo tiempo en sus librerías y galerías de arte favoritas, cualquier cosa para posponer la inevitable vuelta a casa. No podía soportar las escenas que le hacía Syrie.

Había dado por hecho que tenían un acuerdo tácito cuando se casaron: ella quería un marido rico y famoso, y un padre para su hija; él necesitaba una esposa refinada, capaz de desenvolverse con brillantez en las fiestas y que recibiera a las personas elegantes de Londres. Al principio, ambos se habían contentado, pero aquello acabó convirtiéndose en un matrimonio absolutamente inconveniente. «Al igual que muchas mujeres infelizmente casadas que he conocido —comentó Willie en una ocasión a un amigo—, Syrie ha cometido el… error de enamorarse de su marido».

Las peleas eran cada vez más frecuentes y tormentosas. Después de una de aquellas discusiones, se dijo a sí mismo que la situación era ya insostenible. Aquella noche, después de acostar a Elizabeth y leerle un cuento, le pidió a Syrie que se reuniera con él en la sala de estar.

—Oh, no te pongas tan sombrío, querido —dijo ella—. ¿No estarás enfadado conmigo todavía?

Esquivó su beso y se dirigió al aparador para preparar un par de copas.

Ella se sentó en el sofá estilo Regencia que había comprado la semana pasada, se cruzó de piernas y encendió un cigarrillo.

Willy le ofreció a Syrie su *gin-tonic* y, tras acomodarse en el Chesterfield, iba tomando pequeños sorbos de su bebida mientras escrutaba a su esposa. Su cara estaba más rellena. Tenía cuarenta años, cinco menos que él. El vestido de seda gris suavizaba el lustre cremoso de las perlas que él le había regalado tras divorciarse de Henry Wellcome. Su cabello se ondulaba suavemente con elegancia y sus ojos, de color castaño oscuro, astutos e inquisitivos, aún constituían su rasgo más destacado.

—Mi libro… estará terminado dentro de una semana.

—¡Querido, qué noticias tan maravillosas! —Inclinó su vaso hacia él para brindar—. Celebrémoslo. Daremos una gran fiesta, invitaremos a todo el mundo.

—No habrá fiestas, ni celebraciones. —Alzó la mano cuando ella comenzó a protestar—. Después de terminar el libro —siguió—, me iré al extranjero. A... América.

Syrie frunció el ceño.

—Pero si acabas de volver.

—Paramount me ha pedido que trabaje en... el guion para la película de Chaplin en Hollywood.

—¡Dios mío, qué emocionante! Me encantaría conocerlo. Estoy segura de que con gusto nos presentará a otras estrellas.

—Me iré... solo, Syrie.

Un largo silencio se interpuso entre ellos. Al cabo de un tiempo, ella volvió a hablar:

—Supongo que tu secretario sí estará allí.

—Es un viaje de trabajo. Para eso... le he contratado. Y después de terminar este encargo —prosiguió—, iré con él... a Extremo Oriente.

—Soy yo la que debería ir contigo. Soy tu mujer, aunque al parecer lo olvidas todo el tiempo.

—Mi querida Syrie, te aseguro que me es... en extremo difícil olvidar que eres mi mujer.

Ella entrecerró los ojos, desconcertada acerca del significado real de sus palabras.

—Soy un escritor —continuó Willie antes de que ella pudiera replicar—, y para escribir... necesito encontrar material fresco.

—Siempre nos dejas solas durante meses. Liza llora todas las noches hasta quedarse dormida cuando estás fuera, ¿lo sabías? —Hizo un esfuerzo por enlazar adecuadamente las palabras que estaba a punto de pronunciar y, a continuación, las disparó en forma de reprimenda—: Me siento más como tu viuda que como tu mujer.

—Escúchame... con atención, Syrie... no... interrumpas. —Willie se empeñaba en reprimir su tartamudeo—. Necesito escribir, y para hacerlo debo tener completa libertad para viajar donde quiera, solo, durante el tiempo que precise y con la frecuencia que desee. Si no puedes aceptar esto... —le daba pavor la inevitable explosión, pero se obligó a seguir—, si no puedes aceptar esto, entonces, o nos separamos o nos divorciamos. —Posó sus manos sobre las rodillas—. Depende de ti, pero toma tu decisión ahora.

Durante tres o cuatro segundos la expresión de su esposa pareció congelarse. Después, poco a poco y con una grandeza de tintes trágicos, su semblante se desmoronó. Willie pensó en un pesado flanco de hielo desprendiéndose de un iceberg y precipitándose al mar.

—¡Bastardo! —Le arrojó el vaso de cristal. Él se agachó a tiempo, y el contenido salpicó su brazo antes de pasar volando junto a él y golpear la pared. No se rompió. Cayó sobre la gruesa alfombra con un golpe sordo y apagado—. ¡Bastardo! —gritó de nuevo—. ¡Bastardo!

Él salto de su sillón y retrocedió.

—No me hagas una... escena, Syrie, por favor, no me hagas una escena.

Ella se enroscó sobre sí misma con el rostro sepultado en las manos y comenzó a sollozar mientras su cuerpo se balanceaba hacia adelante y hacia atrás.

Willie fijó la mirada en la calle, al otro lado de las ventanas. Un coche de caballos pasó traqueteando. Envidiaba las casas de enfrente, con sus interiores iluminados, aparentemente cálidos y acogedores, aunque suponía que cualquiera que observara el resplandor en sus ventanas tendría la misma impresión.

Para su tranquilidad, al fin Syrie dejó de llorar. Se enderezó en el sofá y se secó las lágrimas con un pañuelo.

—Está bien —se aclaró la garganta—, debes viajar. Puedo aceptar eso. —Se recolocó el peinado y acomodó las perlas en su sitio antes de continuar—: Tampoco podría ir vagando por el mundo contigo. Hay muchísimo que hacer aquí, tengo ideas para la casa... —Recorrió la sala de estar con la mirada, abarcando las paredes, el techo y los muebles—. Necesita más blanco.

Willie exhaló silencioso. No estaba del todo libre, pero por ahora tendría que conformarse.

A la mañana siguiente empezó a organizar su viaje; su intención era que fuera mucho más largo que ninguno de los que había hecho antes. Una vez finalizados los preparativos, telegrafió sus instrucciones a Gerald y envió el manuscrito de *En un biombo chino* a su agente. Syrie continuó tan afectuosa como siempre a medida que se acercaba el momento de su marcha; hasta le compró un nuevo par de maletas de piel en Selfridges y le ofreció consejo sobre el equipaje que debía llevar.

Zarpó desde Southampton una mañana gris y brumosa. La travesía fue agradable. Gerald le esperaba en Nueva York, su sonrisa amplia y familiar resplandecía entre la multitud del puerto cuando vio a Willie. Cogieron un tren a California y permanecieron en Hollywood durante dos meses, un tiempo dichoso, antes de emprender viaje en automóvil por la costa hasta San Francisco. Desde allí, tomaron un barco con destino a Honolulu y después se embarcaron hacia Sídney para continuar en dirección norte, hacia Singapur.

Sin obligación de someterse a ningún itinerario, exploraron las islas del archipiélago malayo, a lo largo de costas repletas de bosques de manglares cuyas raíces parecían unir la tierra con el mar; viajaron por el país hasta los Estados Malayos Federados y No Federados. Se hospedaron en hoteles y albergues y, cuando estaban disponibles, en *bungalows* propiedad de residentes y oficiales de distrito. Los europeos, muchos de los cuales vivían a cincuenta o sesenta kilómetros de la ciudad más cercana, anhelaban cualquier distracción, y las esposas de los terratenientes y funcionarios públicos desplazados se disputaban la oportunidad de hospedar a Willie y a su secretario.

Ahora, pocos días después de llegar a Cassowary House, se veía obligado a retomar su rutina de trabajo.

Todas las mañanas, cuando el amanecer empezaba a despejar la oscuridad del entorno, bajaba a la playa a hacer una rápida caminata. La luna creciente era como la sonrisa de un gato Cheshire en el cielo desvaneciéndose hasta la llegada del día. La extensión de la bahía frente a Cassowary House, con una longitud inferior a un cuarto de kilómetro, estaba bordeada de cinco mansiones muy espaciadas y protegidas de la playa por elevadas casuarinas. En un extremo de la bahía, un arroyo de apenas un par de pasos de anchura fluía sobre el lecho de arena poco profundo mientras filtraba las lluvias de las montañas y alimentaba la sed insaciable del mar. Clavadas en la orilla sobre delgados pilotes, surgían las chozas de pescadores y, más allá, una acumulación de grandes rocas bloqueaba el acceso a la siguiente playa. George Town estaba a menos de dos kilómetros y Willie podía ver cómo la cúpula del Banco de Hong Kong y Shanghái sobresalía por encima de los árboles como una especie de extraña cebolla.

A las siete y media tomaba un desayuno rápido con los Hamlyn. Después de bañarse y afeitarse, se cambiaba, se vestía con una camisa y un pantalón largo de algodón recién planchados. Durante las horas siguientes permanecía ante su escritorio trabajando. A la una menos cuarto, aunque se encontrara enfrascado en plena escena, enroscaba la tapa de su pluma estilográfica, guardaba su cuaderno en un cajón y bajaba a la veranda a tomarse un Martini preparado por el «sirviente número uno», Ah Keng. La primera vez, tuvo que enseñar al criado cómo hacerlo. Después de un almuerzo ligero con Gerald y los Hamlyn, pasaba el resto de la tarde descansando en la playa con Gerald. Leían a la sombra de los cocoteros y se bañaban en el mar. A pesar de sus problemas, aquel clima lánguido estaba ejerciendo su influencia y sentía que su salud mejoraba, como una ola cálida y agradable reabasteciendo una laguna seca.

El cuerpo de Gerald, observó, también ensanchaba. Su piel había cobrado un tinte lustroso de color teca por efecto del sol. El joven no tardó en empezar a frecuentar las casas de apuestas y los burdeles del barrio chino; a menudo regresaba a casa durante las primeras horas de la mañana.

—Te digo, Willie, que deberías venir conmigo —le propuso una noche, recostado sobre la cama del escritor mientras le observaba vestirse. Los Hamlyn los iban a llevar al Penang Club a cenar—. Los chicos de aquí son muy habilidosos y están deseando complacer a los *tuans*[1].

Como era habitual en todos los lugares que visitaban, nunca alentaba la compañía de hombres que compartían gustos similares. Willie envidiaba la habilidad de Gerald —él jamás habría sido capaz de hacerlo, conocer a alguien, a un extraño que le pareciera atractivo, y transmitir sus deseos a un hombre con apenas un intercambio de miradas—.

[1] En los países de lengua malaya, significa «señor» o «lord»; se emplea como fórmula de respeto. *(N. de la T.)*.

Gerald sonrió.

—Debería traértelos aquí de vuelta.

—Ni te atrevas. —El escritor se ajustó los puños de la camisa con un movimiento brusco—. ¿Has escuchado?

Desde los primeros tiempos con Gerald le había dejado claro que era libre de hacer lo que quisiera, siempre y cuando no trajera a nadie a su hotel o a las residencias donde habían sido invitados a hospedarse, y no provocara ninguna situación embarazosa. Era un escritor famoso y un hombre casado; debía conservar su reputación.

—Robert y Lesley no son estúpidos, ¿sabes? —dijo Gerald, mientras ajustaba los gemelos de la camisa de Willie—. Tal vez debería darles todos los detalles morbosos.

—Dios no lo quiera. Ni siquiera yo deseo oír tus detalles morbosos. —Willie se puso el esmoquin y se acicaló por última vez frente al espejo—. Nuestra *memsahib* tiene mucha curiosidad acerca de las diabluras que tramas, ¿te has dado cuenta?

—Esos dos no se comunican mucho, ¿verdad? Él habla más con su perro que con ella. Y lo trata mejor también, fíjate en todo el queso que le da a ese maldito animal.

Gerald tenía razón, pensó Willie. Había días en que la pareja apenas intercambiaba unas cuantas palabras. Pero eso era habitual en algunos matrimonios, según creía.

—Ella tiene algo —dijo Willie—, una crispación…

—Es solo otra mujer de las colonias atrapada en un matrimonio infeliz —concluyó Gerald—, y aquí ya hemos conocida a varias, ¿no es así? Gracias a Dios que al menos no es una de esas mujeres efusivas, ya sabes, las que siempre te están baboseando. —Los hombros de Gerald se estremecieron de forma exagerada—. Uno de mis compañeros de póquer me ha dicho que estuvo muy relacionada con un montón de rebeldes chinos. Su líder, ese tipo al que llamaban el doctor Sun, estuvo aquí en Penang. Al parecer, tuvieron una amistad cercana —dijo Gerald al tiempo que miraba de soslayo a Willie—. Muy cercana.

En sus viajes por Malaya, él y Gerald habían conocido a muchas *memsahibs*; personalidades algo excéntricas a veces, y otras, unas simples locas de atar, pero en su mayoría eran mujeres normales de clase media, y así consideraba a Lesley. Empezaba a sospechar que la esposa de Robert no era tan convencional como pretendía aparentar.

—Cuando vuelvas a ver a tus amigos, mi querido muchacho —dijo Willie, mientras bajaban para unirse a los Hamlyn—, averigua qué tuvo que ver con este doctor Sun, ¿quieres?

Capítulo cuatro

Lesley
Penang, 1921

Pese a mis reservas, Willie y su secretario resultaron ser invitados fáciles de llevar. Apenas los veíamos durante el día, ya que el escritor pasaba las mañanas metido en su habitación trabajando, mientras Gerald holgazaneaba bajo los cocoteros. Al mediodía los cuatro nos juntábamos para almorzar antes de dispersarnos cada uno a nuestros menesteres. Por las noches, como animales que acuden al abrevadero, volvíamos a reunirnos para tomar unas copas en la veranda. Robert y yo no éramos jugadores de *bridge* y Willie no parecía mostrar interés en mezclarse con extraños en una partida en el Penang Club, de modo que, después de cenar, solíamos enfilar hacia la sala de estar para tomar la última. Inquieto por el aburrimiento, Gerald agotaba su vaso de *whisky* enseguida y se apresuraba a marcharse a la ciudad. Robert se retiraba a dormir temprano, lo que me dejaba a mí la tarea de entretener a Willie.

Era fácil hablar con el escritor, demasiado fácil, y a menudo tenía que recordarme a mí misma que no se me escapara nada. Por extraño que parezca, su tartamudeo dejó de ponerme tensa; de hecho, creo que daba a su discurso un ritmo especial que lo hacía único.

Leía *En un biombo chino* hasta tarde. El delgado volumen contenía una colección de escenarios y personajes que Willie había conocido; mandarines corruptos y filósofos confucianos, misioneros, cónsules, monjas y jefes mongoles con los que se habían cruzado en su recorrido por China. Había descrito sus rarezas y debilidades con ojo implacable, aunque sin desdén ni superioridad alguna. En realidad, daba la impresión de que se identificaba con algunas de estas personas. Al leer esas historias, me imaginaba a mí misma en las ciudades y pueblos sobre los que había escrito, rincones de un país que nunca podría ver.

Después de mi visita infructuosa a la antigua sede del Tongmenghui, hice algunas averiguaciones por la ciudad, pero nadie supo decirme hacia dónde se habían escabullido sus miembros. Al final, no tuve más remedio que visitar a mi hermano en el *Penang Post.*

Geoff y uno de sus amigos habían comprado el periódico dos años antes para salvarlo de la quiebra. Habían logrado dar la vuelta a su fatal destino y convertirlo en uno de los diarios de mayor éxito de Penang —hay que reconocer que tampoco había muchos, pero, aun así...—. Geoff disfrutaba contando a la gente que lo había adquirido únicamente para conservar su trabajo.

—¿Quién, si no, iba a contratar a un redactor de mediana edad, gordo y vago, que pasaba demasiadas horas del día en un bar de copas?

Un empleado me acompañó a su despacho, un espacio ruidoso y tórrido, encima de la prensa de impresión.

—¿Cómo está tu invitado famoso? —preguntó Geoff desde su mesa, sepultada entre el habitual despliegue caótico de archivos, documentos, libros y bolas de papel arrugado.

—Willie me ha prestado su nuevo libro —dije—. Trata de sus viajes por China...

—¿Hay alguna posibilidad de echarle un vistazo rápido?

—Oh, no creo que le gustara, aún no se ha lanzado. Como iba diciendo antes de que me interrumpieras de manera tan descortés, me dijo que había oído hablar mucho de Sun Wen cuando estuvo en China y quiere escribir un libro sobre él.

Mi hermano me lanzó una mirada perspicaz.

—¿Somerset quiere escribir un libro sobre Sun Wen? Eso le reportaría un éxito tremendo. Un libro de Willie Maugham que simpatizara con Sun Wen induciría a las personas más influyentes y de alta alcurnia de Inglaterra a prestarle su apoyo y colaboración para hacer realidad su sueño de China.

—Quiero escribir a Sun Wen y hacérselo saber. Fui a la sede del Tongmenghui para preguntar su dirección.

—Tongmenghui… —Mi hermano se reclinó en la silla—. Hacía tiempo que no oía ese nombre. El Tongmenghui ya no existe, Les, estoy seguro de que te lo dije.

—¿Y qué pasa con todas esas personas que fueron allí para luchar por su causa? ¿Ha regresado alguno de ellos?

Sacudió la cabeza.

—La mayoría fueron capturados o asesinados.

Aún guardaba en la memoria algunos de sus rostros, cuando no sus nombres. Recordaba lo jóvenes y decididos que eran aquellos hombres y mujeres del Tongmenghui.

—Me pregunto si en realidad marcaron alguna diferencia —dijo Geoff—. Pobre Sun Wen, ni siquiera logró mantener unido al país.

No estaba dispuesta a rendirme con tanta facilidad.

—¿Qué hay de tus amigos del *Kwong Wah*? Ellos sabrán cómo me puedo poner en contacto con él, donde quiera que esté en China, ¿no es así?

Geoff desplazaba un montón de archivos de un lado de la mesa a otro, pero con ello solo lograba desordenarla más.

—¿Cómo está el viejo?

Tarde o temprano, alguien tendría que decírselo, pensé.

—Quiere vender nuestra casa. Quiere que nos mudemos a la granja de su primo en Karoo.

—El África profunda, ¿eh? Vaya, vaya… —Geoff se inclinó hacia adelante, su estómago empujaba el borde de la mesa. Había engordado aún más desde la última vez que le vi. A esa esposa suya le importaba un comino su salud—. Sin duda sus médicos piensan que es por su bien. Siempre he querido conocer ese lugar. Espero que tengas una habitación de invitados para mí.

—Yo no me voy a ninguna parte. Mi sitio está aquí.

—¿No debería la salud de tu marido ser una prioridad?

—Es solo que considero un grave error marcharse. —No tenía ningún deseo de tratar la cuestión de mi responsabilidad respecto a la salud de Robert con mi hermano—. Está mucho mejor, ¿sabes? La presencia de Willie le ha levantado el ánimo sobre manera. ¿Sabías que es homosexual? Me refiero a Willie… Él y su «secretario» viajan juntos a todas partes.

—Muchos hombres ricos y famosos viajan con sus secretarios.

—Para ser periodista, eres muy reacio a pensar mal de las personas —dije—. Vamos, he visto cómo Willie mira a Gerald, y déjame decirte: ningún hombre, ningún hombre normal, mira a su secretario de ese modo.

—Con todo, es un asunto privado, ¿no te parece? —Juntó las palmas de las manos y las frotó—. Entonces, ¿cuándo puedo conocer al famoso escritor? Todo Penang está verde de envidia de que esté en vuestra casa, pero estoy seguro de que eres consciente de ello. ¿Crees que estaría dispuesto a concederme una entrevista?

Me levanté para marcharme.

—Tú habla con tus amigos del *Kwong Wah*, Geoff, y me aseguraré de que consigas tu entrevista —soné más confiada de lo que en realidad estaba.

—Está bien. Hablaré con ellos. —Su semblante cobró seriedad y durante un instante permaneció en silencio—. Tan solo recuerda, Les: para Sun Wen nosotros formamos parte del pasado, y dudo mucho que vaya a regresar a Penang.

Desde que Willie estaba en nuestra casa, las cartas llegaban sin cesar a Cassowary House —invitaciones para almorzar, para tomar el té, para cócteles y cenas—. Aquella noche, al salir a la veranda, desplegó un montón de ellas sobre la mesa del café.

—Dios mío —dijo Robert, al contemplar una pequeña pila de tarjetas, sobres y notas—. No dejan de llegar en avalancha, ¿no es así?

—Esperaba que nadie se hubiera enterado de que estamos aquí —dijo Willie.

—Bueno, ¿qué esperabas, si anunciaste tu itinerario con todo detalle al *Straits Times* antes de marcharte de Singapur? —dije.

Le molestó mi sarcástico comentario.

—Entonces, antes de que lo tire todo… a la papelera, ¿quiénes son estas personas?

Aún revisábamos las invitaciones cuando apareció Gerald por un lateral de la casa. Avanzó tambaleante hacia la veranda y se dejó caer en un sillón de mimbre. Su camisa de algodón blanco estaba manchada de sangre y apretaba un pañuelo contra su nariz.

—¿Qué ha pasado? —pregunté alarmada—. ¿Estás bien?

—Prepárame una copa, Willie —murmuró a través de su pañuelo.

—¿Qué diablos has hecho ahora? —preguntó el escritor.

—He tenido una racha de suerte espectacular en mi partida de póquer y los malditos chinos no me dejaban marchar. —Gerald se retiró el pañuelo y lo miró con un gesto de desagrado—. También me robaron todo el dinero; tenía que dar una lección a esos malditos ladrones, ¿no te parece?

—¡Por Dios bendito!, ve a lavarte —dijo Willie.

—Una copa, Willie. Algo fuerte. ¡Vamos, vamos! —Gerald dejó el pañuelo arrugado sobre la mesa, se colocó un cigarrillo entre los labios y lo encendió, pero Willie lo detuvo—. ¡Ah, joder!, perdona, Robert… —Dejó caer el cigarrillo al suelo y lo aplastó con el talón.

Mientras Willie preparaba el *whisky* de Gerald, entré en casa y regresé con una caja de algodones y una botella de agua oxigenada.

—También tienes un corte en la cara —dije.

—Uno de esos bastardos tenía un cuchillo. —Tocó la herida con cautela e hizo un gesto de dolor—. Bueno, adiós a mi aspecto imponente.

—Te llevaré al hospital —dije—. Necesitas que te den puntos.

—Olvídalo, Lesley. He tenido arañazos más cruentos por un gato. —Gerald cubrió la apertura de la botella de agua oxigenada con un trozo de algodón, la puso boca abajo y a continuación presionó el algodón empapado contra el corte.

Willie nos miró con una expresión atormentada en el rostro.

—Siento muchísimo… lo que ha ocurrido.

—Ah, hemos visto peores cosas en la guerra, ¿no es así? —dijo Robert—. Mucho, mucho peores.

Volví a examinar las invitaciones, desplegándolas sobre la mesa.

—El regidor residente y su esposa; el director del Chartered Bank; esta es del juez Harry Yorke. Los aburridos de siempre… —Me detuve en seco. En realidad, ahí mismo, delante de mis narices, estaba el medio de hacerme con la dirección de Sun Wen.

—Mándales mis disculpas, Gerald —dijo Willie—. A todos.

—Yo sí quiero ir —replicó el secretario—. Codearse con los locales podría ser divertido. ¿No te parece, Lesley?

Coloqué el dedo índice en una tarjeta blanca con marco dorado y la deslicé al otro lado de la mesa hasta Willie.

—Al menos acepta esta.

Willie la cogió.

—Noel Hutton. ¿Quién es?

—Noel es dueño de una de las empresas comerciales más antiguas de Malaya —le expliqué—. Se dice que Hutton & Sons fue fundada por uno de sus ancestros, que estuvo con Francis Light cuando recaló en Penang. Cuentan que fue Hutton quien le dio la idea a Light de disparar dólares de plata desde el cañón del barco hacia tierra adentro; una manera de instar a los hombres a despejar los bosques.

—Un cuento de hadas divulgado por los propios Hutton —apuntó Robert—. Pero Noel es un tipo digno de confianza. El pobre hombre perdió a su esposa hace unos años.

—Istana. Significa «palacio» en malayo, ¿no es así? —preguntó Willie mientras examinaba la tarjeta.

Asentí en señal de aprobación.

—Es el nombre de la casa. Es magnífica, absolutamente magnífica —dije—. Conocerás a muchísimos personajes fascinantes en su fiesta. No solo europeos, sino de la realeza malaya y de las colonias chinas del Estrecho. —Me daba cuenta de que hablaba con notable precipitación, pero no lo podía evitar—. Todo el mundo estará allí. Todos. Encontrarás un montón de ideas para tus historias.

—En una veranda tranquila con un halo de… luz procedente de una lámpara de parafina es justo donde un hombre siente el deseo más fuerte de desahogarse con un extraño que está de paso —afirmó Willie—. No en una… fiesta, no, no.

En mi desesperación, incluso miré a mi marido en busca de apoyo.

—Nos ha invitado a nosotros también. Debemos ir, cariño.

—Es muy considerado de su parte, como siempre. Pero estará atestada de gente y habrá mucho ruido, y todos fumarán como chimeneas.

—¡Oh, por amor de Dios, Robert!, ¿cuándo fue la última vez que asististe a una fiesta? Además, Noel es uno de nuestros amigos más antiguos. Le ofenderá si rehusamos. —Miré a Willie y a Robert—. Está bien, si tú no quieres ir, iré sola.

—Yo te llevaré, Lesley —dijo Gerald—. Es jodidamente aburrido quedarse en casa todas las noches —añadió con un guiñó—, sin ningún desprecio a tu amable hospitalidad, por supuesto.

Le lancé una mirada de gratitud.

—Noel quedará mal si no aceptas, Willie. No puedes esconderte siempre —insistí—. Tus lectores de Penang se sentirán abandonados si no te conocen en persona —continué presionando—. Has hecho todo el viaje hasta aquí, no puedes decepcionarlos.

Los dedos de Willie tamborileaban sobre el brazo del sillón, sin dejar de mirarme. De pronto cesó su movimiento.

—Iremos todos. Todos. —Alzó la palma de la mano para detener las protestas de Robert—. Lo disfrutarás, Robert. Podemos marcharnos cuando… quieras. Desfilaremos juntos hasta allí y deslumbraremos… a las mujeres… como en los viejos tiempos, ¿eh?

Recuperé la tarjeta de invitación de las manos de Willie y me puse en pie.

—Llamaré a Noel enseguida.

Para cenar, había pedido a Cookie que cocinara para nuestros invitados una variedad de platos locales. Ofrecí a Willie una breve descripción de todo lo que había en la mesa, sus ingredientes, la forma de cocinarlos y de comerlos: *jiu hoo char*, *tau eu bahk*, pescado *assam*, *assam laksa*, *char kway teow*, *otak-otak*. Willie se quedó con ganas de repetir del famoso *choon pneah* de Cookie, rollitos de primavera de cangrejo servidos con una salsa de su propia invención, es decir, una mezcla de soja, salsa Worcestershire, algo de clavo, canela, anís estrellado y pimientos rojos muy picados.

—Mis felicitaciones a la cocinera —dijo Willie, al terminar de cenar—. Esta ha sido la mejor… comida que he probado en Oriente. Esta noche he descubierto sabores que no sabía… ni que existían.

—No encontrarás nada parecido en ningún otro lugar del planeta —dije—. A través de los siglos, Penang ha absorbido elementos de los malayos, los indios, los chinos, los siameses y los europeos, y ha creado algo único. Es algo que se encuentra en el idioma, en la arquitectura y en la comida. —Lancé una mirada fría a Robert—. No quisiera vivir en ningún otro lugar del mundo.

Robert fingió no haberme escuchado.

—¿Sabéis cuál es el pasatiempo favorito de los locales? —preguntó a Willie—. ¡Comer! —Golpeó la mesa con la mano abierta y soltó una carcajada.

Gerald estiró el brazo por encima de la mesa para coger el último rollito de primavera. El corte de su cara había dejado de sangrar, pero la piel por encima de su mandíbula izquierda cada vez se parecía más a un nubarrón monzónico.

—Gracias a Dios que solo nos quedaremos quince días —dijo, al tiempo que introducía un pedazo crujiente de rollito en la boca y lo masticaba ruidosamente—. Engordaría como un cerdo si permaneciéramos aquí más tiempo.

Tal vez fue mi imaginación, pero me pareció que una nube ensombreció el rostro de Willie.

Al abandonar el comedor, la atención de Willie recayó sobre un panel de madera colgado en sentido vertical en el pasillo. Medía cuarenta y cinco centímetros de ancho por metro ochenta de largo y en él estaba representado un halcón flotando a la deriva sobre un desfiladero brumoso; el pájaro era más pequeño que la mano de un niño.

—Es la hoja izquierda de una doble puerta —expliqué. La pintura estaba descolorida, con manchas blancas entre las brumas, como si el vacío se arremolinara en el vacío—. Procede de una casa de clan[1] de Penang. Es de finales del siglo XVIII.

—Lesley lo consiguió en una tienda de judíos armenios, en la ciudad. —Robert me lanzó una mirada inquisitiva—. Lo sacaste por muy buen precio, ¿no es así, querida?

Willie señaló el poema escrito con caligrafía china por encima del halcón, sus trazos, delicados como brotes nuevos de bambú.

—¿Qué dice, lo sabes?

—«Camino fugaz de los sueños / en la noche de verano / Oh, pájaro de la montaña, / lleva mi nombre más allá de las nubes».

[1] La expresión «casa de clan» alude a las familias de inmigrantes chinos asentadas en Malasia, donde algunas alcanzaron notable relevancia social y económica; los clanes conservaron celosamente sus costumbres culturales y creencias religiosas, así como la tradición constructiva de sus ancestros, que reprodujeron en Penang. *(N. de la T.).*

—Acariciando el panel con delicadeza, recordé que la mañana anterior había hecho lo mismo en las puertas de otra casa—. Un guerrero japonés lo compuso antes de quitarse la vida.

Avanzamos por el pasillo hasta la sala de estar —observé con cierta extrañeza cómo Willie, que desde luego no era un hombre de estatura considerable, agachaba levemente la cabeza cada vez que pasaba bajo una puerta, como si fuera mucho más alto; era uno de los hábitos que había empezado observar en él— y nos acomodamos en nuestros sillones habituales. Las lilas que había comprado en el mercado Pulau Tikus el día de la llegada de Willie ya comenzaban a marchitarse. Anoté mentalmente que debía reemplazarlas.

Al mirar a mi alrededor, advertí que me sentía apegada a los objetos de la habitación, cosas que ya eran tan familiares que apenas reparaba en ellas, las acuarelas de William Daniell de escenas antiguas de Penang, el piano Blüthner, en un rincón, que me había comprado Robert, pero, sobre todo, mi colección de porcelana de los asentamientos chinos, como el *kamcheng*[2], los porteadores *tiffin*, las teteras y las tazas de té, y los platos y cuencos que había comprado a lo largo de los años. A Robert le traían sin cuidado, pensaba que eran demasiado llamativas, pero para mí eran piezas exquisitas.

Las imperfecciones de la sala también me resultaban acogedoras: una grieta en la pared, larga y fina, por encima del aparador, que siempre reaparecía sin importar cuántas veces la pintáramos; los accesorios de iluminación que habían empezado a salirse de sus soportes y la esquina desconchada del marco de una ventana. Alcé la vista hacia los listones blancos de madera que formaban el techo de la habitación. Mis hijos con frecuencia se ganaban una regañina cuando corrían ruidosamente en el piso de arriba mientras había visita. La sala de estar tenía el vago aroma medicinal de los viejos suelos de teca entremezclado con la fragancia de jazmines del jardín. Todos estos aromas, con el tiempo, se iban entretejiendo en una estela que jamás podría ser reproducida en otra casa.

Desde el día en que me casé con Robert, este había sido mi hogar. Habíamos visto crecer a nuestros hijos; les habíamos enseñado a nadar en el mar, a desenterrar cangrejos herradura en la playa;

[2] Un tipo de recipiente cerrado. *(N. de la T.)*.

sus fiestas de cumpleaños se habían celebrado en el jardín, bajo los árboles. No podía imaginar cómo sería vivir en otro lugar en el mundo, sobre todo un lugar a cientos de kilómetros del mar más cercano, un mar que era eterno y, sin embargo, siempre cambiante, de ola en ola, de oleada en oleada.

Willie estiró la mano para alcanzar un trozo de *pulut tai-tai* del plato de porcelana de las colonias chinas. Descubrí su debilidad por estos postres de arroz aglutinado, coloridos y con forma romboide, que se cocinaban en leche de coco y se teñían de un llamativo tono azul. También eran mis favoritos. Se lo comió en dos bocados, limpió sus dedos con un pañuelo y señaló el cuadro de un joven de piel morena ataviado con un taparrabos, colgado detrás de Robert.

—Es un Gauguin, ¿verdad? ¿Lo compraste después de… ganar algún caso?

—Ah, aún recuerdas mis viejos hábitos —la mirada de Robert se iluminó—. ¿Tú también coleccionas sus obras?

—Alguna rara o dos.

—Alguna rara o dos… —repitió Gerald, con una expresión burlona—. Háblales de Papeet, Willie.

El escritor hizo un gesto de advertencia a su secretario.

—Oh, vamos, cuéntalo —pidió Robert.

—Estuvimos allí hace tres años —dijo Gerald cuando vio que Willie permanecía en silencio—. La esposa del jefe de la aldea, enorme, como un elefante, nos contó que había pinturas de Gauguin en otro pueblo, a pocos kilómetros. Condujimos hasta allí de inmediato. El sitio era una barriada, como todos los pueblos de la zona. Mocosos desnudos y sucios corriendo de un lado para otro y mestizos que se escabullían por las calles. Preguntamos a los aldeanos sobre Gauguin y nos dirigieron a una casa sobre una colina. El lugar se caía a pedazos, pero justo delante de nuestros ojos estaba el Gauguin. En la puerta.

Me incliné hacia adelante.

—¿Pintado en la puerta?

—Pintado sobre un panel de vidrio.

—¿Qué hicisteis? —pregunté.

—Llamamos, con cuidado, claro. El dueño salió. Nos dijo que sus padres habían cuidado a Gauguin cuando estuvo enfermo y él había pintado para ellos los paneles de vidrio de las tres puertas de la casa. Willie preguntó dónde estaban las otras dos. «¡Oh, ellas romper!», dijo el hombre. Parece que sus pequeños mocosos habían estado lanzándoles piedras. Willie le pidió que nos vendiera la puerta. «Pero yo debo comprar una nueva», dijo el dueño. «¿Y bien? ¿Cuánto vale una puerta nueva?». «Cien francos». «Te daré doscientos». El hombre asintió. Me encaminé a nuestro coche, con toda la calma que pude, por supuesto, y saqué un destornillador de la caja de herramientas. Tuve que resistir la tentación de regresar a la casa corriendo como alma que lleva el diablo. Sacamos la puerta de las bisagras y de alguna forma logramos meter todo en el coche. Aún no sé cómo lo hicimos. De cualquier manera, ya en el hotel, serramos la mitad superior que contenía el panel de vidrio, lo embalamos en una caja y lo enviamos a Londres.

—Doscientos francos. —Robert apretó su puño contra su mano—. Una ganga, una verdadera ganga. ¿Cómo era el cuadro?

Willie cogió otro *pulut tai-tai* del plato.

—Una tahitiana desnuda de cintura para arriba… Eva… sujetando una manzana bajo un árbol.

—Timaste a ese hombre —dije.

—¿Timarle? —exclamó Gerald—. Tonterías. Obtuvo lo que quiso, una puerta nueva, y evitamos que una obra de arte inapreciable se perdiera para siempre. —Enarcó una ceja—. ¿Habrías preferido que la dejáramos allí? Tarde o temprano la hubieran roto en pedazos.

—Habría preferido que le pagaras un precio justo.

—Estoy seguro de que a ese hombre le pareció más que justo —afirmó Robert.

Antes de que pudiera soltar una réplica mordaz, Gerald apuró el vaso, lo dejó en la mesa y anunció que se marchaba a la ciudad. Los ojos del escritor se aferraron a él mientras salía de la sala de estar con paso desgarbado. Resultaba obvio lo que Gerald veía en Willie, pero ¿qué diablos veía Willie en él? Tal vez el secretario era un amante fantástico.

La idea de los dos retozando en la cama, la sola idea de dos hombres en la cama, era grotesca. Su pobre esposa… ¿Cómo podía soportarlo?

—Algunas de tus historias tienen relación con las personas que conociste en tus viajes —dijo Robert, recuperando la atención de Willie—. ¿No es así?

—Están basadas en historias que me contaron —replicó Willie, en un tono irritado y agrio.

—¿Por qué diablos la gente te revela sucesos vergonzosos a ti, un completo extraño? —pregunté. El escritor cruzó una pierna sobre la rodilla.

—Soy como un caballero anónimo en una barbería, un viajero sentado en la sombra, preparado y... dispuesto a escuchar a cualquiera que tenga algo que contar. Supongo que ellos me ven así también —hizo una pausa—. También soy un viajero que por la mañana se habrá marchado y que nunca volverá a cruzarse en su camino.

—Pero, aun así, ¿por qué lo hacen?

La respuesta era obvia, su mirada lo decía todo.

—La necesidad de confesar, por supuesto. Para algunas personas, eludir las consecuencias de un crimen es una carga más pesada que el miedo a ser apresados.

—Es un sinsentido —dijo Robert—. Nadie hace una confesión del todo completa. Un tipo reconocerá solo aquello que considere que le exonera. Lo he visto en los juicios una y otra vez. Los testigos modifican los recuerdos de las cosas que han visto y han hecho; reorganizan los hechos. Todos procedemos así, jugamos con la verdad, la moldeamos de forma que muestre nuestra mejor versión al mundo. —Apoyó la barbilla sobre sus dedos entrelazados—. Solo recibes una versión; nunca la verdad completa, toda la historia.

—Nadie la recibe, Robert. Lo único que conseguimos es una imagen parcial —concedió Willie—. El trabajo de un escritor es rellenar los vacíos. Y él decide cómo termina la historia.

Era algo que nunca se me había ocurrido. Todos teníamos el poder de cambiar nuestros pasados, nuestros comienzos —o al menos nuestra percepción de ello—, pero nadie podía determinar cómo finalizarían nuestras historias.

—Hablando de finales, Willie, ¡Dios mío..., esas últimas líneas de *Lluvia*! —Robert se inclinó hacia el autor—. Sadie Thompson es extraordinaria. Supongo que su historia está basada en alguien que conoces.

La resistencia del escritor a dar explicaciones era evidente, pero tal vez conocía a Robert lo bastante bien como para saber que no se daría por vencido con facilidad.

—Estuvimos en Pago Pago durante… dos semanas —de nuevo tartamudeaba—. Sadie Thompson se alojaba… en la habitación de al lado.

—De modo que todo lo que escribiste, el misionero, lo que hizo con ella…, ¿todo aquello sucedió en la realidad?

—No todo. Pese a… algunas críticas manifiestas, Robert, sí poseo una pizca de imaginación.

—No debiste usar su nombre verdadero.

—Oh, por… amor de Dios, Robert, ¿tú también? Me gustaba su nombre. Era adecuado para el personaje. Y yo la admiraba.

—¿A una prostituta? —dije—. Seguro que no.

—¿Por qué no? Ella no era hipócrita. —Los somnolientos ojos castaños de Willie se deslizaban de uno a otro, nos miraba alternativamente. Parpadearon una vez, despacio, y tuve la sensación de ser una mosca observada por un lagarto monitor desde la pared—. ¿Se podría decir lo mismo de alguien en esta sala? Yo desde luego, no puedo.

Un silencio denso se impuso sobre nosotros. Robert, que esa noche parecía más demacrado de lo habitual, bostezó y anunció que se retiraba. Le observamos salir despacio de la sala de estar; un minuto más tarde, se podían escuchar sus pasos, lentos y pesados, cruzando la tarima por encima de nuestras cabezas.

—Me alegro de que lo hayas convencido para ir a la fiesta de Noel —dije.

—Parecías tan… decidida a ir, que no podía decepcionarte, ¿verdad?

¿Había sido tan evidente?

—Oh, Noel da las mejores fiestas, hubiera sido imperdonable perdérnosla. Solíamos salir todas las noches, ¿lo puedes creer? —dije—. Pero Robert… cambió… cuando regresó a casa de la guerra… estaba… diferente. No soportaba las multitudes ni los sitios ruidosos. Se encerraba en la habitación y se negaba a salir, tampoco comía ni hablaba con nadie.

—Es neurosis de guerra, Lesley.

—Ya sé cómo se llama —dije, con un matiz de severidad. Proseguí en un tono más suave—: ¿Alguna vez se supera?

—Tal vez necesite un cambio de aires, unas vacaciones en algún lugar con clima seco.

—Un cambio de aires. Un clima seco. —Una risa áspera, amarga afloró desde lo más hondo de mi ser. El desconcierto se apoderó del rostro de Willie y decidí aclararlo—: Robert tiene un primo, un ganadero ovino en algún lugar del Karoo, ni siquiera sé dónde está ese maldito sitio, y ha ofrecido construirnos allí una casa. Dice que el aire hará maravillas en los pulmones de Robert.

—¿Habéis decidido ir?

—Lo ha decidido Robert. Me lo dijo, mejor dicho, me lo anunció, justo antes de que llegarais. Quiere que nos mudemos allí para finales de año.

—Pero, ¿por qué diablos… no me lo dijo? ¡Santo Dios, debes de tener miles de cosas… que hacer! Es totalmente inaceptable. Le diré a Gerald que nos traslade a E&O mañana.

—¡Ni se te ocurra! ¿Me oyes, Willie? No harás tal cosa.

Esperaba que opusiera una enérgica resistencia, pero, para mi sorpresa, se rindió sin tan siquiera simular su desacuerdo.

—Si estás segura…

—No iré —dije—. No me marcharé de Penang. Me niego a hacerlo.

—El clima del desierto irá bien para sus pulmones, ¿sabes?

No había asomo de condena en su voz, sin embargo, me sentí tensa.

—¿Qué harías tú si tu mujer, si Syrie, estuviera enferma como Robert? —pregunté—. ¿Sacrificarías tu apasionante vida en Londres y te mudarías a algún lugar en medio de la nada para hacer más soportable el resto de su vida?

Dio un manotazo a un mosquito que se había posado en su muñeca.

—No te mudas a… un lugar muy lejano. Créeme, en la actualidad, con los medios para viajar, no hay ningún lugar en el planeta al que no puedas llegar. Y, además —su boca se suavizó en una sonrisa reconfortante—, estoy seguro… de que volverás aquí cuando mejore la salud de Robert.

—No va a mejorar, y lo sabes. De hecho, ha empeorado en los últimos meses.

Durante unos momentos se quedó en silencio, su mirada reposando en algo muy lejano en el tiempo. El jardín bullía con el zumbido de las cigarras.

—Después de la publicación de *Liza* —habló de nuevo—, le expresé a Robert mis deseos de abandonar… la medicina y ganarme la vida como escritor. Me animó a hacerlo. Me insistió. Dijo que estaría desperdiciando mi… talento si no lo hiciera. Me dio dinero para… ayudarme a subsistir. —Alisó una arruga de sus pantalones y me miró—. ¿Te lo ha contado alguna vez?

—No suele hablar mucho de su vida en Londres.

Aquella noche, acostada en la cama, pensé en el hombre que dormía en la habitación de al lado, el hombre con quien me casé. Las palabras de Willie habían pulido en cierta medida las lentes a través de las que contemplaba a mi marido, sin embargo, al mismo tiempo, me lo presentaban ligeramente desenfocado.

Capítulo cinco

Willie
Penang, 1921

El «sirviente número uno», Ah Keng, trajo el telegrama a su habitación en torno al mediodía. Willie apartó su cuaderno y contempló el delgado sobre marrón colocado sobre la mesa. Ahora que por fin había llegado, temía lo que anunciaba su interior.

Cogió el abrecartas, rasgó el sobre y sacó un papel.

El mensaje era breve y conciso. No disponía de recursos legales que le permitieran recuperar el dinero de su corredor de bolsa, según le informaban sus abogados. Era menester que regresara a Londres de inmediato para reunirse con sus contables. Había gestiones que hacer. Tendría que hipotecar su casa en Wyndham Place, tal vez venderla, por no mencionar la subasta de sus obras de arte y sus antigüedades.

Con un manotazo, dejó el telegrama sobre el escritorio. Hipotecar su hogar y vender los cuadros que había pasado una vida coleccionando en todas partes del mundo. ¿Cómo demonios había llegado a esto?

La habitación parecía oscilar cuando se puso en pie. Se tambaleó hasta la silla y se aferró a ella con fuerza. Tras unos minutos, cuando comprobó que el mareo remitía, se encaminó con cautela hacia las ventanas.

El mar era de color esmeralda y turquesa, rasgado con un millón de arañazos blancos. Abajo, en el jardín, el *kebun*[1] descansaba a

[1] El jardinero. *(N. de la T.).*

la sombra de la casuarina; fumaba un *kretec*[2] y se rascaba la ingle a través de los pliegues de sus pantalones cortos, con un placer abstraído y canino. Al contemplarle, experimentó el anhelo de una vida sencilla como la suya. Sentía envidia del nativo que jugueteaba con sus testículos bajo un árbol. «¡Cómo han caído los poderosos!».

Se maldijo en voz baja. Lo más sabio era regresar a casa de inmediato para afrontar el desastre y salvar lo que pudiera de los escombros. Al volver a su escritorio, arrancó una página en blanco de su cuaderno y empezó a elaborar una lista de instrucciones. La tarea más urgente para Gerald sería gestionar los cambios del viaje.

A mitad de la página dejó de escribir. Ya podía oír los gritos de Syrie, culpándole por la catástrofe, y la humillación pública que sufriría. Una variedad de posibles escenas inundaba su mente: las recriminaciones, las disputas y, lo más terrible de todo, el torrente continuo de lágrimas. Se estremeció.

Por supuesto, debía tener en cuenta algo más, lo único que de verdad le importaba: con seguridad, este era el último viaje con Gerald; no podría permitirse otros en el futuro. Su intención era posponer durante el mayor tiempo posible el momento de la partida, cuando tendrían que escoger caminos separados: él a Londres y Gerald a Europa, a América o a donde le apeteciera. ¡Quién sabe cuánto tiempo pasaría hasta poder estar juntos de nuevo!

Semanas atrás, mientras se recobraba de su enfermedad, había tomado una decisión. Cuando regresara a Londres informaría a Syrie de su intención de marcharse de casa. Ella podría conservar su nombre de casada y continuar viviendo allí; él la proveería de una pensión generosa. Como es natural, Elizabeth tendría que quedarse con ella. Un niño necesita a su madre.

Sería costoso, pero merecería la pena. Cualquier cosa merecería la pena. No se destaparía el velo de su matrimonio; no habría divorcio ni escándalos, ni el más leve rumor, pero él sería libre de nuevo. Libre. El sonido de la palabra en sí parecía quitarle un peso enorme. Se trasladaría al sur de Europa, compraría una villa en una colina donde el aire estuviera impregnado de la luz del sol, y Gerald podría ir a vivir con él.

[2] En Indonesia, un cigarrillo que, además de tabaco, lleva clavo. *(N. de la T.).*

Todos sus planes, todos sus sueños, se desvanecieron. Ahora estaba en la penuria y se encontraba atrapado, sin alternativas, sin escape. Sobre todo, tenía miedo de perder a Gerald. Después de siete años con Willie, se había acostumbrado a tener lo mejor de la vida; no se tomaría bien la noticia de que estaba arruinado.

Unos golpecitos familiares en la puerta le sustrajeron de sus pensamientos. Deslizó el telegrama de sus abogados bajo el cuaderno y giró la silla hacia él.

—Pasa, Gerald.

Su secretario entró y cerró la puerta tras él con el talón. Willie se cruzó de brazos y le escrudiñó. Vestía una camisa de algodón de manga corta y un bañador de color azul. Llevaba una esterilla enrollada, una toalla y un sombrero de paja. Una costra translúcida como el papel de arroz se empezaba a formar sobre el corte de su mejilla y por encima de su mandíbula izquierda un moretón llamativo le manchaba la piel.

—Voy a bajar a la playa —dijo Gerald—, a coger un poco de color.

—Tu cara ya está bastante colorida, ¿no te parece?

Gerald se palpó la mandíbula con delicadeza.

—Siento lo de ayer. Fue un comportamiento abominable. No volverá a ocurrir. Lo juro por Dios.

Ambos sabían que el juramento se rompería una y otra vez, tal como había sucedido antes. No tenía sentido insistir en el tema.

—Anoche averigüé algunas cosas más sobre Lesley —dijo Gerald—. Su padre fue un empleado del Chartered Bank. Douglas Crosby. Un donjuán muy conocido. Murió de un ataque al corazón cuando ella contaba solo doce años. Su madre tuvo que convertir su hogar en una casa de huéspedes. La vieja —se decía que en su familia había sangre china— murió mientras dormía hace algunos años. Nuestra *memsahib* acababa de empezar a dar clases en una escuela de la ciudad.

—No parece euroasiática —afirmó Willie—. ¿Y Sun Yat Sen? ¿Te han contado tus amigos qué se traía con él?

Gerald negó con la cabeza.

—En realidad, nada interesante. Ayudó a difundir su causa y recaudó algo de dinero para él. Hablando de... —Gerald extendió la mano.

Willie le miró boquiabierto.

—Te di veinte… libras hace tan solo dos días.

—Esos malditos chinos robaron todas mis ganancias —se justificó, señalando el moretón de su rostro—. ¿Acaso te has olvidado?

—¿No podrías…? —Willie se mordió la lengua—. Sé más prudente, ¿quieres?

—Joder, Willie, recuperaré todo lo que he perdido. La fortuna favorece a los intrépidos y yo soy uno de los hombres más intrépidos de por aquí, y tú, uno de los más ricos.

Hacía días que quería hablarle a Gerald sobre el desastre financiero al que se enfrentaba, pero entonces recordó lo cerca que había estado de perderle en Kuching. La vida sin Gerald era demasiado desoladora para tan siquiera imaginarlo. Con un suspiro apenas audible, buscó la pinza para billetes, sacó unos cuantos y se los tendió a Gerald.

—¡Que le jodan al trabajo, Willie! —exclamó Gerald, mientras se guardaba el dinero en el bolsillo del bañador—. Es un maldito crimen encadenarte al escritorio en un día tan perfecto. —Le observó más de cerca—. ¿Qué es lo que te molesta en realidad?

—Es solo un nudo que intento deshacer… en mi relato. Y ahora lárgate. Algunos tenemos que ganarnos la vida, ¿sabes?

Gerald dejó caer la toalla y su sombrero a la tarima y se inclinó hacia Willie. Rodeó su nuca con la mano y le apretó los labios contra los suyos. Willie cerró los ojos, todas sus dudas y sus frustraciones, toda su irritación se desintegraban diluidas en el beso. Reparó en la caricia de Gerald ascendiendo por sus muslos. Su excitación aumentó y entonces, de forma espontánea, los pensamientos acerca de sus problemas económicos irrumpieron en su mente y, segundos después —casi podía identificar el instante preciso—, sintió cómo se marchitaba al momento.

Presionó su mano sobre la de Gerald y la apartó con suavidad. Gerald dejó de besarle y le miró.

—Nunca habías tenido este problema, al menos conmigo.

El escritor sintió el rubor en su rostro.

—Es que… estoy preocupado…

Gerald continuó estudiándolo. Después, besó a Willie en los labios con ternura.

—Es solo algo temporal —le dijo, guiñándole un ojo—. Es como un gato, regresará cuando quiera regresar.

Recogió su toalla y la esterilla, se encajó el sombrero de paja en la cabeza y salió de la habitación, cerrando la puerta tras él con cuidado.

Willie sacó el telegrama de sus abogados y lo leyó de nuevo. Al cabo de un rato cogió su pluma, humedeció la plumilla con la punta de la lengua y, con el amargor de la tinta en la boca, intentó retomar el relato sobre el que había estado trabajando.

Media hora más tarde, dejó la pluma en el escritorio. Apenas había escrito dos páginas tras la salida de Gerald. En la última semana solamente había compuesto un relato. Al releerlo, le pareció que el texto era flojo y los personajes, planos. Su pozo de historias siempre rebosaba, sin embargo, ahora, aunque no se había secado del todo, el agua era salobre. Por primera vez en su vida, el irresistible deseo de escribir, su compañero, su consuelo, su sustento durante tanto tiempo, le había abandonado.

Enroscó la tapa de la pluma, guardó el cuaderno y el telegrama de su abogado en el cajón y bajó las escaleras.

La casa estaba en silencio, los sirvientes descansaban en sus cuartos. Mientras deambulaba por los pasillos, calculaba el valor de los cuadros de William Daniell. Últimamente, había empezado a hacerlo: incapaz de dormir de noche, elaboraba una lista mental de todas las obras de arte que poseía en Wyndham Palace, las joyas y costosas baratijas que había adquirido a lo largo de los años, y estimaba el precio que alcanzarían en Sotheby's.

En la veranda, se sirvió un Martini bien frío y se dispuso a beberlo a la sombra de la casuarina. Era poco más de mediodía, ese momento de la jornada en que el viento que arreciaba desde el mar parecía transmutarse en cálida luz abrasadora, pero hasta en pleno mediodía el follaje de aquel árbol presentaba un aspecto sombrío y encorvado.

Sus pensamientos retrocedieron al humillante fracaso con Gerald. Es solo la tensión, eso es todo, se dijo, y, además, no había recobrado por completo la salud. Gerald tenía razón, el maldito gato volverá cuando le dé la gana. Y a la mierda con el trabajo, ya escribiré cuando llegue a casa.

Estaba terminando su Martini cuando Lesley se unió a él bajo el árbol. Vestía una blusa de gasa de color verde claro y una falda amarilla. Se quitó el tocado, con su penacho de plumas blancas de garceta.

—¿Te has cambiado el peinado? —preguntó—. Es muy bonito.

—Qué perspicaz, Willie. Hace tiempo que quería preguntarte algo. A mi hermano le gustaría hacerte una entrevista para el *Penang Post.* Geoff es el dueño del periódico.

—¿Una entrevista?

—Oh, es un abuso —su semblante reflejaba bochorno—..., lo entiendo. Le diré que no estás interesado. Es solo que..., por favor, no lo cuentes, su periódico no va muy bien. Verás...

«No seas idiota —se increpó a sí mismo—. Una entrevista ayudará a vender tus libros, en especial el último. Y Dios sabe que necesitas vender cuantos libros sea posible. Cada granito de arena ayuda».

—Estaré... encantado de hablar con él —dijo—. Dile que será una exclusiva.

—Vaya, es muy generoso por tu parte. Geoff estará entusiasmado. —Señaló su vaso—. ¿Otra?

—Solo me permito una copa antes de comer cuando estoy trabajando.

—Te matas a trabajar, como un culi; pensé que habías venido aquí para recuperarte.

—El trabajo de un escritor... nunca termina. —No quería hablar de su trabajo—. ¿Cuánto tiempo lleváis casados?

—Quince años. De hecho, el mes pasado fue nuestro aniversario.

—¡Enhorabuena! —«Nota Mental: decirle a Gerald que les compre un regalo, nada exorbitante, claro está».

—Robert tenía cuarenta años cuando le conocí. Ha cambiado mucho, ¿no te parece? Oh, no hay necesidad de mentir, Willie. La tarde que llegaste, pusiste una cara...

La corriente de aire que agitaba las ramas altas de los árboles se mezclaba con el sonido de las olas; era difícil distinguir qué era mar y qué era viento.

—Todos hemos cambiado. La edad. La enfermedad. La guerra. Y el matrimonio, desde luego. El matrimonio… cambia… a un hombre.

—No tanto como cambia a una mujer. —Observaron a Gerald emerger del mar, su cuerpo lustroso por el agua salada y la luz del sol—. Algunos hombres no cambian ni siquiera cuando se casan. —Lesley continuó, su mirada fija en Gerald mientras subía desde playa para tumbarse bajo la sombra de los cocoteros—. ¿Y tú?

Se tomó su tiempo para adecuar su respuesta y darle la forma deseada.

—De alguna manera… sí —su tartamudeo era ahora peor de lo habitual—. Y ser… padre… me ha cambiado.

Ella lo miró de reojo, levantó una ceja como para hacerle saber que era consciente de que no había respondido a su pregunta. Él agitó los pies, sacudiéndose la rigidez de las rodillas.

—Debes echar muchísimo de menos a tus hijos.

—Yo quería que fueran al Victorian Institution en Kuala Lumpur, pero Robert estaba decidido a mandarlos a su antigua escuela.

—Yo detestaba el internado —Willie carraspeó; la desazón atenazaba su garganta—. Las… palizas y el acoso, cientos de normas estúpidas…

—Al menos tus padres no tuvieron que navegar por medio mundo para visitarte.

—Mi madre murió… cuando yo tenía ocho años. Dos años más tarde perdí a mi padre.

Sus labios se separaron levemente y se cerraron un momento después; se apartó un mechón de pelo de la frente.

—Robert nunca me lo contó. ¿Quién cuidaba de ti?

—Me enviaron a vivir con mi tío en… Whitstable. —Mientras hablaban, no apartaba la vista de los cocoteros de la playa; parecían anémonas de mar oscilando en la corriente, pensó—. Él era vicario. Tío… Henry y tía Sophie. Ella era alemana. No tenían hijos. Tampoco la menor idea de qué debían hacer conmigo —resopló—. Ni idea.

—¿Eras hijo único?

Meneó la cabeza.

—No, pero me sentía como tal. Mis dos hermanos ya estaban en la escuela cuando… vine al mundo. Cuando me fui a vivir con el tío… Henry, los chicos de mi nueva escuela… se burlaban de mi acento.

—¿Qué acento?

—Nací en París. Allí me crié. En casa hablábamos francés. Yo era tímido y carecía de… facilidad para los juegos. No tenía amigos. Leía todo el tiempo.

Recordó cómo solía cobijarse bajo las mantas de su madre todas las mañanas y cómo ella le sostenía en sus brazos. Nunca más volvió a sentir esa calidez, esa sensación de seguridad.

—Ella estuvo postrada en cama, quiero decir, mi madre —aclaró—. Tenía tuberculosis. Pero una mañana… se levantó y salió de nuestro apartamento para ir a un estudio fotográfico… a pocas calles de distancia. —Se detuvo un instante, que se alargó más y más—. Fue demasiado esfuerzo para ella. Murió una semana después.

—Oh, Willie…. debió de ser terrible para ti.

—La fotografía está en mi habitación. Es la que le hicieron a mi madre aquella mañana. Quería que la recordara. Tenía miedo de ser olvidada.

—Con el tiempo, todos seremos olvidados. Como una ola en el océano, sin dejar rastro de nuestra existencia.

Negó con la cabeza.

—Seremos recordados a través de nuestras historias. ¿Cómo era ese poema? ¿El que está escrito sobre tu puerta?: «Un pájaro de la montaña / llevando un nombre más allá de las nubes». Pues una historia puede llevar un nombre más allá de las nubes, incluso más allá de uno mismo.

Ella asintió despacio, como si intentara convencerse de la verdad de sus palabras.

—Supongo que, de alguna manera, tienes razón. Todas aquellas personas que figuran en tus relatos… El mundo podría conocer a Sadie Thompson como una prostituta, pero gracias a ti, Willie, ella vivirá para siempre. Nunca será olvidada.

Se quedó desconcertado por el fervor de su voz.

—Suena como si la envidiaras.

Las comisuras de sus labios se curvaron hacia abajo.

—Es indignante, ¿verdad? Para que se recuerde a una mujer, tiene que ser o bien una reina o una prostituta. A las que llevamos vidas normales y mundanas, ¿quién nos recordará?

—Tú ticncs a tus hijos. Ellos son una forma de recuerdo también.

—¿Hijos? —Parecía escéptica—. Ellos tienen sus vidas; dejarán sus propias huellas y olvidarán las nuestras.

El viento hizo que una rama baja rozara el rostro del escritor, que la agarró y tiró de ella.

—Puedo entender por qué los malayos lo comparan con un casuario. —Frotó las duras hojas escamosas de la casuarina entre los dedos—. Son feas, ¿no es así? No son como el roble, o el árbol de lluvia o las higueras de Bengala.

—Ningún árbol puede ser feo, Willie. Pero he de decir que prefiero el nombre que le dieron los malayos. ¿Sabías que lo llaman el «árbol susurrante»?

—¿En serio? ¿Por qué?

—Dicen que, si te quedas debajo de una casuarina en luna llena, puedes escuchar el susurro de las hojas.

—¿Y qué se supone que te susurran?

—Tu futuro, y todo lo que desees saber.

—¿Es cierto?

Una débil sonrisa se dibujó en el rostro de Lesley, después desapareció como robada por el viento.

—Nunca la he escuchado decirme nada —concluyó.

Capítulo seis

Willie
Penang, 1921

La carretera que bordeaba la costa norte de la isla era estrecha y serpenteante, y en algunos tramos discurría bajo túneles formados por las elevadas ramas colgantes de los árboles. Gruesos matorrales y helechos cubrían las colinas escarpadas que se elevaban a su izquierda; a la derecha, la carretera se recortaba con un fuerte desnivel hasta el mar rocoso. Lesley conducía, Willie iba sentado a su lado y Robert y Gerald, encajonados en los asientos traseros. Willie se sentía cómodo con su forma de conducir. Sus dedos, largos y delgados, con guantes rojos de piel de becerro, se adaptaban al volante con tacto, confiados. Y, a diferencia de muchas mujeres conductoras que conocía, cuando hablaba con él no apartaba la vista de la carretera; tampoco miraba a los dos hombres que ocupaban la parte de atrás a través del espejo retrovisor. No se distraía dirigiendo su atención a un *kampong*[1] pesquero o a un templo junto al mar. Pese a que había poco tráfico, estaba concentrada en conducir.

Solo de cuando en cuando echaba un vistazo de reojo. Era solo otra mujer en un matrimonio infeliz en los trópicos. Su instinto le decía que había tenido una aventura con el revolucionario chino, aunque, en ese caso, se habría enterado, ya que algo así nunca habría permanecido en secreto, y los cotilleos, había descubierto, afectaban a muchas personas de los Estados Malayos Federados. Ninguna cuchilla es tan afilada como la lengua de un ser humano.

[1] Recinto o pueblo malayo. *(N. de la T.)*.

Dos o tres kilómetros después del club de natación de Penang, Lesley aminoró la marcha y tomó una curva cerrada a la derecha, hasta desembocar frente a una entrada imponente. Un guardia sij de pecho abultado los saludó a través de los postes de granito que franqueaban el acceso a una larga calzada con leve pendiente; tras dejar atrás extensas zonas de césped llegaron a la mansión, enclavada en lo alto de la colina. Istana estaba por entero pintada de blanco, su fachada aparecía cercada por una columnata dórica rematada por un frontón majestuoso. A Willie le recordaba más al Partenón que a un palacio malayo.

Dejaron el vehículo a un criado que esperaba bajo el portón, y un sirviente los acompañó al vestíbulo. Al pisar sobre el suelo de mármol, a modo de damero, Willie no pudo evitar pensar que eran las únicas piezas de una partida de ajedrez inacabada. Una tenue música de *jazz* se colaba desde algún lugar apartado de la casa. El escritor giró lentamente sobre sus talones para contemplar las obras que ocupaban las paredes, revestidas con paneles de madera de roble que ascendían por la enorme escalera hasta la galería cuadrada —tapices medievales con escenas de caza y retratos de venerables ancianos sentados en sillones de piel, que contemplaban, seguros de sí mismos, algún horizonte lejano—. No pudo evitar sentirse decepcionado. Las fervorosas alabanzas de Lesley le habían llevado a esperar mucho más. Aquellas piezas podían encontrarse en cualquiera de las elegantes casas de campo de Inglaterra. Estaba a punto de comentárselo cuando un hombre alto y fornido entró en el vestíbulo, sus pasos firmes sobre el mármol. Cercano a la cincuentena, tenía ojos azules y pelo corto, ya encanecido. Su apariencia le resultaba curiosamente familiar a Willie, hasta que comprendió que su rostro reflejaba el conjunto de rasgos de los hombres representados en las pinturas.

—Bienvenido, Willie, bienvenido. Soy Noel —dijo tendiéndole la mano—. Robert, me alegro de que hayas venido. Es maravilloso volver a verte. Maravilloso. Bienvenido, Gerald. —Besó a Lesley en las mejillas con afecto—. Estás espléndida, como siempre, querida. —Dio un paso atrás—. Más tarde te haré un *tour* de la casa, Willie, y te presentaré a mis hijos, pero ahora mismo los invitados están deseando conocerte.

Los condujo a lo largo de una serie de pasillos revestidos de madera de teca hasta la terraza posterior de la casa. Willie murmuró palabras de agradecimiento mientras celebraba la amplitud de las vistas del mar.

El sonido del grupo de *jazz* procedente del pequeño escenario de madera se desvaneció en el silencio; las charlas y risas estridentes se calmaron. Según calculaba Willie, debía de haber cerca de cien personas apiñadas en el césped. Europeos y unos cuantos asiáticos; las mujeres, resplandecientes con sus vestidos de seda y terciopelo, mientras que los hombres, como él mismo, Gerald y Robert, pasaban desapercibidos con sus corbatas negras. Los camareros, portando bandejas de bebidas, patrullaban el jardín; los sirvientes distribuían los platos de comida entre las largas mesas. En un extremo, un equipo de malayos sudorosos se agachaba sobre un largo brasero, asando cientos de brochetas de satay[2] en las brasas de carbón y untando la carne de limoncillo empapado en aceite. La empalagosa fragancia del humo inundando la vegetación le revolvía las tripas a Willie.

—Todo Penang ha venido a presentarte sus respetos, Willie —murmuró Robert en su oído.

—Mis queridos amigos —proclamó Noel ante la multitud con la solemnidad de un senador romano—, ¡nuestro invitado de honor, el señor Somerset Maugham!

Los vítores y los aplausos recorrieron el jardín. Willie sonrió, presionó la palma de la mano sobre su estómago e hizo una pequeña reverencia. Noel los animó a bajar las escaleras hasta el jardín, donde de inmediato fueron rodeados por los invitados. Robert se mostraba radiante cada vez que Willie contaba que eran viejos amigos. Hombres y mujeres pululaban a su alrededor, alabando sus libros. Muchos de ellos incluso se tomaron la molestia de explicarle hasta qué punto les había escandalizado la historia de *Lluvia.* Al menos su último libro se vendía, incluso aquí, en Oriente.

En algún momento de la noche Willie advirtió que Lesley había abandonado su pequeño grupo. Escudriñó la multitud en torno a ellos, pero no había señal de ella en ninguna parte.

[2] El satay es un plato originario de Indonesia y muy popular en otros países del sudeste asiático. *(N. de la T.).*

La corriente de la fiesta le arrastró por todo el jardín. Cuando reparó en que Robert empezaba a flaquear, susurró a Gerald:

—Siéntalo en algún sitio y llévale una bebida.

El esfuerzo por ser encantador e ingenioso resultaba agotador. Su tartamudeo se volvió más pronunciado. Se excusó ante Noel con el pretexto de que necesitaba usar el cuarto de baño. El anfitrión chasqueó los dedos a un sirviente que pasaba y le ordenó que le enseñara el camino a Willie.

Al salir del baño, deambuló por la casa, admirando los cuadros en las paredes. Escuchó risas femeninas en un pasillo y decidió desviarse hacia la puerta abierta más cercana. Cerró con cuidado y, cuando se dio la vuelta, no pudo evitar una leve sonrisa ante la visión de las paredes forradas de arriba abajo de estanterías. Su instinto le había llevado a encontrar refugio en la biblioteca.

En el centro de la estancia había una mesa de nogal grande y redonda, cuyo color quedaba suavizado por una franja del sol vespertino que entraba a través de grandes ventanales. Una selección de sus propios libros, los ejemplares colocados en dos pilas ordenadas sobre la mesa, le hizo suponer que antes de que acabara la velada le pedirían que los firmara.

Giró en torno a la mesa y se dirigió hacia las ventanas. Mirando a través del cristal al jardín, buscó a Gerald y a Robert entre la multitud y los encontró bebiendo en la barra, su viejo amigo echaba la cabeza hacia atrás y reía a carcajadas por algo que acababa de decir su secretario, sin duda uno de los chistes obscenos de su repertorio inagotable.

Los sonidos de la fiesta parecían flotar sobre el mar en la lejanía. La mirada de Willie recorrió los pequeños grupos de invitados hasta dar con Lesley. Estaba de pie junto a la balaustrada de piedra en un extremo del jardín. Sostenía una copa de champán junto a sus labios, pero no bebía. Su cuerpo permanecía completamente inmóvil.

Su atención estaba centrada en un hombre chino mayor que se esforzaba por bajar un tramo de escalones de granito. En el momento en que el hombre desapareció de su vista, dejó la copa de champán en la balaustrada y se abrió paso entre la multitud. Al llegar a lo alto de las escalinatas, vaciló; su mano acariciaba el pináculo de piedra. Después, recogiendo con decisión los bajos del vestido a la altura de sus caderas, descendió.

—¡Por fin te encuentro, Willie! —la voz de Noel le llamaba a sus espaldas—. ¡Pensé que te habías perdido!

Willie se apartó de las ventanas.

—Esos escalones al final del jardín… ¿van hasta la… playa?

—Hay un sendero a medio camino que rodea el acantilado hasta otra escalinata. Esas te llevan hasta nuestra pequeña bahía. Eres más que bienvenido para venir a bañarte cuando quieras. El agua es tan transparente como la ginebra. —Le rodeó con el brazo—. Vamos, amigo, ahora no vayas a esconderte, todo el mundo está deseando hablar contigo.

Willie transformó su semblante en una expresión de amable interés y permitió que su anfitrión le llevara de vuelta a la fiesta.

Logró escabullirse de nuevo mientras Noel estaba distraído con uno de sus amigos. Cruzó el jardín, asintiendo con la cabeza a las personas que querían hablar con él, pero sin permitir que lo detuvieran. Bajó los mismos escalones de granito que había visto bajar a Lesley y continuó por un camino estrecho. Enseguida llegó a una pequeña cubierta de madera. Lesley estaba apoyada sobre la barandilla. Le miró cuando se acercó a ella.

—¿Tu legión de admiradores te ha liberado de sus garras? ¿Dónde está Robert?

—Emborrachándose con… sus amigos. No te preocupes. Gerald tiene órdenes estrictas de cuidar de él.

—Ya que estás aquí, ¿quieres firmar esto? —Le tendió el libro que tenía en las manos.

Reparó en que era un ejemplar de *El temblar de una hoja.*

—¿Es para el venerable hombre chino al que has seguido hasta aquí hace un rato?

Ella le miró, impasible.

—Para su hijo. Tú eres su escritor favorito.

Willie sacó su pluma y desenroscó la tapa.

—¿Cómo se llama?

—Dedícaselo a... —Su voz se debilitó súbitamente—. No he preguntado su nombre. Oh, escribe simplemente «Bienvenido a casa».

La estilográfica oscilaba sobre la página, su plumilla, como un pico dorado bajo el sol.

—Y, ¿de dónde viene?

—Está en China.

—China es un país muy grande.

—Solo firma el maldito libro, Willie.

La contempló. Ella le devolvió la mirada con frialdad. Garabateó la dedicatoria y firmó. Sopló con cuidado la página antes de devolverle el libro. Comprobó lo escrito y lo cerró.

—Su hijo se marchó de Penang hace muchos años para luchar por Sun Yat Sen —aclaró ella.

Es curioso, pensó Willie, que el nombre del chino brote de sus labios con frecuencia.

—Me recuerdas a él, ¿sabes? —siguió Lesley—. Lo pensé la primera vez que te vi.

—¿En qué?

—En lo quisquilloso que eres con la ropa —tocó la piel por encima de sus labios—. Tu bigote acicalado, el aire de fingido desinterés que desprendes cuando observas a las personas de reojo. —Se inclinó ligeramente hacia atrás para evaluarle de la cabeza a los pies—. Además, tenéis la misma constitución. —Entonces le sobrevino una nueva ocurrencia—: Los dos también sois médicos. ¡Fíjate!

—Es la primera vez que me comparan con un hombre chino.

Contemplaron las olas desplazándose en el mar. Empezaba a comprender su reticencia a abandonar la isla.

—Siempre he soñado con vivir algún día en un sitio con estas vistas —dijo Willie—. Una pequeña villa frente al mar. Algún sitio en el sur de Francia o en una de las... islas griegas. Una piscina centelleante y jardines con fragancia a hierbas y... limoneros.

—Una acogedora casa de vacaciones.

Negó con la cabeza.

—Me mudaría allí de forma permanente. Escribiría y me volvería un viejo cascarrabias en la villa, rodeado de mis libros y mis... cuadros. —Sonrió—. Os invitaré a venir a ti y a Robert.

—¿Y qué te detiene? Eres uno de los escritores más ricos del mundo, ¿no es así?

Fue consciente de cómo su sonrisa se desprendía de su rostro. Se asomó a la barandilla. En la lejanía, las cremosas olas blancas formaban espuma en la playa. Señaló una isleta a menos de un kilómetro de la orilla, desierta salvo por un grupo de árboles doblados por el viento que se aferraban a ella.

—Parece lo bastante cerca para nadar hasta allí, ¿no? ¿Está habitada?

—Deberías preguntarle a Noel —dijo ella—. Es el dueño. Tal vez podrías construir allí una cabaña. Sería perfecto para escribir, ¿verdad? Desconectarse del mundo, con tus palabras y tus pensamientos como única compañía.

La idea era atractiva —¡cómo anhelaba huir de los aprietos financieros que le esperaban en casa!—, sin embargo, Gerald detestaría cada segundo.

—Las vistas sobrecogedoras de las puestas de sol están incluidas —siguió Lesley—. Tendrías una inspiración inagotable para describirlas.

Los milanos brahmanes sobrevolaban la isleta.

—Te confesaré algo que nunca he contado a nadie y lo negaré si alguna vez… lo difundes.

Ella se inclinó ligeramente hacia él.

—Sé guardar un secreto.

Fijó la mirada en ella y después asintió despacio.

—Esto ocurrió hace…, a ver…, unos ocho o nueve años —dijo—. Paseaba por la calle una noche de otoño; acababa de almorzar con mi agente en el Garrick, una comida larga con mucho alcohol, en la que me informó de que mis tres primeras obras de teatro habían tenido tanto éxito que nunca más tendría que preocuparme por el dinero —hizo una pausa al sentir que su tartamudeo esperaba al acecho—. Paseaba por la calle —repitió—, el sol se ponía y los colores del cielo eran extraordinarios. Me detuve y contemplé el cielo. Me limité a contemplarlo. Y lo único que pensé en aquel momento… —se interrumpió, sonriendo por el recuerdo.

—Por amor de Dios, Willie, no me hagas rabiar.

—Pensé —continuó, pronunciando cada palabra con cuidado, en una frase clara y concisa—, gracias a Dios que nunca más tendré que volver a describir otra puesta de sol bonita.

Ella le miró fijamente, algunas arrugas superficiales se le dibujaban entre las cejas. Después, una risa espontánea brotó de su garganta. Tal vez fue por efecto de la luz que iluminaba su rostro y el fuego de sus ojos, pero a Willie de pronto le pareció muy viva. Por primera vez desde que llegó a Penang, podía entender lo que Robert había visto en ella.

—Me juré a mí mismo en ese momento que nunca volvería a escribir otro libro —siguió—; me dedicaría a escribir obras de teatro durante el resto de mi vida.

La risa de Lesley se desvaneció en una sonrisa ya leve. Arqueó una ceja y alzó *El temblar de una hoja.*

—Ah, sí, bueno… Escribir historias aún me atrae.

—Por no mencionar que te colma de riqueza.

—¿Sabes lo que es en realidad… el dinero? El dinero es el sexto sentido. Si no lo tienes, no puedes sacar el máximo partido… de los otros cinco.

Se encendió un cigarrillo y le ofreció otro a ella. Ella tomó la pitillera de plata y le dio vueltas, acariciando las piedras preciosas rojas engarzadas en la tapa. Las examinó más de cerca.

—Dios mío, son rubíes, ¿verdad?

—Más vale que… lo sean. Sylvia, la Rani Brooke, me la dio antes de marcharnos de Kuching. —Sopesó la caja en la palma de su mano mientras se preguntaba cuánto le darían por ella en Sotheby's. Le dolía tan solo pensar en la posibilidad de separarse de ella. —Perteneció a… James Brooke.

—Ese es un hombre sobre el que deberías escribir. El Rajá Brooke y toda su enloquecida familia —sugirió Lesley.

—No sería una historia interesante.

—¡Que no sería…! —Sus ojos se abrieron de par en par con incredulidad—. James Brooke constituyó la única familia real europea de Oriente y esa familia aún sigue en el trono, setenta años después. ¡Pero, si su vida ha debido de estar repleta de aventuras y escapadas!

—Tuvo una vida memorable, sin embargo, carecía de un elemento esencial.

—¿A qué te refieres?

—En realidad es muy simple. Su vida no tenía interés amoroso. Y una historia sin amor… bueno, no funcionaría.

—Nunca se casó, ¿verdad? —Una sonrisa astuta, de complicidad, curvó sus labios—. Tampoco he oído mencionar a ninguna mujer en su vida.

Nunca se había casado, y el trono, según recordaba Willie, había pasado a un sobrino de Brooke tras su muerte.

—¿De modo que todas las historias que se han escrito —preguntó ella— tienen que ser de amor?

—Piensa en todos los libros que recuerdes haber leído, las historias que han ocupado… un lugar en tu corazón. Al final, ¿no tratan todas de amor?

Dejó que sus palabras calaran en su pensamiento durante un instante.

—Entonces, en definitiva, ¿una vida sin amor es una vida sobre la que no merece escribirse? No sé si eso te convierte en un cínico o en un romántico.

Echó la ceniza de su cigarrillo por la barandilla.

—Nunca me han acusado de ser esto último.

—Tal vez sí amó a alguien, pero no pudo contárselo a nadie —replicó Lesley—. Amar y ser amado y, con todo, no poder compartirlo con nadie. Y todo rastro de ese amor queda en el olvido cuando mueres. —A Willie le sorprendió el dolor que percibió en sus ojos—. Nadie sabrá nunca de su existencia ni la inmensa alegría que te ha aportado —continuó—, quizá la única alegría que hayas experimentado en tu vida.

Su melancolía le afectó profundamente. ¿Llegaría alguien a saber alguna vez lo que significaba Gerald para él? ¿Acaso importaba?

La mirada de Lesley se posó en el libro que tenía entre las manos.

—Dices que escribes sobre el amor, Willie, sin embargo, muchos de tus relatos tratan de matrimonios infelices y aventuras adúlteras.

Hablaba con suavidad, no obstante, sus palabras le aguijonearon.

—No escribo solo sobre adulterio. Escribo sobre las debilidades humanas que generan esos matrimonios infelices: cobardía, miedo, egoísmo, orgullo, hipocresía… En el amor se encuentran también… todas esas emociones, ¿sabes?

—Pues debes de sentirte como un dios, juzgando a las personas que aparecen en tus libros.

—Soy la última persona en el mundo que pueda juzgar a alguien, Lesley —dijo con suavidad.

Los milanos brahmanes aún volaban en círculos sobre la isla. El mar, encrespado, mostraba un millón de surcos siempre cambiantes. Terminaron de observar en silencio la puesta de sol, dos personas siendo testigos de cómo la última luz del día desaparecía del cielo, del mundo.

Capítulo siete

Lesley
Penang, 1921

Hacia el final de la noche, tras marchar los últimos invitados, Noel nos enseñó la casa y terminó el *tour* en la biblioteca, donde algunos libros de Willie —*Liza de Lambeth* y *El temblar de una hoja*— estaban expuestos sobre la mesa. Willie se sintió obligado a firmar y dedicar todos los ejemplares.

Robert se divirtió mucho en la fiesta, ser el viejo amigo de Somerset Maugham le había dado un enorme protagonismo y, de regreso a casa —era Gerald quien ahora conducía—, parloteaba sin cesar. Sentada en la parte trasera del coche, yo contemplaba la oscuridad a través de la ventana, a la deriva en la corriente de mis recuerdos.

Gerald nos dejó en la entrada principal antes de salir corriendo, una noche más, hacia la ciudad. Willie ayudó a un Robert tambaleante a llegar a su dormitorio mientras yo recorría la casa cerrando puertas y ventanas. Durante la mayor parte de la noche en Istana había permanecido junto a Willie, con una sonrisa formal instalada en mi rostro, de modo que experimenté un gran alivio cuando por fin entré en mi dormitorio y cerré la puerta.

Uno de los sirvientes había dejado una nota sobre la cómoda. Geoff me informaba de que no había podido obtener la dirección de Sun Yat Sen. Arrugué el papel y lo tiré.

Me cambié y me metí en la cama, recostándome sobre las almohadas. Una polilla grande, de color claro, revoloteó por la habitación hasta posarse sobre el borde de la tulipa, imprimiendo su sombra sobre la pared. Intenté espantarla, pero mi mano se paralizó al escuchar una voz en mi cabeza: «Son las almas de las personas a las que una vez amamos, las que acuden a velar por nosotros».

Cogí el ejemplar de Loh de *El temblar de una hoja* y lo abrí por la página del título. Mis dedos acariciaron la letra retorcida de la dedicatoria de Willie. Reproduje en mi mente la conversación que había tenido con el anciano chino esa misma noche.

Noel nunca dejaba de invitar a las principales personalidades de las comunidades locales, y la presencia de Willie sin duda era irresistible. Estaba segura de que me encontraría con Loh Swee Tiong en la fiesta, pese a que, con los años, el nombre del viejo filántropo había desaparecido de las páginas de los periódicos. Me mantuve alerta desde el momento en que llegamos a Istana y, mientras Noel presentaba a sus invitados a Willie, me quedé rezagada. A la primera oportunidad, me escabullí hacia la multitud para buscarle. Tiene que estar aquí, me dije mientras examinaba los rostros a mi alrededor. Tiene que estar.

Por más que miraba, no lo veía, así que me resigné a aceptar que no había venido. Sin embargo, en determinado momento, un hueco entre la multitud me permitió identificarlo. Me abrí camino entre la muchedumbre y lo encontré conversando con una pareja india. Sabía que ahora era ya un anciano, pero me sorprendió ver que había envejecido más de lo que esperaba; estaba demacrado, sus mejillas, hundidas. Cogí una copa de champán de la bandeja de un sirviente que pasaba por allí y esperé cerca de donde estaba. La banda comenzó a tocar otra canción alegre, pero yo prestaba escasa atención a la música. Mi paciencia se estaba agotando cuando, por fin, la pareja india se alejó. Loh estiró el cuello y se dirigió a la terraza en busca de alguien, tal vez su mujer. Estuve a punto de ir directamente a hablar con él, cuando me percaté de que, con los movimientos tímidos de un hombre con miedo a caerse, descendía las escaleras.

Los minutos pasaban rápido. Finalmente, dejé mi copa y le seguí. Al final de la escalera continué por el camino, rodeando el promontorio. La música de la fiesta se desvanecía a medida que el sendero me alejaba cada vez más de la casa, hasta que solo quedó como sonido de fondo el aleteo del viento y las olas. Atravesé un tramo de empinados escalones de madera que descendían hasta la playa, aunque estaba segura de que el anciano no se habría atrevido a bajar por allí. Seguí andando y enseguida llegué a una cubierta de madera. El hombre estaba allí, contemplando el horizonte. Al sentir mi presencia, apartó la mirada de las vistas e inclinó la cabeza de manera cortés.

—Buenas noches, señor Loh —dije, y proseguí enseguida—, no nos han presentado. Mi nombre es Lesley, soy la esposa de Robert Hamlyn.

—Hamlyn… ¿el ingeniero?

—Abogado especialista. Está en el bufete George Town. —Señalé el libro que sostenía en las manos—. ¿También ha venido para conocer a Willie Maugham?

—Esperaba que me firmara esto —me mostró la cubierta de *El temblar de una hoja*—, pero no he podido ni acercarme.

—¿Le gustan sus libros?

—En realidad, es para mi hijo —una mueca desgarrada que pretendía ser sonrisa arrugó su rostro—. Somerset Maugham es su autor favorito. Cada vez que se publica un nuevo libro, compro un ejemplar y se lo guardo… para el día que regrese a casa —su sonrisa se marchitó, dejando un residuo de tristeza en su semblante.

—¿Dónde está ahora? —pregunté.

—Siguió a Sun Yat Sen hace algunos años.

Fue tan fácil; ni siquiera tuve que encauzar la conversación hacia la dirección que quería.

—¿Cómo está? ¿Cuáles son las últimas noticias?

—¿El doctor Sun? —Sin duda era la última pregunta que esperaba de mí—. Está muy enfermo, según me han dicho.

Di un paso indeciso hacia él.

—¿Qué le ocurre? —insistí.

—Su hígado, según los rumores. Dicen que le queda un año, tal vez dos si tiene suerte. ¿No ha oído hablar de ello?

—Los diarios ingleses tienen muy poco interés por él o por lo que sucede en China, señor Loh.

—Pero ¿le conoce? No hay muchas *ang mohs*[1] aquí que puedan afirmarlo.

[1] Así se denomina a los blancos en Malasia y Singapur, y a veces también en Tailandia y Taiwán. *(N. de la T.)*.

—Mi marido y yo le conocimos —dije—. Nos hicimos amigos cuando estuvo en Penang.

—Eso fue hace mucho tiempo y, sin embargo, todavía le recuerda. —El cuidado con el que parecía asentir, moviendo la cabeza de arriba abajo, se tornó en una sonrisa de complicidad—. Aún piensa en él.

Me negué a rehuir su mirada.

—Es un hombre extraordinario.

—Muchas personas estarían de acuerdo.

—Pero usted no.

—Me robó a mi hijo, señora Hamlyn. Robó a nuestros hijos e hijas. —El rostro del anciano se endureció y por un momento adquirió la cualidad de una escultura de granito—. Ojalá ese hombre nunca hubiera puesto un pie en Penang.

—Pero usted dio dinero a su partido —dije—, usted fue uno de los mayores donantes del Tongmenghui.

—¿Dinero? El dinero es fácil de dar, señora Hamlyn. Daría cada centavo de lo que tengo para que mi hijo regresara con nosotros sano y salvo, para que mi nieta volviera a tener a su padre —su voz se quebró—. Daría cuanto poseo por saber si aún está vivo.

—¿No ha tenido noticias suyas?

De pronto parecía frágil, como si el armazón que le había estado sujetando todo este tiempo se desarmara en pedazos.

—No hemos sabido nada de él desde hace dos años. Nada. Ni una carta. Ni una palabra.

Quise tender la mano y tocar su brazo para reconfortarle, pero me reprimí.

—¿Ha preguntado al doctor Sun?

—Mis contactos en China no tienen ni idea de dónde se encuentra el doctor Sun. Lo único que me pueden decir es que se desplaza constantemente de un lugar a otro. Al parecer, ha habido numerosos intentos de asesinarle. —El cuerpo del anciano parecía combarse—. En cualquier caso, espero que mi hijo se encuentre cerca de él. Con toda probabilidad, es el lugar más seguro. —A continuación, Loh sacó su reloj de bolsillo y se lo acercó a los ojos, escudriñando la esfera—. Debo irme a casa. Mi mujer está muy enferma, pero insistió en que debía lograr que el señor Maugham firmara el libro. Se disgustaría mucho si le fallo.

—Démelo a mí. —Tendí mi mano—. Yo me encargaré de que lo firme para usted.

—No quiero que se tome esa molestia, señora Hamlyn…

—No es ninguna molestia en absoluto. Willie se hospeda con nosotros. —Loh no opuso resistencia cuando le quité el libro de las manos con suavidad—. Se lo llevaré a su casa.

—¿Sabe dónde vivimos?

—¿Quién en Penang no lo sabe, señor Loh? Su hijo volverá a casa más pronto que tarde, estoy segura de ello, y podrá ponerse al día con los libros de Willie.

Sus ojos se agudizaron, su mirada era sagaz.

—Respecto al dinero que doné al Tongmenghui, señora Hamlyn, nunca se me permitió hacerlo público y tampoco se publicó en los periódicos. Esa fue la condición que le puse al doctor Sun. Me pregunto cómo se habrá enterado.

No esperó mi respuesta, pero asintió con la cabeza una vez más y se alejó andando. Le observé hasta que desapareció en un recodo y de nuevo el camino quedó vacío.

Di vueltas en la cama mientras contemplaba las sombras que parecían revolotear por encima de mí. Tardaría mucho en quedarme dormida. Después de un rato me levanté y me acerqué a la ventana. La luna estaba envuelta en nubes y el mar, encrespado, agitado por las corrientes de las profundidades.

Me puse una bata y bajé las escaleras con *El temblar de una hoja* en la mano. Pretendía ir a la biblioteca, pero un débil haz de luz me atrajo hacia la sala de estar. Willie estaba repantingado en su sillón habitual, leyendo a la luz de una lámpara de mesa. Alzó la vista de la página cuando me senté frente a él.

—¿Tampoco puedes dormir? —Fijó la mirada en el libro que tenía entre las manos—. Bueno, algunos de mis críticos dirían que has escogido el soporífero… perfecto.

Me mostró el que estaba leyendo él: *A Man of the Southern Seas.*

—¿Es bueno? —pregunté.

—Es una prosa competente, aunque superficial. Pero aún no me ha hecho dar cabezadas.

—Mi hermano está bastante orgulloso de ese libro, ¿sabes?

Comprobó el nombre del autor en la cubierta.

—¿Geoffrey Crosby es tu hermano?

—El mismo tipo que está tan ansioso por hacerte una entrevista. —Sonreí—. No te preocupes, no le diré lo que opinas.

—Por favor, no lo hagas. Lo último que necesito ahora mismo es... un artículo malintencionado de alguien deseoso de... clavarme un hacha en... la espalda.

El desaliento en su voz no era propio de él.

—Desde que llegaste aquí pareces tenso —dije—. ¿Qué te preocupa?

Su expresión se tornó rígida.

—No es nada. —Un momento después pareció relajarse—. Es solo una noticia un tanto desagradable... de mis abogados. Hice una, una, ah... inversión desacertada. No es nada serio, pero sí necesito publicar otro libro lo más... pronto posible.

Era obvio que estaba más preocupado de lo que exteriorizaba.

—De modo que por eso te encierras a trabajar todos los días. ¿Cuántos relatos has escrito?

—Un par... su mirada furtiva se posó en el libro que descansaba en mi regazo.

—Pero ninguno se parece a *Lluvia* ni de lejos —continué. Una expresión de aflicción se instaló en su rostro—. Seguro que has acumulado una gran reserva de relatos en tus viajes.

—No es tan sencillo como ir a algún lugar y «acumular» unos cuantos relatos —dijo Willie—. La propia historia exige ser puesta por escrito. Con mis mejores relatos, siempre me sentí como un mero... canal.

Asentí despacio.

—Como un pianista —dije—; la música no viene de ti, sino que fluye a través de ti.

—Exacto.

Le mostré el título de *El temblar de una hoja*.

—Este símbolo extraño que pones en tus libros, ¿qué es?

—Se llama *hamsa*. Es un emblema árabe que protege contra...

el mal de ojo —respondió Willie—. Simboliza una espada que abre un espacio… en la oscuridad para que entre la luz.

Hamsa. En silencio, saboreé la extraña palabra en mi lengua con una breve inspiración seguida de una rendición prolongada al aire.

—Siempre he pensado que parece una casuarina: la línea recta y larga en medio es el tronco y las dos líneas curvas por encima perfilan el follaje que cae.

—Supongo que sí, ahora que lo mencionas. —Willie se encogió de hombros—. Vemos lo que queremos ver.

—¿Cómo lo descubriste?

—Era de mi padre… lo vio en el norte de África. Tras morir mi madre, decidió construir una casa de verano a… orillas del Sena, unos kilómetros al oeste de París. Todos los domingos me llevaba río abajo para comprobar que todo estaba bien. Tenía este mismo símbolo grabado en… el cristal de las ventanas. —Los recuerdos suavizaron su voz—. Esos viajes con él por el río durante aquellas mañanas brumosas eran las únicas ocasiones en las que pasábamos tiempo a solas, el viudo y el huérfano, ambos desolados. Sin embargo, nunca nos quedábamos a dormir en la casa, ni siquiera… una noche.

—¿Por qué no?

—Murió poco después… de finalizar la construcción. Desde entonces, he adoptado el *hamsa* como mi propio… símbolo. —Sus ojos vagaron hasta el Blüthner medio sumergido en la penumbra—. ¿Podrías tocar algo?

No había tocado el piano en mucho tiempo, pero me levanté y fui hasta él. El taburete chirrió discretamente al sentarme. Levanté la tapa y doblé mis dedos por encima de las teclas. Empecé a tocar los primeros compases de un nocturno de Chopin. Mi interpretación era insegura, pero cobró firmeza a medida que avanzaba. Pasé por alto algunas notas y tropecé en alguna serie, pero Willie aplaudió con suavidad cuando terminé, más por cortesía, supe, que por mi mediocre actuación.

Entonces elevé los hombros y me sumergí en las largas y ondulantes expansiones de mi respiración a medida que me abría a la quietud, al silencio de muchos, muchos años, hasta que me colmó por completo. Apenas consciente de mi propio ser, presionaba una tecla, después otra, y otra. Las notas titubeantes se tejieron en la cinta de una melodía simple y quejumbrosa. Hacía bastante tiempo que el piano no había sido afinado y la música parecía emerger de un disco de vinilo viejo y deformado, con una cualidad desgarrada e inquietante. Toqué la obra entera, hasta el final, sin perder una nota, ni una sola vez.

Esta vez Willie no aplaudió. Su voz parecía apagada.

—¿Qué era eso?

—Reynaldo Hahn —dije, con la mirada fija en las teclas—. *L'heure exquise.*

—¿Del poema de Verlaine?

Me giré con lentitud para mirarle. Su rostro estaba a la luz, el resto de su cuerpo en la penumbra.

—¿Lo conoces? —pregunté.

—Cuando era joven, oh, hace cien años, solía... merodear por las colinas con un libro de sus poemas. Ese en particular, si no recuerdo mal, es de *La Bonne Chanson.*

Cerró los ojos y con voz calmada y sin tartamudear ni una sola vez, empezó a recitar:

La lune blanche
luit dans les bois.
De chaque branche
part une voix
sous la ramée.
Ô bien-aimée.

L'étang reflète,
profond miroir,
la silhouette
du saule noir
où le vent pleure.
Rêvons, c'est l'heure.

Un vaste et tendre
apaisement
semble descendre
du firmament

que l'astre irise.
C'est l'heure exquise.

La última palabra brotó de sus labios, evaporándose en las sombras y, con lentitud, abrió los ojos de nuevo.

El silencio en torno a nosotros, la propia materia de la noche, parecía más denso. Incluso las olas, desgastando las orillas desde el comienzo de los tiempos, simulaban aquietarse petrificadas. En el recibidor, el corazón cansado del reloj de pared continuó latiendo indiferente, como un monje anciano que pasara una a una sus cuentas de oración con el pulgar en un bucle largo e infinito.

—¿Dónde comienza una historia, Willie? —pregunté.

Durante un rato no dijo nada. Después, acomodándose en el sillón, habló:

—¿Dónde empieza una ola en el océano? ¿Dónde forma un surco en la piel del mar para agrandarse y expandirse hasta precipitarse hacia la orilla?

—Quiero contarte una historia, Willie —dije.

«Sí —pensé—. Cuéntale tu historia. Deja que la escriba. Deja que el mundo entero la sepa».

La música que acababa de tocar seguía desenvolviéndose en el aire entre nosotros, una canción sin comienzo ni final; la canción del tiempo en sí mismo.

LIBRO SEGUNDO

Capítulo ocho

Lesley
Penang, 1910

Si yo fuera una novelista, Willie, te diría que me desperté la mañana del 25 de abril con una sensación de inquietud, la sensación de que mi vida nunca volvería a ser la misma a partir de ese día. Eso es lo que diría una escritora, ¿no es así? Pero, a decir verdad —y pretendo ser completamente sincera—, no sentí nada, nada de nada, cuando me levanté aquella mañana. Abrí los ojos, como era habitual, a las seis y media. Me quedé un rato en la cama escuchando las olas adormecidas mientras que la luz exterior cambiaba y el tinte de la noche se diluía en el amanecer. Al bajar las escaleras, eché un vistazo al cuarto de los niños. Mis hijos estaban profundamente dormidos en sus camitas, hechos un ovillo, como lechoncillos bajo la mosquitera. Mi vieja *amah*, Ah Peng, ya se había levantado y se vestía con su uniforme Sor Hei, que consistía en pantalones negros de algodón y una blusa blanca almidonada con botones hasta el cuello. Su cabello estaba recogido desde la frente en un lustroso moño. Las mujeres de la hermandad Sor Hei habían hecho votos para permanecer solteras y en celibato, vivir juntas y cuidar unas de otras durante su vejez. La edad exacta de Ah Peng era un misterio; calculaba que estaría en la sesentena, pero ni siquiera ella lo sabía con certeza.

Robert estaba sentado ante la mesa del desayuno en la veranda, vestido para ir a la oficina con una camisa blanca almidonada de Turnbull & Asher y una corbata de rayas, el cabello peinado y engominado. Después de cuatro años de matrimonio, me parecía igual de guapo que la primera vez que le vi. También era considerado uno de los hombres mejor vestidos de las Colonias del Estrecho y de los Estados Malayos Federados. Había engordado algo —con los años, se había aficionado a la comida local, que, por lo general, era dulce y grasienta—, sin embargo, era uno de esos hombres afortunados a quienes una cintura más ancha les daba mayor aplomo, como un árbol majestuoso de tronco ancho y sólido.

Levantó la mirada de su correo y me sonrió.

—Buenos días, querida —dijo.

—Buenos días, cariño —respondí.

Me detuve en lo alto de las escaleras de la veranda y contemplé el jardín. Los bulbules correteaban por la hierba. En el alto seto de hibisco que separaba nuestra propiedad de la de los Warburton se esparcían ramilletes de flores rojas; en los parterres bajo la veranda un gorrión batía sus alas entre las hojas, bañándose en el rocío. En la playa divisé a un hombre mayor que paseaba a su terrier. Aspiré profundamente la mañana, que llenó el interior de mi cuerpo. Este era el momento favorito del día, cuando el mundo estaba fresco y en calma.

—Cantlie me ha pedido que reciba a un antiguo alumno suyo cuando llegue de América —me anunció Robert, mientras me sentaba—. Un tal doctor Sun Yat Sen.

—¿Un chino?

—Peor, un revolucionario. El Gobierno chino ha puesto precio a su cabeza, un precio alto, además.

Habíamos recibido todo tipo de personajes en nuestra casa a lo largo de los años —diputados y diplomáticos, escritores, actores, cantantes y artistas—, pero sería la primera vez que nos visitara un revolucionario.

—No será peligroso, ¿verdad?

—Cantlie es lo bastante sensato como para no enviarnos a un loco, al menos eso espero. No obstante, será interesante escuchar lo que tiene que decir este tipo sobre China.

—¿Cuándo llega?

Comprobó la carta otra vez.

—Cualquier día de estos.

Unté una gruesa capa de *kaya*[1] casera en mi tostada, mordisqueé una esquina y cogí el *Penang Post* del montón de periódicos. Las

[1] En Malasia, mermelada de coco. *(N. de la T.)*.

noticias, como siempre, eran aburridas e irrelevantes; una lista de hombres y mujeres que habían caído enfermos o estaban heridos; personas que habían regresado a casa de vacaciones; el nombre de los pasajeros que habían desembarcado en Penang y los últimos libros disponibles en las estanterías de la biblioteca.

Estaba a punto de pasar la página cuando un pequeño titular en la esquina izquierda captó mi atención.

—¡Dios mío!

—¿Qué sucede?

—¡Ethel ha sido detenida!

—¿Qué diablos ha hecho? —preguntó Robert sin apartar la vista de su correo.

Repasé las escasas líneas de texto del artículo.

—Ha matado a un hombre.

—¿La tímida Ethel Proudlock?

—Intentó violarla.

—Dios mío. Sobre gustos no hay nada escrito, ¿eh?

—No tiene gracia, Robert.

—¿Quién es el pobre hombre?

—Su nombre… —mi voz se congeló al principio; lo intenté una vez más—: Su nombre es William Steward. Le disparó hace dos noches.

En mi mente se agolpaban cientos de pensamientos. Apenas percibí que Robert me retiró el periódico de las manos con suavidad.

—«La comparecencia de la señora Proudlock en el tribunal de magistrados de Kuala Lumpur ayer por la mañana duró menos de cinco minutos» —leyó en voz alta—. «Fue liberada después de que su padre pagara una fianza de mil dólares. Se emprenderá una investigación judicial en las dependencias policiales la semana que viene para determinar si ha de ser acusada de asesinato».

El clamor en mi cabeza fue silenciado, al menos de momento.

—¿Asesinato? Pero si solo se estaba defendiendo.

—Si ella ha admitido haberlo matado, tendrán que decidir si la acusan o no. Es la ley.

—¡Ese hombre intentó violarla!

—Cálmate, querida. Es una mera formalidad, eso es todo. La soltarán con un tirón de orejas como mucho.

—Debo ir a Kuala Lumpur —dije.

—Mándale un telegrama primero. Lo último que querrá ahora serán visitas.

Robert se puso la chaqueta y se acercó para besarme. Una emanación de su colonia Floris perduró en el aire después de su marcha. Siempre me había encantado ese olor en él.

Robert y yo habíamos sido presentados a los Proudlock en una de las cenas de gala de Bennett Shaw en Kuala Lumpur hacía tres años. Bennett era el rector de Victorian Institution, una de las escuelas más antiguas de Kuala Lumpur. Él y su esposa vivían en un espacioso *bungalow* en un rincón apartado de los terrenos de la escuela.

Ethel nació en Kuala Lumpur. Era un año más joven que yo. Su marido William había venido de Londres para aceptar un puesto docente en el centro. Llevaban casados menos de un año cuando los conocimos. Robert opinaba que los Proudlock eran un tanto sosos y simples, pero Ethel y yo simpatizamos. A partir de aquella noche, nos escribíamos todas las semanas y nos veíamos cada vez que yo iba a Kuala Lumpur. En sus escasas visitas a Penang, ella y William se quedaban en nuestra casa. Las esposas de los amigos de Robert no tardaron en hacerme saber que el padre de Ethel, el jefe de la brigada de incendios, era una persona irrelevante, pero yo hacía caso omiso.

A principios de ese año, los Shaw regresaron a Inglaterra de vacaciones; estarían fuera durante diez meses. En ausencia de Bennett, William Proudlock fue nombrado rector en funciones, un puesto que permitió al matrimonio mudarse al *bungalow* de Shaw. Ethel nunca lo mencionó, pero ambas sabíamos que el nuevo cargo de su marido era para ellos un gran paso en el escalón social.

Sentada a la mesa del desayuno aquella mañana de abril, con el periódico aún en mis manos, mis pensamientos retrocedieron a la última vez que había hablado con ella. Fue un mes antes, cuando acompañé a Robert a Kuala Lumpur para asistir a uno de sus juicios. Recuerdo lo que me contó aquella mañana en el bullicioso salón de té de Whiteaways. Permanecí sentada, experimentando un horror creciente a medida que hablaba. Le advertí de que su comportamiento era imprudente y tendría consecuencias terribles, pero esto era peor de lo que podía haber imaginado. Mucho, mucho peor.

Más tarde, aquella misma mañana, salía de la farmacia de George Town en Beach Street, cuando vi a mi hermano paseando por la acera con las manos en los bolsillos. Se detuvo para contemplar algo en un escaparate. Saludé con la mano y se dirigió hacia mí.

—Me muero por una taza de té —dije—. ¿El salón Tiffin?

—Lo siento, Les, no puedo —me respondió—. Tengo un plazo de entrega. He pasado la mañana entrevistando al presidente de la campaña antiopio y tengo que escribir el artículo.

Desde que éramos niños, siempre podía adivinar cuándo mentía.

—No me ha parecido que tuvieras mucha prisa —dije—. Hace mucho que no te veo, Geoff. Anda, vamos.

Le llevé por Beach Street hasta Tiffin, en la esquina. El salón de té era el lugar de encuentro de las *mems* tras las compras matutinas. El propietario, anterior chef hainanés que nunca había estado en Inglaterra, había decorado el local según su idea particular del aspecto de un café londinense. Cuadros de acuarelas del Big Ben, de Buckingham Palace, Trafalgar Square y de Saint Paul colgaban de las paredes. Saludé a uno o dos conocidos mientras el camarero nos acompañaba a nuestra mesa junto a las ventanas.

—¿Qué has sabido de Ethel Proudlock? —pregunté a mi hermano después de pedir.

—¿No has hablado con ella?

—Le envié un telegrama hoy —me acerqué más a él—. ¿Qué ha pasado, Geoff? ¿Sabes algo?

A lo largo de la mañana, todas las personas con quienes me había topado en la ciudad no querían hablar de otra cosa que no fuera el asesinato, pero nadie tenía detalles de lo que había sucedido en realidad entre Ethel y William Steward aquella noche.

—La policía y el abogado de Ethel son tan herméticos como los francmasones —dijo Geoff—. William Steward fue enterrado esta mañana. Solo unas pocas personas asistieron. Pobre hombre.

—¿Era un terrateniente?

—Era el encargado de una mina en Salak South hasta que se fue a pique. Después consiguió otro empleo en una empresa de ingeniería, viajaba hasta las minas y a las fincas de caucho para arreglar su maquinaria.

Nos trajeron té y *scones*, y guardé silencio mientras mi hermano llenaba las tazas.

—¿Qué aspecto tenía? —pregunté, después de dar un primer sorbo.

—Era un hombre grande, corpulento. Casi calvo, pese a que solo tenía treinta y cuatro años. —Geoff removió sus tres cucharadas de azúcar en el té—. Un jugador de rugby extraordinario. Tranquilo y tímido, según me han dicho. No tenía muchos amigos. No le gustaba mucho el… —Geoff hizo el gesto de beber con la mano—. Tal vez fuera por eso.

Menos de ochocientos europeos vivían en Kuala Lumpur, de modo que lo más probable era que hubiera visto a William Steward en el Selangor Club en algún momento, pero, si había sucedido así, no me había dejado ni la más mínima impronta.

—¿Estaba casado?

—Soltero —mascculló Geoff con la boca llena—. Enviaba dinero a Inglaterra a su madre y a su hermana todos los meses. Sabe Dios cómo se las arreglarán ahora.

Por primera vez desde que leí sobre su muerte, William Steward se estaba convirtiendo en alguien auténtico, en un ser humano real, no era ya un mero nombre en el diario. Había estado vivo, comiendo, pensando, tomando el pelo a sus amigos y recibiendo también burlas de ellos, hasta que Ethel le había arrebatado todo eso.

Geoff dejó su taza de té en la mesa.

—¿Cómo está Robert?

Algo en el tono de su voz me puso en alerta.

—Está tremendamente ocupado. El viejo Stephen Mayhew murió…

—Un ataque al corazón, sí. Lo sé. Hace dos meses.

—Bueno, ahora Robert es el socio principal, de modo que ha tenido que encargarse de sus casos. Ha estado llegando tarde, agotado, todas las noches. —Dejé de untar mantequilla en mi *scone* y lo dejé en el plato—. Oh, ¿qué ocurre, Geoff?

—Tiene una aventura.

Durante un par de segundos sus palabras carecieron de sentido para mí. Entonces, la turbación me sacudió de golpe.

—¡Por amor de Dios, Geoff! —Lancé una mirada furtiva a las demás mesas, pero al parecer nadie había oído a mi hermano. Le pregunté con calma—: ¿Cómo lo sabes?

—Le vi. —Mantuvo la mirada fija en lo que ocurría al otro lado del cristal: el mundo seguía girando, ajeno a todo—. Los vi.

—¿Quién es ella? ¿Quién es esa maldita puta? —Antes de que pudiera responder le agarré por las muñecas—: No, no me lo digas. En realidad, no importa, ¿no es así? —Le solté—. Será solo alguna esposa infeliz y aburrida, supongo. Por aquí no escasean. —Me recliné en la silla—. ¿Por eso me has estado evitando?

Parecía aliviado al librarse de la carga de su secreto.

—No sabía cómo decírtelo —se excusó.

—¿Quién más lo sabe?

—No he oído nada. Ni un susurro.

—Supongo que debería darle buena nota por ser tan discreto.

—No obstante, ya sabes lo que solía decir madre: «Penang es un *kampong*...

—... y todos conocen los secretos de todos».

Los carruajes, *rickshaws*, carros tirados por bueyes y carros de caballos de dos ruedas traqueteaban por la calle en el exterior. Desde donde estaba sentada, podía ver la cúpula del Hong Kong & Shangai Bank sobre una torreta de piedra blanca. El domo era visible desde casi cualquier parte de la ciudad; la mitad superior incluso se podía divisar desde la playa cercana a casa. El despacho de Robert estaba en el edificio adyacente al banco.

—Entonces, ¿qué vas a hacer? —preguntó mi hermano.

Dejé de mirar la calle.

—Oh, ¡por amor de Dios!, Geoff. Me acabo de enterar. No lo sé.

—Tienes que hacer algo, Les.

Le miré, arqueando una ceja.

—¿Y qué quieres que haga? ¿Dispararle?

—Quería decir, enfrentarlo.

—¿Qué pasa si lo niega? ¿Y si dice que es verdad? ¿Y si esto acaba en divorcio? —Una matrona de mediana edad en la mesa de al lado se giró para mirarnos; bajé la voz—. Sería un escándalo terrible.

—Pasará.

—Nunca se olvidará. Nunca. No, no puedo hacerles eso a los chicos. No puedo. —Tenía que marcharme del lugar, lejos de mi hermano, lejos de todo el mundo. Me puse en pie—. Debo irme. Aún tengo muchas cosas que hacer.

—Y debes estar espléndida para la fiesta de aniversario de los Pykett en el E&O esta noche.

—Siempre te enteras de todo, ¿verdad?

—Es un requisito esencial de mi trabajo. —Hizo ademán de levantarse también—. Te llevaré a casa.

—Quédate y termínate los *scones* —dije—, no los desperdicies.

—Sí, madre.

—Apreté su hombro con fuerza. Levantó la mano y agarró la mía durante un momento, después la soltó.

Sentía los ojos de Geoff sobre mí mientras paraba un *rickshaw*. Gracias a Dios, el primero que pasó se detuvo de inmediato. Sonreí a mi hermano, deposité las bolsas de las compras en el asiento y di instrucciones al tirador para que me llevara a casa. Levantó los ejes del vehículo y partimos. Bajé la pantalla de lona para ocultar mi rostro tras ella y, a continuación, por fin, permití que las malditas lágrimas se derramaran por mis mejillas.

Cuando llegué a casa evité a Ah Peng —algo así no se habría escapado a sus ojos soñolientos— y me encaminé a la playa. Anduve descalza por la arena caliente. Al final de la bahía crucé el arroyo —el agua fresca me llegaba a la altura de los tobillos— y trepé a la roca más alta.

Permanecí sentada, contemplando el mar. El agua era transparente, los macizos de rocas en el lecho marino resaltaban como cardenales en la piel.

Mis ojos estaban irritados, pero ya secos. Ya había llorado todo lo que tenía que llorar en el *rickshaw*. A pesar de lo que le había dicho a mi hermano, ahora me invadía una necesidad abrumadora de enfrentarme a Robert; quería abofetearle, gritarle, pero él negaría mis acusaciones. Lo conocía demasiado bien. Divorciarme de él sería en extremo satisfactorio, pero entonces recordé a la señora Logan, una inquilina de la casa de huéspedes de mi madre, que se había divorciado de su marido hacía poco. En mi mente, vi de nuevo la desesperación en su rostro, la amargura que curvaba su boca a medida que pasaban los meses; recuerdo cómo continuaba llevando la alianza de boda, aferrándose a ella como si le fuera la vida en ello, como a un salvavidas. Mi madre tuvo que pedirle que se marchara cuando dejó de pagar el alquiler. Había visto de cerca cómo el divorcio rebaja a una mujer: al principio me compadecerían, me tolerarían, pero con el tiempo sería excluida de ese mundo con el que también me había casado y se me cerrarían las puertas a cal y canto. Otras mujeres me evitarían por miedo a que fuera a robarles el marido. Me vería obligada a renunciar a mi posición de madre de mis hijos y después, algún día, otra mujer reemplazaría mi lugar. Claro que sí. Sabía lo que me esperaba si me divorciaba de Robert.

Había conocido a Robert en una de las veladas musicales de los viernes en casa de la señora Millicent Skinner. Su pianista habitual se había caído del caballo aquella mañana y me imploró que acompañara a un cantante de *lieder* de Singapur. Por lo general, esa mujer apenas me dedicaba un leve gesto de asentimiento con la cabeza cuando me veía en algún comercio; era la esposa de un cirujano y yo, al fin y al cabo, una simple e irrelevante maestra de primer ciclo de música en el Light Street Convent School.

El programa del concierto no entrañaba dificultad —Schumann para el cantante de *lieder*, algo de Gilbert & Sullivan y una selección de baladas de Chopin—; podía tocar todo con los ojos cerrados. Llevábamos como una tercera parte del recital cuando de pronto el gato birmano de los Skinner entró en el salón y saltó sobre el piano. El animal se puso cómodo delante de mi cara y, con una pata levantada, comenzó a lamerse sus partes, completamente abstraído. Agitada por la risa contenida y nerviosa por el semblante abochornado de Millicent Skinner, continué tocando como si aquello no me afectara. Reparé en un hombre alto y robusto de unos cuarenta años, situado en la parte de atrás del salón. También se mecía por una risa silenciosa. Al final del concierto, cogí al gato birmano en brazos y los tres —el cantante de *lieder*, yo misma y el felino— hicimos una reverencia ante los aplausos entusiastas y el gran júbilo del público. Estaba guardando las partituras cuando aquel hombre se acercó a mí y se presentó.

—Has tocado de maravilla; el gato también lo piensa —dijo, pero, antes de que pudiéramos iniciar una conversación, Millicent Skinner se entrometió y le arrastró para presentarle a las demás *mems* y a sus hijas solteras. Más tarde, Robert se acercó de nuevo y me invitó a tomar el té en el Hotel E&O al día siguiente por la tarde.

Cuando llegué, me esperaba en su mesa, en la terraza junto al mar. Dejó el libro que estaba leyendo —*El propietario*, de John Galsworthy— y me ayudó a acomodarme en mi silla. Había parejas y familias charlando y comiendo en las mesas cercanas. Las elevadas palmeras bordeaban la terraza, sus largas palmas puntiagudas combándose por el viento. Los buques, *tongkangs*[2] y barcos de vapor trazaban finas líneas blancas en el agua.

—Me recuerda a Hong Kong —dijo Robert, dirigiendo mi atención a un junco chino que se adentraba en el puerto—. ¿Has estado allí?

—Nací aquí —respondí—. Singapur es lo más lejos que he ido.

Llegaron los *scones* y el té. Mientras comíamos, me enteré de que tras un tiempo ejerciendo la abogacía en Londres se había mudado a Hong Kong, donde había trabajado unos años antes de decidir trasladarse a Penang. Había llegado hacía poco más de una semana.

—Y sin duda las *mems* te han reclamado para sus hijas —dije, dando un pequeño mordisco a un *scone*.

Soltó una carcajada.

—Penang no difiere mucho de Hong Kong. —Se pasó la palma de la mano por la sien. Su cabello negro, engominado, encanecía, lo cual mejoraba su aspecto distinguido—. Aprendí algo de cantonés en Hong Kong, pero, al parecer, eso aquí no me ayuda en nada.

—Aquí, los locales hablan hokienés.

—¿Tú lo hablas?

—Mi *amah* me enseñó. También hablo malayo.

—Bien, entonces tendrás que enseñarme, ¿no?

[2] En Malasia, remolcadores fluviales. *(N. de la T.)*.

Me sonrojé. Desvié la mirada, entusiasmada de que quisiera salir conmigo una vez más.

—¿Por qué te marchaste de Hong Kong?

—Todos habían huido de Pekín a Hong Kong cuando los bóxeres sembraron el terror —respondió—. Traían consigo historias sobre lo que hacían a los demonios extranjeros. Tal como yo lo veo, no hay mucho futuro para los blancos en China.

Tenía tan solo una ligera noción de lo que estaba explicando, pero, de cualquier manera, asentí como si estuviera al tanto de todo. Mi interés por China era prácticamente nulo, de modo que le presioné para que me hablara sobre su vida en Inglaterra.

—Desde que era una niña —dije— he querido vivir en Londres. Oh…, estar lejos, muy lejos de Penang, donde pudiera convertirme en una persona diferente, sin ataduras con el pasado ni con nadie.

Hubo un silencio. Advertí que Robert contemplaba el junco chino de nuevo, sus velas, semejantes a las alas de un murciélago, combándose por el viento. Sus ojos, tan azules y penetrantes, parecían ensombrecidos por alguna emoción cuyo sentido no pude descifrar.

—*Caelum non animum mutant qui trans mare currunt*: «Quienes cruzan el mar cambian de cielo, no de alma»[3]. —Me miró de nuevo—. Lo escribió un poeta romano.

Entonces, ¿por qué has recorrido medio mundo y qué parte de tu alma pretendías cambiar? Quise preguntárselo, sin embargo, no lo hice. Años más tarde, cada vez que recordaba nuestra conversación en la terraza del E&O aquella tarde, me preguntaba qué respuesta me habría dado de haber expresado yo mi curiosidad. ¿Habría cambiado en algo mi propia vida?

Durante las siguientes semanas, cada vez que salíamos —para dar paseos nocturnos en la Explanada, ver una obra de teatro o cenar en el Hotel E&O— le enseñaba frases en hokienés y en malayo. Aprendía rápido y tenía una memoria prodigiosa.

Nos casamos en la iglesia de Saint George dos meses después de conocernos. Él tenía cuarenta años y yo veintidós, pero me encantaba ser la esposa joven de un hombre mayor. Bajo la culta supervisión de Robert, aprendí a vestirme y a adoptar un estilo que minimizaba

[3] Tomado de una traducción del verso horaciano. *(N. de la T.)*.

mis defectos y acentuaba mis virtudes. Robert era un entendido en libros, música y teatro, y sabía mucho de política y de historia. Me inició en las obras de Flaubert, Tolstoi, Maupassant y Dante, así como en las de una larga lista de autores de los que nunca había oído hablar. Me enseñó a disfrutar de las óperas de Donizetti y Bellini —mi marido no soportaba a Puccini; en especial, aborrecía *Madama Butterfly*, al igual que yo, por considerarla una historia estúpida e improbable hasta para una ópera—. Leía mucho y me mantenía informada de los acontecimientos mundiales, pero me guardaba de exhibir mi conocimiento en ningún evento social, salvo que la conversación requiriera la chispa de algún *mot juste* o dos. Me alegraba el corazón percibir el orgullo en el rostro de Robert cuando sus amigos interrumpían su tertulia para mirarnos cada vez que entrábamos en una sala. Y disfrutaba las noches en las que se deslizaba en mi cama; era un amante considerado y nunca permanecía demasiado tiempo.

Renuncié a mi empleo y me entregué a las actividades propias de la esposa de un abogado: bailes, tenis, la Sociedad Teatral Amateur de Penang y el Club de Tiro. Me presenté voluntaria en el coro de la iglesia y participé en las comisiones de diversas organizaciones benéficas; organicé veladas musicales «domésticas», las cuales, debo decir, siempre contaban con mayor asistencia que las de Millicent Skinner. Nació nuestro primogénito y le pusimos James, por el padre de Robert. El alumbramiento de Edward, nuestro segundo hijo, tuvo complicaciones y el médico nos advirtió de que no podría tener más hijos. Las visitas nocturnas de Robert a mi dormitorio se espaciaron y con el tiempo cesaron por completo. Le echaba de menos en mi cama, pero tenía un marido guapo y cariñoso y dos hijos preciosos, y vivíamos en una casa junto al mar. ¿Qué más podía pedir?

La marea bajaba. Descendí por las rocas y caminé a lo largo de la bahía de regreso a casa. Aquella noche, cuando Robert llegó, me encontró recostada en el sofá de ratán de la veranda, fingiendo estar inmersa en la lectura.

—Querida, te has quemado —comentó, al deshacerse el nudo de la corbata y colgar su chaqueta en una silla.

—Así es.

Me miró de un modo extraño, pero no presté demasiada atención. Charlamos despreocupados sobre nuestro día, antes de subir a bañarnos y cambiarnos para la fiesta de los Pykett. Era solo una noche más en la vida que compartíamos.

El salón de baile del Hotel Eastern & Oriental estaba abarrotado de invitados de los Pykett. Incluso con los ventanales abiertos de cara al jardín, el aire era sofocante. Me serví una copa de vino y observé a las mujeres a mi alrededor. Conocía a casi todo el mundo y ellos también me conocían a mí. Suspiré para mis adentros cuando vi a la señora Biggs, la esposa del director del Rickshaw Department, enfilando directa hacia mí. Con una voz atronadora que se podía oír en todo el archipiélago, me preguntó si era cierto que Ethel Proudlock había tenido una aventura con William Steward.

—Eso es una auténtica basura —le espeté de manera cortante—. La gente debería mantener la boca cerrada cuando no sabe nada.

—Bueno, no hay necesidad de tomarla conmigo, mi querida Lesley —extendió sus dedos sobre su pecho voluminoso—, pero ya sabes lo que dicen: «Cuando el río suena, agua lleva».

Mientras observaba a la señora Biggs alejarse con un contoneo, Robert me habló:

—En la oficina, la gente no deja de hablar de ello, ¿sabes? El pobre diablo, tiroteado como un perro rabioso. Una forma horrible de morir.

—¿Qué diablos os ocurre a ti y a Geoff? ¡«Pobre diablo»…, unas narices! ¡Por si lo has olvidado, el «pobre diablo» intentó violar a Ethel!

—Tampoco sabemos con certeza lo que ocurrió en realidad, ¿no es así? —Me miró—. ¿Estás bien, querida?

Me ahorré la necesidad de idear una respuesta gracias a que un hombre chino saludó a Robert. Tenía unos veintimuchos años, era delgado, de mirada inteligente, elegante y llevaba una corbata negra.

—Querida —dijo Robert—, mi nuevo asistente: Peter Ong Chi Seng.

—Espero que esté ayudando a mi marido —dije—; está trabajando demasiado estos días.

La sonrisa del hombre le hizo entornar los ojos, convertidos en dos rendijas; tenía el aspecto de un gato dormido.

—Tiene un elevado nivel de exigencia, señora Hamlyn. —Su inglés era hermoso, cada palabra emergía de sus labios con precisión—. Estoy adquiriendo una gran cantidad de conocimientos del señor Hamlyn.

El chino, que respondió paciente a todas mis preguntas, se había formado en Gray's Inn y al cabo de un mes se casaría con una chica *nyonya*[4], una boda que le habían organizado sus padres. Unos minutos más tarde se excusó y se abrió camino a través del salón de baile hasta unirse a otro pequeño grupo de personas.

—Parece competente y trabajador —dije.

—Todavía está muy verde —comentó Robert— y necesita prestar más atención a sus borradores. Le he contratado solo porque le debía un favor a su padre.

Aún desfilaban invitados hacia el salón de baile. Noel Hutton y su esposa Emma se unieron a nosotros en nuestro rincón. Entablamos una conversación trivial, pero todo el tiempo estuve pendiente de la mirada de mi marido, que vagaba de forma despreocupada por la estancia. Observé su rostro con disimulo en busca de alguna señal, un titubeo, un brillo en sus ojos, una mirada detenida una fracción demasiado larga sobre alguna mujer en particular, pero no hubo nada. En realidad, no tenía la menor idea de lo que buscaba.

De pronto, todos los rostros de mi entorno se difuminaron; sentí unas manos invisibles que me apretaban la garganta cada vez más fuerte. Dejando mi copa en la mano de Robert, murmuré alguna excusa a Noel y Emma y me abrí paso a empujones entre la multitud hasta el jardín. Apenas consciente de lo que hacía, tomé el sendero de grava que serpenteaba entre las arecas, dejando atrás la fila de cañones montados sobre pedestales de cemento que apuntaban al mar. Seguí caminando hasta llegar al rompeolas, al final del jardín

[4] Los términos *nyonya* o *peranakan* se emplean para denominar a las personas descendientes de los primeros inmigrantes chinos, principalmente de etnia Han, instalados en parte del archipiélago malayo, sobre todo en torno al estrecho de Malaca, lo que corresponde en la actualidad a los países de Malasia, Indonesia y Singapur. *(N. de la T.).*

del hotel. Presioné mis manos sobre el borde del parapeto y me obligué a respirar despacio.

Robert me alcanzó unos segundos más tarde.

—¿Qué te ocurre?

—Nada. Necesitaba un poco de aire, eso es todo.

Desde aquí casi podía vislumbrar nuestra casa. En ese momento, lo único que quería era volver y abrazar con fuerza a mis hijos.

Las olas rompían con suavidad sobre las rocas bajo el dique, la brisa nocturna mecía las copas de las arecas. Me apoyé contra el muro y contemplé los edificios bajos del hotel. Un camarero encendía las velas de las mesas en la terraza; allí, justo debajo de las arecas, se hallaba el sitio donde había quedado con Robert por primera vez para tomar el té de la tarde hacía apenas cinco años.

Robert manipuló la pipa hasta que empezó a encenderse. Advertí que también contemplaba la terraza. ¿Era el mismo recuerdo lo que rondaba su cabeza?

—Creo que esos dos de allí —apunté mi barbilla hacia un par de hombres chinos que cruzaban el jardín directamente hacia nosotros— quieren hablar contigo.

Robert exhaló una delgada línea de humo mientras los estudiaba.

—No los había visto nunca.

Se detuvieron frente a nosotros.

—¿Señor Robert Hamlyn? —dijo el más joven, extendiendo su mano hacia mi esposo—. Doctor Arthur Loh. Y este caballero de aquí —señaló al hombre situado detrás de él— es el doctor Sun Yat Sen.

El hombre extendió su mano sobre el vientre e hizo una leve reverencia. Tenía cuarenta y tantos años, su aspecto era elegante, vestía traje gris y chaleco del mismo color, abotonado sobre una camisa blanca, y una corbata azul oscuro. Tenía rasgos refinados, ojos brillantes e inteligentes y una nariz estrecha y de perfil armonioso para ser chino. Su bigote había sido recortado con esmero, llevaba el cabello corto, engominado y con la raya cuidadosamente peinada a un lado. Pensé que parecía más un diplomático —uno bastante agraciado— que un revolucionario perseguido por su Gobierno. Nuestros ojos se encontraron. Le sostuve la mirada durante el lapso de tiempo de un latido y después miré hacia otro lado.

—¿Cuándo ha llegado? —preguntó Robert.

—Llegué de Singapur esta tarde. El doctor Cantlie me pidió que fuera a su encuentro. Le manda saludos.

—Se está arriesgando mucho, ¿no es así? —Robert blandió la caña de su pipa hacia un grupo de chinos que tenían la mirada fija en el doctor Sun—. De su legación... Y estoy seguro de haber visto al cónsul chino dentro, en algún sitio.

—Esto es territorio británico. Aquí no se atreverían a ponerme la mano encima. —El doctor Sun les dedicó una sonrisa desdeñosa; continuaron mirándole, sus semblantes impasibles.

Sun Yat Sen charló con nosotros hasta que el doctor Loh le rozó el codo. Interrumpió la conversación y sacó un reloj de bolsillo de oro.

—Por favor, discúlpenos, señor Hamlyn. Tengo que dar una charla en la casa del clan Khoo.

—¿Una charla política? —preguntó Robert, con fingida inocencia.

—Usted es consciente de que sería deportado de inmediato si hiciera algo por el estilo aquí. No, mi charla de esta noche será sobre literatura e historia de China, no tendrá nada de sedicioso, nada en absoluto.

—Sin duda, *El romance de los tres reinos* tendrá un lugar destacado —dijo Robert.

—Bueno, lo cierto es que es una de las grandes novelas de China, al fin y al cabo.

—Su público sin duda devorará sus relatos conmovedores de rebeliones y conspiraciones para derrocar emperadores —apuntó Robert—. Venga mañana a tomar una copa. Usted también, doctor Loh. Estamos en Cassowary House, Northam Road. Digamos, ¿a las cinco y media?

El doctor Sun nos hizo otra reverencia escueta y ambos hombres se alejaron. Advertí que los chinos de la legación también les observaban mientras cruzaban el terreno hasta la carretera.

—Un revolucionario —dijo Robert—. Espero que no provoque conflictos aquí. —Golpeó su pipa contra el rompeolas y la guardó en el bolsillo—. Será mejor que volvamos a entrar, querida —sugirió—. Charles seguramente dará uno de sus discursos prolongados y necesitaré una copa de vino para superarlo. —Meneó la cabeza y volvió a hablar—: Treinta años de matrimonio. ¿Cuál de los dos crees que merece más una medalla?

II

Al día siguiente, el revolucionario chino apareció en nuestra casa a las cinco y media en punto, y un criado lo acompañó hasta la veranda de atrás. Robert acababa de llegar a casa y aún estaba en mangas de camisa, el cuello sin desabrochar, su corbata enroscada sobre la mesa de café.

Aquella mañana, después de marcharse a la oficina, mandé al chico a la ciudad para cancelar mis citas con el pretexto de un catarro. No podía soportar la idea de afrontar a mis amigos y preguntarme todo el tiempo si sabrían algo acerca de la aventura de Robert. Me quedé en casa y jugué con mis hijos, pero sus peleas y sus lloros me irritaron más de lo habitual. Encontraba defectos en todo lo que hacían los sirvientes. Aporreé tempestuosos acordes en el piano y, cuando eso no alivió mi ira, opté por piezas ligeras y melancólicas. Decidí que me enfrentaría a Robert; un rato más tarde me dije que no lo haría; media hora después cambié de opinión de nuevo. Así seguí hasta sentir que me volvía loca. Escapé a la playa y nadé en la bahía de un lado a otro, perdiéndome en los latidos del mar. Cuando al final salí tambaleándome de las olas, me derrumbé sobre la arena y me quedé tumbada. El agotamiento adormeció mis pensamientos y lo agradecí, sin embargo, en el momento en que pisé la casa, regresaron clamando. De modo que recibí al doctor Sun con una sonrisa cálida y agradecida: su presencia haría más fácil soportar la larga noche.

—El doctor Loh ruega que le disculpen —dijo el doctor Sun—. Su hija no se encuentra bien.

—Su inglés es impecable, doctor Sun —dijo Robert—. ¿Dónde ha estudiado?

Nos pidió que le llamáramos Sun Wen. Aquella noche nos contó que había nacido en un pequeño pueblo junto al mar, en el sur de China, a menos de cuarenta y ocho kilómetros al norte de Macao.

A la edad de doce años, le mandaron a Honolulu a vivir con su hermano mayor. Allí permaneció durante cinco años y asistió a uno de los mejores colegios, pero su hermano, alarmado por su creciente interés por el cristianismo, decidió enviarle de vuelta a su pueblo natal, en China.

—Habiendo visto el mundo, me quedé horrorizado de mi propio país. Me pareció que mi pueblo era retrógrado; nuestra gente, limitada por sus creencias supersticiosas —dijo Sun Wen—. Causé algunos… problemas… en casa, así que mis padres me enviaron a Hong Kong para terminar mis estudios.

Un remolino de humo ascendió desde la espiral para mosquitos a nuestros pies.

—¿Qué clase de problemas? —pregunté.

—Forcé la entrada al templo del pueblo y profané las estatuas de las deidades —respondió Sun Wen—. Además, rompí las tablas ancestrales de los aldeanos.

—Siguiendo los pasos de ese tipo, Hong, ¿verdad? ¿El líder de la rebelión Taiping? —apuntó Robert—. Empezó como usted, ¿no es así? Destruyendo los ídolos y los símbolos de los templos de su pueblo.

—El maestro de mi pueblo había luchado con los Taiping. Solía entretenernos con historias sobre ellos —replicó Sun Wen—. A diferencia de Hong Siu Chuan, le aseguro que no soy el hermano pequeño de Jesucristo.

Los dos hombres advirtieron que se habían olvidado de mí por completo.

—Lo siento, querida. Hong Siu Chuan fue un intelectual de un pueblo de la provincia de Kwangtung —explicó Robert—. Su ambición era ser un funcionario judicial, pero siempre suspendía los exámenes imperiales. Después del tercer fracaso —¿o fue el cuarto…?—, bueno, de cualquier manera, después de otro examen fallido, cayó enfermo con fiebre. En su delirio soñó que había ido al Cielo a hablar con Dios, quien le dijo que Él era el padre de Hong y que su hermano mayor era Jesucristo.

—Cuando Hong se recobró —continuó Sun Wen, haciéndose eco de la historia—, contó a todos en su pueblo que ahora era cristiano y había recibido órdenes de Dios, su padre, y de Jesucristo, su hermano mayor, de acabar con el reino del emperador y fundar una nueva Jerusalén.

—No se lo tomarían en serio, ¿no? —dije yo.

—Oh, sí lo hicieron. Hong empezó a estudiar la Biblia de forma intensiva y viajó por todo el país convirtiendo a los habitantes al cristianismo o, más bien, una versión de él. —Sun Wen me dedicó una sonrisa irónica y yo se la devolví—. Al cabo de un año tenía cientos de seguidores, después miles y después, decenas de miles.

—¿Usted también es cristiano? —preguntó Robert.

—No pertenezco a la cristiandad de las Iglesias; pertenezco a la cristiandad de Jesucristo, y él mismo fue un revolucionario.

No tuve que mirar a Robert para saber que ponía los ojos en blanco.

—Sun Wen —intervine, apresuradamente—, ¿cómo conoció al doctor Cantlie?

—Me dio clases en la Facultad de Medicina de Hong Kong. Yo era su intérprete cuando viajaba a los pueblos con lepra para llevar a cabo sus investigaciones. Pero, aparte de eso, no estaría aquí sentado si no fuera por él. Le debo la vida.

—¿Le curó de alguna enfermedad rara? —preguntó Robert, con una sonrisa.

—Si todo en la vida fuera tan simple… —respondió Sun Wen.

—¿Cómo le salvó la vida? —pregunté.

Sucedió unos años después de terminar sus estudios. Sun Wen había regresado a China y organizó un levantamiento en Cantón, pero fracasó. Huyó del país y viajó por el mundo —San Francisco, Nueva York, Hawái— con el propósito de recaudar fondos para la Sociedad para la Regeneración de China. En el otoño de 1896, el doctor Cantlie le invitó a Londres, donde le encontraron alojamiento en Gray's Inn. Era la primera vez que estaba en la ciudad y no conocía a nadie salvo a los Cantlie, cuya casa visitaba a diario. Paseaba por Portland Place una mañana de camino a la residencia de sus amigos, en Devonshire Street, cuando un par de chinos le abordaron en la acera. Empezaron a hablar con él y, antes de saber siquiera lo que estaba pasando, fue forzado a entrar en una vivienda de aspecto imponente en esa misma calle.

—En el momento en que estuve dentro, cerraron la puerta de golpe y la atrancaron —dijo Sun Wen—. El miedo se apoderó de mí cuando vi el gran número de chinos que había en su interior, todos ellos ataviados al estilo mandarín. Demasiado tarde comprendí que había sido atrapado en una legación china.

—Si no recuerdo mal, Cantlie vive justo en la esquina de la legación, ¿no es así? —preguntó Robert—. Sin duda, le habría advertido para que guardara la mayor distancia posible.

—Sí, me avisó, pero no pensé que se atrevieran a hacerme nada en Inglaterra. Iban a llevarme ilegalmente de vuelta a China, donde me juzgarían por traición. —Sun Wen hizo una pausa—. Me habrían declarado culpable y cortado la cabeza.

—¿Entonces qué ocurrió? —pregunté.

Le encerraron en un sótano. Las ventanas habían sido tapiadas para que no pudiera gritar pidiendo ayuda. Los días pasaron, pero nadie sabía lo que le había sucedido. Estaba hambriento, pero le aterraba ser envenenado y no tocaba la comida que le daban. Por fin, consiguió persuadir al guarda de que enviara una nota al doctor Cantlie. Pasó una semana, y ya había perdido toda esperanza, cuando una tarde se abrió la puerta y vio a tres hombres que habían bajado al sótano. Le arrastraron escaleras arriba y le arrojaron a la calle.

—El doctor Cantlie esperaba allí con una legión de fotógrafos —dijo Sun Wen—. Nunca me había alegrado tanto de ver a alguien en toda mi vida. De nuevo en su casa, me contó que había acudido a Scotland Yard y al Ministerio de Asuntos Exteriores con mi nota, pero no mostraron interés alguno. De modo que fue al periódico *The Times*. Después de aquello, todos los diarios de Londres publicaron la historia de mi secuestro. La legación no tuvo más remedio que dejarme marchar.

—Qué experiencia tan terrible —dije.

Sun Wen sacó su reloj de bolsillo de oro y se lo mostró a Robert.

—Un regalo del doctor Cantlie, para conmemorar el momento en que me salvé por los pelos. Lo llevo conmigo a todas partes.

Robert lo examinó y me lo pasó. El Breguet estaba ligeramente caliente; lo mantuve en la palma de mi mano por un momento antes de devolvérselo a Sun Wen.

—Todo eso sucedió hace catorce años —aclaró—. Desde entonces, he estado viajando por el mundo y recaudando fondos para mi partido, el Tongmenghui. —Deslizó el reloj de nuevo en el bolsillo de su chaleco, dando una palmadita en el pequeño bulto que formaba—. En todos estos años, nunca he regresado a China. Ni una sola vez.

—¿Qué espera lograr con su revolución? —pregunté.

—La revolución no es solamente mía —dijo—. Pertenece a todo el pueblo chino repartido por el mundo. Queremos instaurar una república, una república en la que todos seamos iguales, en la que todos seamos libres, tanto hombres como mujeres.

—¿Y solo por eso le han sentenciado a muerte?

—Derrocar al emperador es ir contra del orden natural del Cielo, Lesley. Sin embargo, los emperadores han robado la riqueza de China. Han vendido mi país a Occidente, pieza por pieza. Mi pueblo se muere de hambre, no tiene esperanzas de futuro. La dinastía es corrupta y decadente. —Extendió su mano hacia arriba e hizo un gesto, como si cogiera un puñado de aire—. Ha llegado el momento de que recuperemos nuestro país.

—¿Recuperar China? —dije—. Pero China está gobernada por su propio pueblo.

—Querida mía —dijo Robert—, los manchúes no son chinos.

—¿Qué quieres decir con que no son chinos?

—Los manchúes irrumpieron desde las planicies del norte hace trescientos años, rebasaron la Gran Muralla y derrotaron al emperador Ming —me explicó Robert—. Desde entonces, han gobernado China.

—Obligaron a todos los chinos a atar su cabello en una cola de caballo —añadió Sun Wen—, como símbolo del sometimiento de mi pueblo a su autoridad.

—Pero usted no la lleva —dije.

Es curioso, nunca me había preguntado por qué algunos hombres chinos, incluso nuestros sirvientes, llevaban coleta.

—Me la corté cuando me marché de China.

—Los chinos del Estrecho ya lo hicieron —dijo Robert—. Hace siglos.

—Los chinos del Estrecho que hay aquí solo hablan inglés, imitan sus costumbres, sus tradiciones. —Un gruñido burlón brotó de la garganta de Sun Wen—. Creen que Inglaterra es su madre patria.

El atardecer suavizó el cielo. Dentro de la casa, los sirvientes iban de un lado a otro encendiendo las lámparas. Ah Peng trajo a James y a Edward a la veranda; los chicos estaban perfumados tras el baño de la tarde, su cabello, cuidadosamente peinado, aún estaba húmedo. James enroscó el brazo alrededor de mi pierna y se quedó mirando a nuestro visitante.

—Buenas noches, jovencito —dijo el hombre chino—. Me llamo Sun Wen. ¿Tú cómo te llamas?

—James.

—Un nombre fuerte y noble. ¿Cuántos años tienes, James?

—Cuatro.

—¡Dios mío, ya eres un chico mayor!

Robert meció a Edward sobre su rodilla.

—Dile al doctor Sun cuántos años tienes. —Edward enterró su rostro en el pecho de su padre, que le besó la cabeza y me sonrió. En aquel breve instante sentí que sería capaz de perdonarle cualquier cosa—. Este pequeño revoltoso de aquí tiene tres —informó a Sun Wen.

Capté una mirada de dolor en los ojos de nuestro invitado.

—¿Tiene hijos, Sun Wen?

—Tengo un hijo y dos hijas. Sun Fo tiene diecinueve años; está estudiando en Hawái. Jin Yuan y Jin Wan tienen dieciséis y catorce; se encuentran con mi esposa en Hong Kong.

—Debe de ser difícil para ella que viaje tanto por el mundo.

A continuación, besé a mis hijos y se los devolví a Ah Peng, indicando que se los llevara adentro.

—Ellas lo aceptan.

—¿Ellas?

—Mis dos esposas. —Tener más de una esposa era una costumbre aceptable, incluso admirada, entre los chinos adinerados, y no era de mi incumbencia cuántas mujeres tuviera Sun Wen. Pero había permanecido allí sentada toda la noche, escuchándole hablar sobre igualdad y libertad, y sobre modernizar China; incluso había empezado a simpatizar con su causa.

—Pensé —dije— que estaría en contra de algo tan retrógrado.

—El número de mujeres que tenga no nos concierne, Lesley —dijo Robert—. ¿Otra copa, Sun Wen?

—Con una me basta —respondió Sun Wen.

—Debería aplicar esa norma también para las esposas —sugerí.

—¡Querida!

—Está bien, Robert —dijo Sun Wen—. Mi primer matrimonio fue pactado para mí cuando era joven, Lesley. El segundo fue de mi elección.

—Sin duda, una mujer más guapa y joven —dije.

—Aún no he conocido a un hombre que elija algo diferente. —Robert rio, dando una fuerte palmada a su rodilla—. ¿Y usted, Sun Wen?

—No me parece en absoluto gracioso, Robert —me volví hacia Sun Wen—. Se ha pasado toda la noche hablando sobre la igualdad —le apunté con el dedo índice—, así que déjeme preguntarle algo: después de establecer la república, ¿se nos permitirá a nosotras, las mujeres, tomar cuantos maridos queramos? ¿Más jóvenes y guapos, más viriles? Sería justo, ¿no es así? Sería «equitativo».

—Lo que usted reclama, Lesley, va contra el orden natural del Cielo —respondió Sun Wen.

—Al igual que rebelarse contra el emperador, o al menos eso me han dicho.

La furia que había estado reprimiendo desde que me enteré de la aventura de Robert amenazaba con salir a borbotones. Me sentía aturdida, temeraria. La vida que había construido con mi esposo parecía muy frágil ahora; podía hacerla añicos fácilmente con solo unas palabras.

—Su discurso sobre la igualdad no significa nada —continué—. Ustedes, los hombres, pueden tener todas las mujeres que quieran, pero las mujeres, ¡oh no!, nosotras debemos permanecer junto a nuestros esposos. Tenemos que tolerar que os caséis con otra mujer, tolerar que folléis con quienes queráis…

—¡Estás gritando, Lesley! —interrumpió Robert. Estaba inclinado hacia adelante en su silla, las manos sobre los reposabrazos, sus pies plantados con firmeza en el suelo; parecía preparado para abalanzarse sobre mí.

Con esfuerzo, logré controlarme; al cabo de un momento mi respiración se ralentizó hasta recuperar su ritmo normal.

Sun Wen rebuscó en su bolsillo y sacó su reloj una vez más.

—Debo irme —dijo—. Me esperan en la Cámara de Comercio de China.

—¿Otra charla edificante sobre literatura china? —preguntó Robert.

—Sí, y para convencer a los asistentes de que se desprendan de su dinero para… mmm… ayudarnos a comprar más libros para nuestro club de lectura. Tal vez usted quiera hacer una donación.

Mis articulaciones parecían oxidadas por la fatiga cuando me puse en pie. Me sentía como si hubiera estado caminando por un desierto interminable.

—Debo advertirle, Sun Wen: los hokios de Penang son muy tacaños. Cuanto más ricos son, más aprietan los puños. —Froté mi pulgar con mi dedo índice—. Son *kiam-siap*[5] y están orgullosos de ello.

—Haré que cambien de opinión.

Robert le acompañó fuera de la casa. Abandoné la veranda y salí al jardín. El crepúsculo anidaba en los árboles. Permanecí de pie bajo la casuarina y contemplé la franja estrecha de mar. No puedo continuar así, me dije; no puedo seguir fingiendo que todo está bien entre Robert y yo. Me volveré loca; me derrumbaré. Debo alejarme de él.

La luz se desvanecía desde el monte Jerai, el pico más alto de la cordillera del archipiélago. A poca distancia, un pescador se adentraba en el mar desde la playa. Un farol colgaba de la proa del sampán[6], esparciendo su luz sobre las aguas que se oscurecían. Le observé remar, sus movimientos eran lentos y fluidos, llevaba su barcaza cada vez más lejos de la orilla. En algún lugar, el pescador dejaría de remar y echaría las redes al agua. Bajo su barco se abrirían y, cuando la noche se hiciera más densa, el resplandor de su farol cautivaría a los peces de las profundidades dirigiéndolos hacia su trampa. Todo era tan intemporal como los ciclos de las mareas.

Robert terminaba su bebida en la veranda cuando regresé andando hacia la casa.

[5] Término hokienés para definir a alguien tacaño. *(N. de la T.)*.

[6] El sampán (o champán) es un tipo de embarcación originaria de China y de Japón construida para la pesca. La palabra «champán» viene del dialecto hokienés para los barcos, y significa literalmente «tres tablones». *(N. de la T.)*.

—Mañana voy a Kuala Lumpur para ver a Ethel —dije—. Me gustaría estar presente durante la investigación judicial.

—Enviaré un telegrama a los Hubbacks.

La idea de tener que ser sociable, fingir ante nuestros amigos que todo iba de maravilla en mi vida, era más de lo que podía soportar.

—Prefiero quedarme en el Empire.

—¿Sola? —Reparó en la expresión de mi rostro—. Está bien. Si eso es lo que quieres…

Me volví para contemplar el mar una vez más. El pescador se había encogido y ahora era una silueta diminuta. En el lado más lejano del canal, las montañas ya se habían disuelto en la noche.

III

Las estrellas desperdigadas aún se aferraban al cielo cuando Robert me ayudó a bajar de la calesa, en la parte exterior de la estación de ferrocarril, sin embargo, las calles en torno a Weld Quay ya bullían con tranvías y bicicletas, las planchas de caucho ahumadas y lingotes de estaño apilados en los carros de bueyes.

—Buen viaje, querida —me deseó Robert mientras me besaba en la mejilla.

Me tuve que contener para no apartar el rostro.

—No olvides enviar un telegrama a Ethel.

Ninguna carretera elevada unía Penang con el archipiélago, aunque siempre me agradó que tuviéramos nuestra propia estación de ferrocarril —no podíamos quedar mal ante Kuala Lumpur o Singapur, ¿verdad? Al fin y al cabo, éramos la primera colonia británica de Oriente—. Compré el billete y crucé la carretera hasta la plataforma de desembarco para subir al trasbordador de trenes. Encontré un sitio junto a la borda; desde que era niña, siempre he preferido estar de pie en la cubierta, a la intemperie, mi espíritu siempre se avivaba al ver las actividades del puerto ruidoso y abarrotado.

Los *tongkangs*, sampanes, lanchas y *prahus*[7] se encontraban amarrados a cuatro o cinco buques de profundidad. Las aves marinas se zambullían y revoloteaban sobre el barrizal de aparejos y mástiles

[7] Embarcaciones tradicionales. *(N. de la T.)*.

oscilantes. Cuadrillas de culis chinos sin camisa y encorvados bajo enormes y voluminosos sacos de arpillera iban de una embarcación a otra para descargarlos en las carretas de bueyes que hacían cola en el muelle. Una grúa bajaba palés de hojas de caucho ahumado hasta la bodega de un barco de la Norddeutscher Lloyd; trabajadores indios escuálidos desembarcaban de una embarcación vieja y oxidada todas sus pertenencias, en un fardo anudado sobre sus cabezas; y más abajo del embarcadero, una fila de peregrinos musulmanes abordaba un buque con destino a Yeda.

Me agarré a los trancaniles mientras el *ferry* se abría paso por el bullicioso canal, sorteando *tongkangs*, goletas malayas y barcos *bugi*[8] con ojos de aspecto siniestro pintados en sus proas. En Butterworth, el jefe de estación euroasiático cogió mi maleta y me escoltó hasta el vagón de primera clase. El tren salió puntualmente, a las siete y cuarto, a toda velocidad.

Enseguida, las naves y fábricas dejaron paso a los *kampongs* y a frondosos e interminables campos, con sus nuevos brotes de arroz, de un verde fluorescente bajo el sol matutino. Más tarde, la densidad de la selva se fue echando encima, tan cerca que podría haber sacado la mano por la ventanilla para arrancar un puñado de hojas de cualquier rama al pasar a toda velocidad junto a ellas.

El sol se había puesto tras las cúpulas de estilo árabe de la estación de ferrocarril cuando mi tren se adentró en Kuala Lumpur. La ciudad era mucho más ajetreada que Penang y tuve que hacer cola para conseguir un *rickshaw*. En el Hotel Empire, el conserje ceilandés salió a toda prisa desde el mostrador para darme la bienvenida en el vestíbulo de techos elevados.

—Ah, señora Hamlyn. —Miró por encima de mi hombro—. ¿El señor Hamlyn se reunirá con usted más tarde?

—El señor Hamlyn no vendrá, pero me ha reservado una habitación. ¿Está preparada?

Un terrateniente de mediana edad que leía su periódico bajo el aleteo de los *punkahs*[9] me examinó mientras firmaba el registro.

[8] Barcos de pesca tradicionales de madera. *(N. de la T.)*.

[9] Grandes abanicos sujetos al techo que, accionados por un sistema de cuerdas, generan una corriente de aire que refresca el ambiente. *(N. de la T.)*.

De pronto reparé en que nunca me había quedado sola en un hotel. Me sentí como si me hubieran pillado in fraganti en un acto indecoroso.

El empleado me entregó la llave. También había una nota de Ethel escrita a mano, informándome de que esperaba mi visita.

El *bungalow* del director de Victorian Institution se encontraba en el extremo oeste de la pista deportiva VI, a orillas del río Klang. Un elevado y denso seto de bambú protegía la construcción de las miradas desde la escuela. Al rodear el seto hasta la entrada, tuve la sensación de estar en el campo, sensación intensificada por la frondosa selva que saturaba las orillas del otro lado del río.

El criado me acompañó hasta la sala de estar. El sopor de última hora de la tarde pesaba sobre la casa. Mientras echaba un vistazo a la estancia, intenté recordar la última vez que habíamos estado aquí Robert y yo. Debía de hacer unos tres meses, fue en la fiesta de despedida de los Shaw, antes de marcharse a Londres. A estas alturas, las noticias sobre la muerte de William Steward se habrían publicado en los diarios londinenses. ¿Qué habrían pensado al descubrir que un hombre —alguien a quien habían conocido, dado lo reducido de la comunidad europea en Kuala Lumpur— no solo había sido asesinado en su casa, sino por la esposa del director en funciones?

La sala de estar daba a una veranda. Salí a echar un vistazo. Construida sobre cuatro pilares de cemento, la casa tenía una amplia vista del río que discurría frente a ella. Los estores de bambú bajo los aleros se habían cerrado hasta la mitad, eliminando el reflejo del agua. Reconocí los sillones y el sofá de ratán de los Shaw y su apreciada mesa japonesa de tres patas; la librería de madera de teca estaba ahora repleta de las páginas sensacionalistas del *Illustrated London News* y del *Punch* hablando sobre los Proudlock. Al mirar por el lateral de la veranda, divisé a mi culi de *rickshaw* en cuclillas bajo un árbol tembusu, fumando un *kretec*. El empalagoso aroma a clavo del cigarrillo se entremezclaba con la cálida brisa.

Bajo la veranda, un césped bien cuidado se inclinaba suavemente hacia el río. Era difícil imaginar que, con su curso lento y tan escaso caudal, se desbordara durante el monzón. En una ocasión,

Bennett nos deleitó con la historia de cómo, durante las lluvias, él y su esposa tuvieron que remar en un sampán desde el *bungalow*, cruzando los terrenos de la escuela hasta High Street, él a cargo de los remos mientras su mujer permanecía de pie en la proa con un rifle, vigilante ante la aparición de algún cocodrilo en las turbias aguas.

Escuché pasos procedentes del pasillo interior y me escabullí de nuevo hacia la sala de estar. Ethel entró un momento después. Permanecimos de pie frente a frente, hasta que le cogí las manos y tiré de ella hacia mí para besar sus mejillas.

—¡Oh, Ethel! Qué cosa tan horrible te ha pasado. —Nos sentamos una enfrente de la otra—. ¿Dónde está Will?

Un aire vago y distraído se cernía sobre ella, como si se acabara de despertar y estuviera medio drogada.

—Aún está en la oficina, supongo —respondió por fin—. Es extraño, ¿verdad? El hombre que… que me atacó… se llama igual que mi marido.

Qué comentario tan extraño, pensé, recorriendo su cuerpo con la mirada. Había perdido peso, pero no su sentido del estilo. Su falda de color melocotón y blusa de manga larga de tono crema combinaban con buen gusto. El cabello, castaño oscuro, estaba recogido en un moño.

—¿Cómo lo estás llevando? —pregunté.

—Will ha sido un pilar fundamental, pero, ¡oh!, ojalá todo esto tan tremendo terminara de una vez por todas.

—Se olvidará en poco tiempo. Tu abogado es Wagner, ¿verdad? Estás en buenas manos. Robert tiene muy buena opinión de él.

—¿Cómo está él? ¿Y los chicos?

—Crecen tan rápido, y Robert…. —Mis dedos se curvaron formando un puño y luego se abrieron otra vez—. Él…

—¿Qué ocurre?

Sentí una necesidad abrumadora de hablarle sobre la infidelidad de Robert. Mi boca se abrió, pero la apreté con fuerza. Hubiera sido totalmente egoísta por mi parte cargarla con mis problemas; ella tenía otros más graves de los que preocuparse. También hubo otra cosa que me hizo guardar silencio, algo en lo que no había reparado antes: por alguna razón que no pude explicar, no me sentía cómoda abriéndome a ella.

—Trabaja demasiado, como siempre —dije, crispada.

Se inclinó hacia adelante, escudriñándome de cerca; siempre tuvo olfato sensible para captar chismes.

—¿Va todo bien, Lesley?

Abrí el abanico y empecé a agitarlo con fuerza.

—Kuala Lumpur siempre es tan húmedo, ¿no es así? No sé cómo lo puedes soportar.

El sirviente entró con una bandeja de té. Su coleta, negra y lustrosa, colgando sobre su túnica blanca almidonada, me hizo pensar en un largo trazo de caligrafía china pintado sobre una hoja de papel.

—Conocimos a alguien fascinante hace unos días —continué abanicándome—. Es un revolucionario, nacido en China, pero habla inglés a la perfección.

Comencé a hablarle a Ethel sobre Sun Wen, pero enseguida advertí que no escuchaba ni una palabra de lo que estaba diciendo. Mi mirada divagó hacia la entrada de la veranda.

Ethel aprovechó mi lapso de atención.

—Te estás preguntando qué ocurrió aquella noche, ¿no es así?

—Estaba pensando... —me aclaré la garganta—, recordaba cuando nos conocimos. Bennett nos había invitado a cenar, ¿lo recuerdas? Estuvimos allí sentados esa noche... —Mis ojos de nuevo se desviaron hacia la veranda.

—Dicen que yo me acostaba con Steward —dijo Ethel, su voz apagada, sin emoción.

—¿William Steward era el hombre que...? —titubee—. ¿Fue el que...?

La última vez que nos vimos, en el salón de té de Whiteaways, Ethel había estado inusualmente inquieta. No hacía más que darle vueltas a la pulsera de plata en torno a su muñeca una y otra vez.

«Pareces exultante de buenas noticias», dije, mientras me preguntaba si estaría embarazada otra vez; tenía cierto resplandor de placidez.

Tras algunas advertencias y después de hacerme jurar que guardaría el secreto, me contó que había tenido un leve coqueteo con un hombre. Esas fueron las palabras exactas que utilizó: «un leve coqueteo». Había empezado en diciembre del año anterior, mientras su marido se encontraba en Hong Kong. En su ausencia, había salido de paseo en coche con el hombre, fuera de Kuala Lumpur, y de vez en cuando hasta pasaba la noche en su casa. No mencionó su nombre, y yo tampoco se lo pregunté. Me quedé consternada, y tampoco tenía mucho interés en saber más del asunto.

—¿Y quién iba a ser si no? —Ethel me reprobó, con ojos achinados—. ¿Crees que duermo con todos los hombres que conozco? ¿Es eso lo que piensas de mí?

—Oh, no seas tonta, Ethel. —Se mostraba más quisquillosa de lo habitual y me reprendí por mi falta de sensibilidad ante su difícil situación.

—«La gente se acabará enterando —dijiste—; la gente hablará».

Dejó caer la cabeza y enterró su rostro en las manos.

—Oh, Ethel..., ¡qué embrollo! ¡Qué terrible embrollo!

Levantó el rostro y clavó en mí su mirada.

—¿No se lo habrás contado a alguien, no? ¿No se lo habrás dicho a Robert?

—Te prometí que no lo haría, ¿verdad? —Estiré la mano por encima de la mesita de café y le cogí la suya, apretándola con suavidad—. ¿Por qué te visitó William Steward aquella noche? ¿Lo invitaste tú?

—Por supuesto que no. Le dije que todo había terminado entre nosotros, se lo dije hace un mes. Pero él no podía aceptarlo. No podía de ninguna manera. Ese desgraciado miserable estaba obsesionado conmigo, ¿sabes?, totalmente obsesionado. No dejaba de escribirme cartas; me mandaba flores y regalos. Le dije que dejara de hacerlo. Intentó verme muchas veces, pero yo le evitaba.

—Entonces, ¿qué hacía aquí esa noche?

—¿Qué hacía aquí? Vino para suplicarme que cambiara de opinión, está claro. ¡Oh, qué manera de rogar e implorar! Sin embargo, cuando aun así me negué, se puso furioso y me atacó. Se puso como... un monstruo. ¡Oh, Lesley, nunca había estado tan aterrorizada en toda mi vida!

La pena que sentí por lo que tuvo que soportar, me desgarró el corazón.

—¿Qué dirás mañana durante las investigaciones judiciales?

Me miró fijamente.

—No tengo que decirles nada, Lesley.

Durante un segundo o dos no supe cómo reaccionar, pero entonces, comprendí que tenía razón, por supuesto. Los procedimientos de investigación eran una mera formalidad para determinar si había necesidad de celebrar un juicio por asesinato; en la sesión del día siguiente, a Ethel no se le requeriría que contara su versión de la historia.

—Estoy muy cansada, Lesley. —La mirada de Ethel vagó en torno a la sala de estar—. Tengo que bañar a Dorothy. Will llegará a casa pronto y el señor Wagner quiere que repasemos algunos asuntos para mañana.

Cerré el abanico, lo guardé en mi bolso y me puse de pie.

—Por supuesto. Debo irme. Ni siquiera he deshecho las maletas. Te veré mañana en la comparecencia.

Ethel hizo sonar la campana de bronce situada a su lado. Quise ofrecerle unas palabras de consuelo mientras el sirviente me acompañaba a la salida, pero cuando la miré, cualquier cosa que hubiera querido decir se congeló en mis labios. Después de marcharme, aún seguía sentada en su sillón, con la mirada fija en la veranda, con el vacío detrás de sus ojos.

IV

A la mañana siguiente dejé el hotel poco después de las ocho. Mi presencia solitaria en el comedor durante el desayuno había atraído miradas reprobatorias de otros huéspedes. Hice caso omiso y me tomé mi tiempo para desayunar. Había dormido mal; en algún momento durante la noche me desperté angustiada, convencida de que había disparado a alguien con mi revólver, un hombre cuyo rostro estaba oculto.

Fue un paseo corto y fácil hasta el centro. Me detuve ante el Selangor Club para observar a un grupo de ancianos chinos que practicaban taichí en el *padang*. Parecían danzar al compás de la música de las esferas, que solamente ellos escuchaban, y sus movimientos, enraizados pero fluidos, me recordaban al pescador que había observado remando en su sampán en el mar la noche anterior.

A la izquierda del *padang* se encontraba la catedral de Saint Mary, su arquitectura gótica inglesa medio oculta por la hilera de palmas de escoba. Ethel y William se habían casado en esa iglesia, me comentó ella en cierta ocasión. Lo que no me contó fue que se marcharon a toda prisa unas horas después de la ceremonia para pasar su luna de miel en Inglaterra. Los invitados murmuraban que se debía a que ya estaba embarazada. Naturalmente, no presté ninguna atención al cotilleo; no obstante, no pude evitar preguntarme sobre ello cuando supe que había dado a luz a su hija en Inglaterra durante ese tiempo.

Al atravesar la carretera principal, frente a la fachada blanca y negra de estilo Tudor del Selangor Club, se encontraban los edificios gubernamentales. La visión de la mampostería color salmón, las cúpulas y los arcos apuntados siempre me hacían pensar en *Las mil y una noches*, un libro que me leía mi padre a menudo cuando era una niña. Mientras esperaba para cruzar, miré la torre del reloj, preguntándome si solo por esta vez podría vislumbrar al príncipe Hussein en su alfombra mágica, volando a toda velocidad alrededor de la gigantesca cúpula con forma de cebolla.

El aire en el interior del recinto era de un frío húmedo, como subterráneo, parecía haberse filtrado desde el río cercano. Los letreros en las paredes me condujeron, a través de un laberinto de pasillos, a las dependencias policiales. Todas las salas de tribunal eran iguales, nada diferenciaba unas de otras, pensé mientras miraba a mi alrededor. Incluso tenían el mismo olor rancio, como a polvo. La tribuna del público estaba vacía, excepto por unos cuantos europeos, entre los que destacaba un hombre joven que, supuse, sería un reportero novato del *Malay Mail* o del *Straits Times*, y cuatro o cinco asiáticos que charlaban tranquilamente en la sección de nativos.

Durante los primeros días de casada, atendía con frecuencia a los juicios cada vez que Robert llevaba un caso. Mi corazón se hinchaba de orgullo al verle ataviado con su túnica negra y su peluca; cómo me entusiasmaba oírle utilizar el arma de su voz autoritaria con el arte de un actor, mientras destrozaba los argumentos de sus oponentes de forma metódica y despiadada hasta convertirlos en palabras insustanciales. Aquella mañana, sentada en la tribuna del público, reparé en que habían pasado años desde la última vez que lo acompañé a una sesión como esta. ¿Cuándo había dejado de hacerlo?

A las nueve menos cuarto, Ethel, custodiada por su esposo William y su abogado E. A. S. Wagner, entró en la sala. Los murmullos cesaron. Vestía con estilo, un traje de color azul claro, de cuello ceñido y mangas entalladas que llegaban hasta sus delgadas muñecas. Su rostro estaba ligeramente maquillado, sus labios rosados, y me maravilló que hubiera tenido tiempo para arreglarse el cabello. Una fachada de autocontrol, trabajada con esmero, le hacía aparentar más de sus veintitrés años. Recibió mi sonrisa con un levísimo gesto, mientras William le aproximaba una silla. La besó en la mejilla, murmuró algo y después se sentó en la primera fila de la tribuna.

Un hombre mayor que William se inclinó hacia él y le susurró algo. Era menudo, de aspecto adusto, y vestía un traje marrón de corte mediocre. Parecía vagamente familiar, pero no le reconocí como el padre de Ethel hasta un momento después. Ella nunca me hablaba de sus padres; alguna vez mencionó que la infancia en su casa había sido una experiencia desastrosa, pero cuando insistí para conocer más detalles, cambió de tema.

El reloj de la torre empezó a tocar. El tañido que traspasaba las gruesas paredes parecía de procedencia lejana. El alguacil sij nos hizo una señal para que nos levantáramos cuando el juez entró en la sala. El magistrado, Daly, tendría unos cuarenta y tantos años, era delgado y calvo.

Los *punkahs* dispuestos sobre el tribunal y las mesas de los abogados comenzaron a aletear de forma lánguida. Se le pidió a Ethel que subiera al banquillo de los acusados. El juez Daly la observó y a continuación murmuró unas palabras al aguacil. Un guardia trajo una silla y Ethel fue invitada a bajar del banquillo y a sentarse por debajo de la tribuna, de cara al magistrado.

Tiene buena pinta, pensé. Para el final del día quedaría en libertad sin ser acusada de ningún crimen. Solo un tirón de orejas, como había asegurado Robert.

Wagner inició el procedimiento requiriendo al magistrado que excluyera de la vista a algunos integrantes del público.

—Se plantearán asuntos delicados y sensibles en la sesión —dijo—, asuntos que implican suma… indecencia…, lo que sin duda será en extremo bochornoso para la señora Proudlock. —Giró a medias su cuerpo alto y anguloso para proyectar una mirada penetrante hacia los ocupantes de la tribuna de nativos—. Hay un gran número de personas en la sala a quienes estos asuntos no incumben en absoluto; su presencia afectará de manera adversa a la señora Proudlock.

Se escucharon murmullos de descontento del público, silenciados solo tras una reprobación del aguacil. Desde mi posición, tenía una clara visión del perfil de Ethel, que se mantenía erguida, ajena a cuanto ocurría a su alrededor.

Paul Hereford, el fiscal general adjunto, se levantó, desplegando su figura de hombros estrechos y un rostro atractivo y enjuto, coronado con finos cabellos grises.

—Su señoría —su voz resonó por toda la sala de tribunal—, para bien o para mal, la ley inglesa estipula que las personas que no tienen ningún interés en un juicio o investigación judicial tienen derecho a asistir. Es un principio fundamental de nuestro sistema legal.

El magistrado rechazó la solicitud de Wagner y ordenó al fiscal general que presentara su caso para la Policía. Un silencio expectante se apoderó del recinto. Estábamos a punto de conocer lo que en realidad sucedió la noche en que Ethel disparó a William Steward.

—En la noche del 23 de abril, domingo —comenzó Hereford—, William Crozier Steward estaba cenando con dos amigos en el Hotel Empire. En medio de la velada anunció que tenía otra cita, se excusó y se marchó al *bungalow* de los Proudlock.

Tan solo el cocinero y la acusada estaban en casa esa noche, prosiguió Hereford. El marido de Ethel, William, cenaba con un amigo, y se les había dado la noche libre a la *amah* y al criado. Cuando William Steward llegó a casa de los Proudlock, ordenó al culi del *rickshaw* que esperara a una corta distancia. Después Steward anduvo el resto del camino hasta el *bungalow*. El culi se había acomodado en su vehículo, con la espalda vuelta hacia la veranda. Unos diez minutos más tarde escuchó dos o tres disparos. Sobresaltado, salió del *rickshaw* y sigilosamente avanzó con recelo hasta el *bungalow*. La luz de la veranda, que estaba encendida cuando llegaron, ahora se encontraba apagada y la casa estaba a oscuras. Momentos más tarde, vio al *tuan* que le había contratado: se aproximaba tambaleándose desde la veranda, seguido de cerca por una *mem* europea. Reparó en que tenía una pistola en la mano. Asustado, corrió hacia su *rickshaw* y se marchó a toda velocidad. Hizo una pausa en la entrada de High Street para recuperar el aliento, y escuchó otros tres disparos.

—El tirador de *rickshaw*, Tan Ng Tee, identificó a Ethel Proudlock como la mujer que había visto perseguir al difunto —afirmó Hereford.

El cocinero, continuó el fiscal, estaba fumando opio en su habitación detrás del *bungalow* cuando escuchó gritar a un hombre y, segundos más tarde, varios disparos. No hizo nada; continuó fumando su pipa hasta que oyó que Ethel Proudlock lo llamaba desde un extremo de la casa. Su habitación no tenía ventanas. Ethel le pidió que fuera a buscar a su esposo. El hombre salió por la puerta lateral. No vio a la señora, sin embargo, por su tono le pareció disgustada.

—Cuando William Proudlock llegó a casa —dijo Hereford—, su esposa le dijo que había disparado a un hombre. —Frunció los labios antes de continuar—. La señora Proudlock, la acusada, no niega que haya matado al difunto, sin embargo, afirma que fue en defensa propia. —Hizo una pausa y después repitió sus últimas palabras—: «En defensa propia». —Con voz queda y clara añadió—: Ethel Proudlock disparó a William Steward seis veces, uno de los disparos entró en su pecho, otro, en la parte posterior de su cuello, y cuatro tiros impactaron en la cabeza.

Gritos ahogados y susurros llenaron la tribuna. Yo estaba conmocionada. Seis veces. ¡Había disparado al hombre seis veces!

—Señoría —continuó Hereford—, hoy estamos aquí para determinar si la señora Ethel Proudlock ha de ser acusada de asesinato. Y con ese fin, empezamos por afirmar que ponemos en duda la verdad de su testimonio cuando afirmó que no esperaba la visita de William Steward la noche del 23 de abril.

Clavé mis ojos en Ethel; contemplaba a Hereford con una calma imperturbable. Ni una sola vez miró a su marido o a su padre. Daba la impresión de que, para ella, no había más personas en la sala que el fiscal.

—Tal como se ha afirmado antes, el fallecido, el señor William Steward, estuvo cenando en el Empire aquella noche —prosiguió Hereford—. En medio de la cena, y tras anunciar a sus acompañantes que tenía una cita con una dama, se marchó. Tuvo que saber que la señora Proudlock estaría sola en casa, sin embargo, ¿cómo habría podido saberlo, salvo que ella se lo dijera? Debió de haber alguna comunicación entre ellos antes de esa noche fatídica; tuvieron que ponerse de acuerdo para verse.

Además, estaba la cuestión de los tiempos, siguió el fiscal general adjunto. William Steward dejó el hotel aproximadamente a las nueve menos diez. Lloviznaba y tenía prisa, por lo que cogió un *rickshaw*; no obstante, como muy pronto, habría llegado al *bungalow* de la acusada en torno a las nueve y diez. Después de los disparos, el cocinero de Ethel se había apresurado a avisar a William Proudlock; el sirviente habría llegado a casa del amigo de aquel hacia las nueve y veinticinco. William Steward estaría en la veranda con la señora Proudlock diez minutos como mucho.

—Es altamente improbable que el difunto fuera derecho a la casa de Ethel Proudlock y procediera de inmediato a violarla en la veranda —afirmó Hereford—; el hecho de que permaneciera allí por un lapso de tiempo tan breve también contribuye a cuestionar la veracidad de su historia. El inspector Wyatt descubrió el cadáver tumbado sobre la hierba y, tras examinarlo, encontró la ropa del señor Steward completamente intacta. Llevaba su impermeable Mackintosh y sus pantalones estaban abrochados.

»La señora Proudlock afirma que cenaba sola en casa aquella noche —Hereford siguió, cincelando implacable la pared rocosa de la versión de Ethel—, sin embargo, llevaba un vestido de noche, un vestido de noche muy corto. —En este punto, el fiscal aclaró su garganta de forma ostentosa—. ¿Por qué iría tan elegante, a menos que aguardara la llegada de la persona con la que había quedado? Hemos de preguntarnos si esto indica que esperaba una visita del señor William Steward.

Tuve que reprimir el deseo de saltar de mi silla para corregir a Hereford; era totalmente probable, quise gritar. Ethel adoraba la ropa bonita; con frecuencia se vestía incluso para cualquier trivialidad doméstica. Se lo plantearía a su abogado, apunté en mi mente.

—... y es más: las señales de forcejeo en la veranda eran mínimas —decía Hereford al tribunal—. Una mesita de café japonesa había sido volcada, esparciendo una pila de libros por el suelo; la alfombra solo estaba un poco arrugada. No había manchas de sangre en la veranda.

En su declaración a la policía, Ethel Proudlock dijo que disparó a Steward una vez cuando intentaba violarla en la veranda, matizó Hereford al juez. Después se quedó en blanco, según afirmó. No pudo recordar lo que había sucedido a continuación hasta que se encontró de pie sobre el cadáver de William Steward en el jardín, a pocos metros de la casa.

—Si los hechos apuntaran a que el revólver se disparó solamente en la veranda —dijo Hereford—, el caso tendría un cariz muy diferente, pero las pruebas demostrarán con claridad que no sucedió así.

El semblante de Ethel se había ido volviendo cada vez más tenso durante la presentación de Hereford. Cuando la sesión fue aplazada para el almuerzo, William Proudlock la llevó a casa antes de que yo pudiera tener unas breves palabras con ella. Reacia a comer en el Selangor Club —lo más probable sería que me encontrara allí a los abogados amigos de Robert—, anduve por el terraplén sombreado por los árboles, detrás del complejo de edificios gubernamentales, y crucé el puente sobre el río hasta el Old Market Square. Encontré mesa en el salón de té Whiteaways y pedí un plato de sopa *mulligatawny*.

La vista se reanudó a las dos en punto y continuó hasta que el juez Daly levantó la sesión a las cuatro menos cuarto. Ordenó a Ethel que se pusiera en pie.

—Por la presente —anunció—, se ordena que la acusada sea llevada a la prisión de Pudoh Gaol.

Me sentí enferma; no podía creer lo que estaba oyendo. Ethel osciló levemente. Se agarró al borde del estrado, controlándose con visible esfuerzo.

Wagner se levantó como un rayo.

—Queremos solicitar una fianza, su señoría.

—Denegada, señor Wagner.

El inspector criminalista Wyatt, el hombre encargado de la investigación, se ofreció para llevar a Ethel a Pudoh Gaol en su propio coche. Me alegré por ella, ya que al menos se libraría de la humillación de ser conducida hasta la prisión en una furgoneta de Policía. Le dediqué unas palabras de ánimo mientras la acompañaban al exterior, pero no me miró, ni siquiera parecía haberme oído. Su rostro estaba blanco, como una máscara.

A la mañana siguiente, de nuevo fui una de las primeras en llegar a la sala del tribunal. Como no había contado a nadie que me encontraba en Kuala Lumpur, pasé la noche sola en mi habitación, anotando los detalles del procedimiento judicial en mi diario.

De nuevo, la gente ocupaba sus asientos en la tribuna del público. Saludé con un gesto a algunas personas que reconocí del día anterior, aunque también había caras nuevas esa mañana. La charla en voz queda se interrumpió cuando un par de policías trajeron a Ethel a la sala de audiencias.

Su cabello aún estaba recogido en un moño, aunque ya no tan perfecto como el día anterior. Bajo sus ojos pendían dos medias lunas pálidas y su ropa, la misma que llevaba un día antes, había perdido su pulcritud. Miró a su marido, en la primera fila; si me vio, no dio ninguna señal de ello.

Wagner me saludó con un gesto. Me había pasado por su despacho la tarde anterior.

—Esto será de ayuda —había comentado después de hablarle sobre la costumbre de Ethel de vestirse elegante incluso para estar en casa—. ¿Testificará sobre esto si hay juicio?

—No creo que llegue tan lejos, ¿no? Al fin y al cabo, el procedimiento judicial es solo una formalidad.

—Bueno…

Extendió las palmas de las manos sobre el abdomen y me miró desde su mesa. En ese momento, comprendí que Ethel tenía un problema muy serio.

No se le facilitó a Ethel ninguna silla especial esa mañana; en su lugar, le ordenaron que permaneciera en el estrado. Como primer testigo, el fiscal general adjunto llamó a William Proudlock y, tras confirmar algunos hechos preliminares sobre el esposo de la acusada, inició sus preguntas.

—¿Puede decirnos qué ocurrió la noche del 23 de abril?

—Mi amigo Goodman Ambler me había invitado a cenar. Fui solo, Ethel se quedó en casa. Poco después de la cena, apareció Cookie en casa de Ambler. Estaba visiblemente nervioso, pero se negó a decirme lo que ocurría. Solo repetía *«Mem panggil lekas-lekas balik»*. Temiendo que le hubiera pasado algo a Ethel, regresé de inmediato. ¿Qué hora era? —Clavó la mirada en los *punkahs* mientras daba vueltas a la pregunta del fiscal—… Oh…, eran como las nueve y media. Ambler me acompañó.

—¿Qué sucedió cuando llegó a casa?

—Estaba oscuro y lloviznaba. Vi a Ethel bajar la carretera en mi dirección. Se tambaleaba y parecía… Al principio pensé que habría bebido demasiado, pero entonces advertí que su vestido estaba desgarrado por debajo de la cintura.

—¿Qué ocurrió después?

—Nosotros —Gooodman y yo— la ayudamos a regresar a la casa. Lo que decía era incoherente, no tenía ni pies ni cabeza. Le di un jerez para calmar los nervios. Esperé unos minutos y después le pedí que me contara lo que había pasado. —William se detuvo y miró a Ethel. Su mujer permanecía impasible.

—Por favor, continúe —pidió Hereford.

Tal como lo describió William, Ethel le explicó que estaba escribiendo cartas en la veranda cuando escuchó un *rickshaw* que se acercaba a la entrada. Unos minutos después le sorprendió ver a William Steward allí mismo, frente a ella. Al imaginar que querría hablar con su marido, le dijo que estaba cenando en casa de Goodman Ambler. Steward replicó que no era importante. Se sentaron en el sofá y charlaron un rato. Cuando se levantó para coger un libro de la estantería que quería enseñarle, él se levantó también y apagó la luz. De pronto se abalanzó sobre ella y empezó a violarla.

—Ella llamaba a Cookie a gritos —dijo William Proudlock—. Luchó con Steward e intentó encender la luz. Fue entonces cuando sus dedos se toparon con la pistola.

—¿Dónde estaba? —preguntó el magistrado.

—El interruptor de la luz está insertado en la librería —explicó William—. Justo debajo hay un pequeño nicho. En ocasiones guardamos allí el revólver. —Esperó a que el magistrado anotara sus palabras para continuar—. Ella agarró la pistola y disparó a Steward. Eso es lo único que recordaba. En aquel momento, empezó a temblar y a farfullar cosas sin sentido. Le di otro vaso de jerez y la obligué a bebérselo entero.

William hizo una pausa, pasándose la lengua por los labios.

—Una vez que se calmó —prosiguió —le pregunté dónde estaba Steward. «¡No lo sé, no lo sé! —dijo—; se marchó corriendo.

Se marchó corriendo». Salí al jardín a buscarle. Me tropecé con un cuerpo a unos treinta o cuarenta pasos del *bungalow*. El hombre yacía con la cara vuelta hacia el suelo. No lo toqué, pero era evidente que estaba muerto. —William se detuvo para organizar sus pensamientos—. Dejé a Ethel con Goodman y me marché a toda prisa a la comisaría de Policía de High Street.

La vista se aplazó para el almuerzo. Cuando reanudamos la sesión una hora más tarde, Hereford llamó al estrado al doctor Thomas Cooper, quien se había encargado de la autopsia de William Steward. Bajo el interrogatorio de Hereford, declaró que había encontrado cuatro balas insertadas en la cabeza y otra en el cuello, sin embargo, la herida fatal, según afirmó, fue causada por un disparo que penetró el corazón de Steward y se alojó en la columna.

Por primera vez desde el inicio del proceso pensé: pobre hombre. Robert tenía razón. Fue despachado como un perro rabioso.

Finalizado el procedimiento judicial, se ordenó a Ethel que se pusiera de pie. Se aferró a la barandilla de bronce del estrado, se levantó con rigidez y alzó el rostro hacia el tribunal.

Un tirón de orejas, me repetía. Tan solo un tirón de orejas. Se irá a casa hoy, con su marido y su hija, de vuelta a su vida.

El magistrado Daly la miró por encima de sus anteojos.

—Tras escuchar los hechos del caso —empezó—, he decido llevar el asunto a juicio. Ethel Proudlock: se la acusa de que el 23 de abril de 1910, en Kuala Lumpur, en Selangor, usted cometió asesinato al causar la muerte por disparo de William Crozier Steward y, por tanto, ha cometido un delito punible inscrito en la sección 302 del Código Penal.

Gritos y lamentos emergieron de la tribuna. Me quedé allí sentada, temblando de la conmoción. Mi amiga había sido acusada de asesinato. Asesinato.

El juicio se fijó para el siete de junio en el Tribunal Supremo de Kuala Lumpur. Una vez más, el juez denegó la petición de Wagner de una fianza y ordenó que Ethel fuera conducida de inmediato a Pudoh Gaol.

Ethel lloraba cuando William la ayudó a bajar del estrado. Se aferró al brazo de su marido, pero, aun así, tuvo que sostenerla. Su padre se abrió camino hacia ella entre la multitud mientras un par de policías la conducían fuera de la sala. Quise decirle unas palabras, algo que pudiera darle ánimos, pero fui apartada a empujones por los periodistas que vociferaban sus preguntas.

A la mañana siguiente, sentada a solas en el comedor del hotel, miré a mi alrededor mientras añadía unas gotas de salsa de soja y un poco de pimienta blanca a mis huevos pasados por agua. William Steward había cenado aquí la noche de su muerte. Me preguntaba en qué mesa se habría sentado para comer, beber y reír con sus amigos antes de disculparse para salir corriendo bajo la lluvia a casa de Ethel.

Fuera del hotel, los tiradores de *rickshaw*, en cuclillas junto a la carretera, negaron con la cabeza cuando les dije adónde quería ir. Pudoh Gaol estaba a poco más de un kilómetro, pero fue construido sobre un antiguo cementerio chino y ninguno de ellos quería arriesgarse a que una horda de fantasmas iracundos lo persiguiese hasta su casa. Por fin, un culi accedió a llevarme, pero exigió tres veces la tarifa normal.

Durante el viaje hasta Pudoh Gaol pasamos delante del cementerio donde habían enterrado a William Steward. Contemplé las tumbas, preguntándome cuál sería la suya y qué palabras se habrían tallado en la lápida. ¿Revelarían al mundo que fue asesinado por otra persona? ¿O tan solo consignarían entre paréntesis el breve lapso de su vida con un par de fechas?

El *rickshaw* se detuvo a la sombra de los altos muros almenados de la prisión. Después de informar al culi de que solo le pagaría cuando me hubiera llevado de regreso al hotel, hice caso omiso de sus protestas y accedí a la cárcel por una entrada de tamaño normal recortada en las puertas inmensas. Un guardia malayo me escoltó a través de un patio abrasado por el sol hasta el *gaol*. El alcaide Clarke salió de su despacho para recibirme; conocía a Robert y de vez en cuando tomábamos alguna copa con él y su esposa en el Spotted Dog. Era demasiado temprano para las visitas y yo no era un miembro de la familia, señaló, pero, por supuesto, haría una excepción conmigo.

La sala en la que esperé estaba equipada con solo dos sillas enfrentadas de madera junto a una mesa estrecha. Las ventanas estaban abiertas pero enrejadas. Un calendario con una acuarela impresa de un *kampong* malayo colgaba en la pared; alguien ya había tachado el uno de mayo. Conté los cuadrados hasta el siete de junio. Ethel estaría encerrada aquí durante más de un mes.

Un guardia de aspecto hastiado trajo a Ethel a la sala y después se sentó en un banco en el pasillo para vigilarnos. Ethel llevaba el atuendo de la prisión: una blusa lisa de color beige y una falda marrón que le llegaba por debajo de las rodillas. Sus ojos y su nariz estaban enrojecidos de haber llorado.

—Oh, querida… —dije—. ¿Necesitas algo?

—¡Me estaba defendiendo, iba a violarme! ¿Por qué me está pasando esto? ¿Por qué?

Con la mirada fija en el guardia, bajé la voz hasta un susurro.

—Ethel, tienes que contarles todo sobre tu aventura con William Steward. Tienes que hacerlo. Es la única forma de explicar por qué fue a la casa, por qué te atacó. Díselo, Ethel.

—No puedo —dijo ella, sacudiendo la cabeza—. No puedo permitir que todo el mundo sepa que soy… una adúltera. —Estiró su brazo por encima de la mesa y agarró mis manos, apretándolas tan fuerte que me contraje de dolor—. No se lo dirás, ¿verdad?

La miré, desesperada. Sus ojos se endurecieron; me soltó las manos y se apartó de mí.

—Si cuentas algo de esto a alguien —dijo—, lo negaré. Lo negaré todo, ¿me oyes, Lesley? Les diré que eres una maldita mentirosa.

—¿Qué importa eso ahora? Todo el mundo dice que te acostabas con él. Por Dios bendito, Ethel, solo cuéntales la verdad.

—No son nada más que chismes. Los chismes mueren, la gente se olvida tras un corto periodo de tiempo, siempre encontrarán algo nuevo para cotillear. Pero si fuera yo quien reconociera que había tenido una aventura con William, si fuera yo quien confirmara las historias…

Comprendí su dilema, y sentí compasión por ella, pero no podía aceptar que su decisión de permanecer en silencio fuera la acertada. No podía.

—¿Lo sabe Will?

—Él no cree los rumores.

Recordando cómo la había mirado su marido cuando fue interrogado por Hereford, no estaba muy segura, pero me abstuve de decir nada. Me alegré cuando el guardia anunció que era hora de volver a la celda.

—No vuelvas más, Lesley —me dijo mientras la acompañaba fuera de la sala—. No quiero que me veas aquí dentro. ¿Lo entiendes?

Fuera del *gaol*, miré a ambos lados de la carretera en busca del tirador de *rickshaw*, pero no había señal de él. El hombre me había dejado plantada.

V

Mi estancia en Kuala Lumpur me había proporcionado la distancia necesaria para pensar en las aguas turbulentas de mi propio matrimonio de una forma más ecuánime. Hubo momentos en que incluso olvidé el asunto de la aventura de Robert, pero mientras permanecía de pie en la cubierta del *ferry* y contemplaba las verdes colinas de Penang elevándose por encima de la ciudad, la sensación de opresión regresó, presionando con fuerza.

Lo primero que hice al llegar a casa fue subir directamente a la habitación de los niños. Atraje a mis hijos hacia mí y los abracé con fuerza.

—Mamá os ha echado tanto de menos. ¿Habéis echado de menos a mamá?

—Este —Ah Peng acarició la cabeza de Edward— llorar todo el tiempo.

—Yo no he llorado —se quejó Edward.

—Llorica, llorica —dijo James.

—¡No soy un llorica! —El rostro de Edward tembló con lágrimas incipientes.

—Oh, cariño, no pasa nada. James, no seas malo. —Saqué unos barcos de vela pintados con colores brillantes de una bolsa—. Mira, Edward, mira lo que te ha traído mamá.

Los llevé a la playa. A esta hora de la tarde había poca gente —un hombre mayor que paseaba a su terrier; un par de jóvenes europeos sin camisa, tumbados uno junto al otro sobre sus esterillas de bambú—. Una mujer malaya que excavaba en busca de cangrejos herradura en la línea de marea me saludó al pasar. Un sampán amarrado a un poste descansaba en el lecho marino, hundido en la arena tras el retroceso de la marea.

Me arrodillé junto a una charca poco profunda y ayudé a mis hijos a meter sus barcos en el agua y a sujetarlos por la popa.

—¿Preparados? —Blandí el pañuelo por encima de mi cabeza—. ¡Uno, dos y tres!

Los chicos lanzaron sus barcos incluso antes de que bajara la mano. El de Edward avanzó, pero el de James se inclinó a un lado y después se enderezó solo. Gritamos con júbilo mientras los barcos se deslizaban por la superficie lisa y reflectante, arrastrando estelas que se solapaban tras ellos.

Me senté en la playa, contemplando a mis hijos chapotear en el agua a medida que el atardecer vertía su tinta oscura en el mar. No podía dejar todo esto atrás, no podía abandonar mi matrimonio. No tenía otra opción que la de sufrir la traición de Robert en silencio.

Durante la cena, Robert quiso saber lo que había ocurrido en la vista.

—Todo el mundo —dijo—, hablaba sobre la acusación de asesinato.

Observaba a mi marido mientras le relataba los detalles del juicio, a la vez que una parte de mí se preguntaba si habría visitado a su amante durante mi ausencia. En el tren de camino desde Kuala Lumpur, había seguido dando vueltas a la idea de hablarle sobre la aventura de Ethel, pero su infidelidad me volvió reacia a comentar la de mi amiga; en realidad, a comentarle nada acerca de cualquier infidelidad.

—Los hechos no tienen sentido —dijo cuando terminé—. Si yo fuera Daly, también habría acusado a Ethel de asesinato.

—Pero Steward intentó violarla. Ella estaba en un… estado mental perturbado…, no sabía lo que hacía. No hubiera acusado a Steward de no ser cierto, y las violaciones no son fáciles de probar, ¿no es así? Me lo dijiste una vez.

—Las violaciones son muy difíciles de probar —corroboró Robert—, pero es incluso más difícil probar lo contrario. —Sus ojos adoptaron esa mirada soñolienta que me resultaba familiar, de cuando intentaba profundizar en el núcleo de un problema legal complejo—. Si ella se acostaba con él, ¿qué motivos tendría para matarle? —dijo, como si estuviera hablando solo—. ¿Una riña de enamorados? ¿Quiso poner fin a la aventura? O tal vez la había cambiado por otra mujer y ella le mató en un iracundo ataque de celos.

Se acercaba mucho al filo de la verdad. Pero ¿cuál era la verdad? Quizá Ethel me había mentido y los acontecimientos de aquella noche fatídica se habían desarrollado tal como especulaba Robert.

—Por cierto, los Macalister ahora tienen lámparas eléctricas —apuntó Robert, al ver que nuestro sirviente, Ah Keng, entraba para retirar nuestros platos vacíos—. Dan una fiesta para presumir. Hemos sido invitados.

—Pero… nosotros teníamos que haberlas tenido primero. Nos mudamos un mes antes que ellos. Es porque el primo de Mary trabaja en el Ministerio de Obras Públicas, ha sido por eso.

Olvidé mi irritación con los Macalister cuando Ah Keng regresó, para mi alegría, con dos cuencos de hielo picado y una olla de latón llena de leche de coco helada. Flotaban en la leche fideos de lentejas, semejantes a pequeños gusanos, teñidos de verde con el jugo de las hojas del pandano. Chendol, mi pudin favorito. Alcé las cejas hacia Robert. Sonrió mientras servía la leche de coco en nuestros cuencos de hielo picado.

—Lo conseguí en tu puesto favorito, el del gordo chandosano en Swatow Lane. No te imaginas la cola.

Bajé la mirada a mi cuenco, ocultando el súbito ardor de las lágrimas en mis ojos. Parpadeé para hacerlas desaparecer y serví una ración generosa de sirope de azúcar de palma sobre mi chendol.

—La cola ha merecido la pena —dije, con una sonrisa.

Comimos el pudin en silencio durante un rato, hasta que Robert retomó la conversación.

—Tal vez fuera Ethel la que quería poner fin a todo. Él no pudo asumir la ofensa; amenazó con sacar la relación a la luz, de modo que ella le atrajo a su casa una noche en la que sabía que su marido estaría fuera con la intención de silenciarle. Media docena de balas en la espalda solucionaría el problema. ¡Oh, sí, ya lo creo!

Un asesinato a sangre fría. No, era imposible. Me negué a creer que Ethel fuera capaz. Me negué a creerlo, sin embargo, no dejaba de volver sobre la cuestión una y otra vez.

—¿Qué le ocurrirá si la declaran culpable?

Las velas se habían derretido y el comedor parecía encogerse sobre nuestros cuerpos. El sonido del mar era lejano. Robert se sirvió otra ración de chendol.

—Entonces, la colgarán.

Capítulo nueve

Willie
Penang, 1921

La última pieza musical que había tocado Lesley se desplegó en su cabeza cuando abrió los ojos. La canción parecía haber despertado un espectro en sus sueños.

Incorporándose para apoyarse en el cabecero de la cama, retrocedió a la noche anterior. Al observarla cerrar la tapa del piano y volver a su silla, había esperado sin decir nada, quedándose muy quieto; siendo un joven médico residente de guardia en las barriadas de Lambeth, había aprendido que cualquier movimiento brusco tendía a romper el hechizo y silenciaba a una persona a punto de revelar algo. Durante todo el tiempo en que Lesley mantuvo abiertas las compuertas de su presa interior, él no había dicho una sola palabra. Solo dejó de hablar cuando oyeron el traqueteo del coche en el camino de acceso. Por primera vez, Willie deseó fervientemente que Gerald hubiera permanecido fuera aún más tiempo, disfrutando de sus desenfrenos, que habitualmente se prolongaban hasta el amanecer.

No le sorprendió del todo la infidelidad de Robert. Sin embargo, había sospechado que no era la única causa de la tristeza de Lesley. Algo más, algo mucho más doloroso le había ocurrido.

Después del desayuno, escribió en su diario todo lo que ella le había contado; consultaba de cuando en cuando las notas que había tomado antes de irse a dormir. Ella y Sun Yat Sen habían sido amantes, lo sentía en sus huesos. Había encontrado su primera pepita de oro; una pepita pequeña, pero era prometedora, y él pretendía extraer el resto de las profundidades de su memoria.

Tras cerrar el diario, se puso el bañador y una camisa de algodón, se colocó el sombrero panamá en la cabeza y fue dando un paseo hasta la playa. La tierra inclinada había alejado el mar de la orilla, exponiendo un amplio espejo que reflejaba nubes blancas que espumaban el cielo. Gerald estaba tumbado en su sitio habitual, bajo los cocoteros, sin camisa y hojeando una revista.

—Qué visita tan inesperada —dijo, haciéndose a un lado para dejar sitio a Willie en su esterilla.

Willie se apoyó en los codos, estiró las piernas e hizo una inspiración profunda. El viento, cálido y salado, hacía crujir las ramas del cocotero. Sintió la mano de Gerald acariciando el interior de su muslo.

—Solo estoy comprobando si ha vuelto el gato —dijo Gerald.

Tomó la mano de Gerald en la suya, la acercó a sus labios y besó uno por uno sus nudillos. Abrió sus sentidos a cada detalle del momento —las palmas del cocotero que proyectaban sombras de espina de pez sobre la arena fina y suave, el tacto terso y cálido de la piel de Gerald, la blancura de su sonrisa, que contrastaba con su rostro moreno y resplandeciente—. Quería recordar todo eso, absorber todos los elementos en su ser porque sabía que, cuando abriera la boca y hablara, todo le sería arrebatado.

Con más tartamudeo del habitual, empezó a contarle a Gerald todo sobre el dinero que había perdido.

Gerald se sentó derecho y miró boquiabierto a Willie.

—Es una puta broma.

No era precisamente la reacción que esperaba.

—Nunca bromeo sobre el dinero.

—¿Lo has perdido todo? ¿Estás completamente arruinado?

—Necesitaré hablar con mi… gestor cuando regresemos a Londres, averiguar hasta dónde llegan… los daños, pero sí.

—¡Dios!

—No habrá más cabinas de primera clase; no habrá más hoteles… de lujo. De hecho, no habrá más viajes durante un tiempo.

—¿Cuánto es «un tiempo»?

—No tengo… ni idea, Gerald. Tres, cuatro años, quizá más —respondió Willie—. Nadie debe saberlo…, ¿entiendes? Nadie.

—No iremos a acortar nuestra estancia aquí, ¿no?

—Por supuesto que no. —De nuevo tomó la mano de Gerald, apretándola con fuerza—. Quiero que estemos juntos el mayor tiempo posible.

—No podemos escondernos aquí para siempre.

¿No sería maravilloso?, pensó Willie. Las garcetas blancas descendieron en espiral desde el cielo hasta la arena mojada, sus alas marcando la tregua temporal entre la tierra y el mar.

—¿Qué pasa con mi sueldo?

—Tendrás que sobrevivir con tu pensión del ejército durante un tiempo, amigo mío.

—Pero si es una miseria.

Perdió los estribos; no pudo evitarlo.

—Maldita sea, Gerald. Soy consciente de ello. Pero yo, nosotros, tendremos que apretarnos el cinturón. Y una cosa más. No puedo seguir pagando tus deudas. De modo que, por favor, deja de ser tan jodidamente… imprudente.

—¿Imprudente? Es bastante irónico viniendo de un hombre que ha perdido todo su dinero en una inversión estúpida. ¡Qué jodido desastre! —Gerald miró de reojo a Willie—. ¿Cómo se lo ha tomado tu querida esposa?

—Eres el único a quien se lo he contado.

—Tal vez se divorcie de ti ahora que eres pobre.

La posibilidad de que Syrie le abandonara no se le había ocurrido; no sabía si entusiasmarse o preocuparse ante la perspectiva.

—Así que todo lo que has dicho sobre vivir juntos en una villa al lado del mar, supongo que ahora está descartado.

—Ahora no me lo puedo permitir, querido.

Sin mediar palabra, Gerald se puso de pie, se colocó el bañador, ató los cordones y se marchó caminando hasta un mar agotado. Willie lo observaba, protegiendo sus ojos del resplandor del sol. Gerald anduvo entre los charcos aislados de agua marrón, plateados por efecto del sol. Las garcetas levantaron el vuelo cuando se acercó y volvieron a posarse a poca distancia. Continuó deambulando hasta alcanzar la delgada franja blanca de oleaje en la distancia, hasta que no fue más que un pequeño espejismo vacilante.

A última hora de una tarde de otoño de 1913, Willie se encontraba en su piso, leyendo tranquilamente, cuando recibió una invitación de última hora de los Carstairs, los vecinos de al lado. Esperaban que pudiera reemplazar a un invitado en su cena de gala y asistir a una obra en el West End con ellos más tarde.

Cuando entró en la sala de estar de los Carstairs le presentaron a Syrie Wellcome. Ella misma le contó que estaba recién separada de su esposo Henry Wellcome, magnate de una farmacéutica. Tenía treinta y muchos y no era guapa, pero a Willie le pareció encantadora y alegre, y le halagó su interés por él. Cuando ya se ponían los abrigos para marcharse al teatro, ella le susurró «¡ojalá no tuviéramos que ver esta obra. Prefiero pasar la noche escuchándote!».

Unos días más tarde, la invitó al estreno de su nueva obra. Justo después de bajar el telón, se marchó a toda prisa a la fiesta que ella le había organizado en su casa. El público había mostrado un extraordinario entusiasmo por la representación y él estaba de un ánimo excelente. Aquella noche, él y Syrie se hicieron amantes. Ella era una anfitriona famosa entre las personalidades más elegantes de Londres; era divertida y tenía estilo. Asistían juntos a fiestas y estrenos de ópera y teatro. Willie se sentía halagado por su amante ante los ojos de todos y ella disfrutaba del brillo de su fama. A pesar de estar separada de su marido, aún mantenía relaciones con Gordon Selfridge, algo que a Willie no le importaba. Consideraba que su relación con ella no era más que una aventura amorosa que ambos disfrutaban, sin ninguna perspectiva a largo plazo para ninguno de los dos.

Su marido había insistido en enviar a su hijo a un internado. Syrie lo echaba constantemente de menos. El día que ella le comunicó su deseo de tener un hijo suyo, Willie se quedó horrorizado. La disuadió y el asunto quedó zanjado. Pasaron dos meses y de pronto, una mañana a finales de verano, Syrie le llamó por teléfono. Parecía muy angustiada y le pidió que la visitara de inmediato. Se apresuró hacia su casa en Regent's Park y la encontró sentada en la cama, sus ojos hinchados de llorar y su cabello desaliñado.

—¿Qué sucede, Syrie? ¿Qué ha pasado?

—Oh, Willie, he perdido al bebé. He perdido a nuestro bebé.

Se sintió como si le hubieran golpeado en la cara.

—Pero… ¡maldita sea…, Syrie!, lo habíamos… acordado.

—Te lo iba a decir... —sus palabras se ahogaban en sollozos— cuando... estuviera segura...

Quería abandonar aquel dormitorio opresivo y su casa, no quería volver a saber nada de ella. Sin embargo, se sentó a su lado y le ofreció consuelo. Sentía lástima por ella, pero en secreto se alegraba de que hubiera perdido el bebé.

Una vez recuperada, le anunció de forma inequívoca que nunca tendría un hijo con ella mientras siguiera casada con Henry Wellcome. Reanudaron su vida social, a pesar de que ella y su actitud posesiva comenzaron a aburrir a Willie. Anhelaba su libertad, pero cuando pensaba en las escenas lacrimosas que desencadenaría, no se atrevía a poner fin a la relación. Casi se alegró cuando estalló la guerra en Europa. Se apuntó al cuerpo de ambulancias de la Cruz Roja; con sus cualificaciones médicas y su conocimiento de la lengua francesa, fue aceptado enseguida. Tras un día aprendiendo a conducir una ambulancia en un depósito militar, le entregaron el uniforme y fue destinado a Boulogne.

La tarde antes de su partida, Syrie le informó de que iba a tener un hijo suyo. Un hijo suyo. Willie se sentó en su sala de estar decorada con lujo, con los labios apretados de la rabia. Puta. Puta tramposa. Pero, sobre todo, estaba furioso consigo mismo por su propia estupidez.

A la mañana siguiente zarpó de Londres en el primer barco y, con una enorme sensación de libertad y alivio, salió al encuentro de la guerra.

Su unidad de ambulancias estaba asignada a un hospital improvisado dispuesto en un castillo, a casi veinticinco kilómetros de Boulogne. Los conductores recibían llamadas a todas horas para dirigirse a los campos de batalla y recoger a los heridos, a menudo bajo violentos bombardeos enemigos. Cuando no estaba de guardia en la ambulancia, trabajaba en los pabellones atestados, tratando de recuperar una formación médica que hacía años que no ponía en práctica para atender a las víctimas. Limpiaba las heridas de los soldados y les cambiaba las vendas; calmaba sus temores y hacía todo lo que podía para mitigar su sufrimiento. Nunca había sido aprensivo, pero le horrorizaban las heridas, heridas que nunca había visto y esperaba no tener que volver a ver: huesos destrozados, lesiones en carne viva, abiertas y putrefactas, que supuraban pus, y hombres con media cara volada.

Una noche, cuando subía la grandiosa escalera de mármol que conducía a sus aposentos, horas después de que hubiera terminado su turno, le sobrevino un fuerte deseo de contemplar las estrellas, la necesidad de ver algo prístino, algo no contaminado por la guerra.

El salón de la primera planta estaba cerrado. Entró y ajustó la puerta tras él. La luz procedente de las aberturas en las pesadas cortinas de terciopelo le guiaba, entre extraños bultos amorfos bajo oscuras sábanas, hasta los ventanales. Abrió uno de ellos, salió al extenso balcón e hizo una inspiración larga y profunda. La pureza revitalizante del frío aire nocturno resultaba maravillosa.

Quería estar solo, por lo que le irritó descubrir que había alguien más allí, apoyado contra la balaustrada y con la vista fija en la noche. El hombre le miró por encima de su hombro. A pesar del fulgor de la luz de las estrellas, Willie no tuvo dificultad en reconocerlo, uno de los voluntarios de la Cruz Roja que ese mismo día le había ayudado a auxiliar a un herido grave que gritaba de dolor.

—Gerald Haxton —dijo el hombre—. Y ya sé quién eres tú.

—Olvidé darte las gracias… esta mañana.

—Fue un maldito caos, ¿verdad? Ese pobre diablo…

Permanecieron uno junto al otro en la balaustrada, su aliento, lanzando nubes blancas al duro aire glacial. No había luna, y los setos y macizos de flores de alheña de los elegantes jardines que se extendían delante del edificio estaban enterrados en la oscuridad. Era una de esas noches raras en las que los constantes bombardeos habían cesado y el cielo en el horizonte no era la hemorragia infernal y enrojecida a la que ya se habían habituado. El mundo descansaba, al menos de momento.

Alzando su rostro, Willie pronunció un conjuro mirando a las estrellas: *Tempora cum causis, lapsaque sub terras ortaque signa canam.*

—¿Qué significa?

—«Voy a cantar los días con sus causas y los astros que se ponen y salen bajo la tierra»[1].

[1] Traducción literal de un fragmento de *Fasti (Los fastos)* de Ovidio, con una pequeña modificación. *(N. de la T.).*

—Es precioso. ¿Lo has escrito tú?

—Más quisiera yo —Willie sonrió—. Ovidio. Es un poeta de... la Antigüedad.

Comenzaron a charlar, al principio frases vacilantes y cortas, explorando el terreno entre ellos. Poco a poco se desviaron del tema de la guerra y empezaron a hablar de lo que harían una vez finalizara la locura y volvieran a la normalidad.

—Quiero viajar, ver más del mundo: Polinesia, Extremo Oriente, el archipiélago malayo —dijo Willie—. ¿Y tú? ¿Qué es lo que... quieres?

Siempre recordaría la sencillez natural de la respuesta del joven:

—¿De ti o de la vida?

Sintió el rubor en su rostro y agradeció la oscuridad.

—¿Y por qué no... de los dos? Podrían terminar siendo... lo mismo... al final.

El silencio parecía emerger de las profundidades de la tierra y elevarse hasta las estrellas por encima. Y entonces, en la oscuridad, oyó a Gerald Haxton decir:

—Tengo una botella de ginebra en mi habitación.

Y fue así de fácil.

Lesley había arreglado la cita para que su hermano entrevistara a Willie después de comer. Mientras le esperaban, el escritor revisó su correspondencia en la veranda. No habían llegado más cartas de sus abogados, gracias a Dios. Al menos habían desistido de intentar convencerle para que regresara a casa. Colocó las invitaciones a un lado de la mesita de café para que Gerald se ocupara. La fiesta en Istana le había cansado y no tenía ganas de asistir a ninguna más.

Gerald se mostró contenido en la comida, lo cual no era propio de él. Le abandonaría, estaba seguro, ahora que sabía que estaba arruinado. Era joven y guapo y no tendría problema para atraer a otro mecenas rico que le proporcionara la vida complaciente a la que se había acostumbrado.

Aún le daba vueltas al problema de mantener a Gerald a su lado cuando Lesley trajo a la veranda a un hombre alto y grueso. Los presentó y se marchó.

—Te agradezco que me concedas una entrevista exclusiva, Willie —dijo Geoff Crosby.

El hermano de Lesley compartía con ella su tez clara y su mirada penetrante. Tuvo que ser un hombre atractivo en su día, pensó Willie, mientras reparaba en las huellas que el tiempo había dejado en su aspecto.

—¿Lesley es mayor que tú?

—En realidad es dos años más joven, pero siempre se comporta como si fuera la hermana mayor. —Geoff abrió su cuaderno—. ¿Empezamos?

La clase de preguntas eran de las que le habían hecho a Willie en incontables ocasiones en todos los puertos extranjeros donde había puesto el pie: ¿Qué pensaba de Penang y de sus gentes? ¿Escribiría un libro sobre Penang? ¿De dónde procedía su inspiración? ¿Cuántas horas escribía al día? ¿Escribía con pluma o a máquina? ¿Quiénes eran sus referentes?

Willie ofreció las respuestas que había repetido con frecuencia, negándose a responder a las preguntas sobre su esposa o su hija, y derivó la conversación hacia su último libro, *El temblar de una hoja.*

—Es una colección de relatos espléndida —dijo Geoff—. *Lluvia* me resultó especialmente… inquietante. ¿Crees que escribirás otra historia como esa?

La misma pregunta le perturbaba desde hacía algún tiempo, aunque no pensaba admitirlo ante nadie.

—Para cualquier escritor, encontrarse con una historia como aquella, aunque sea una vez en la vida, ya es un regalo. Seré lo bastante codicioso para esperar a que aparezca otra.

—Lesley dice que tienes un libro nuevo que saldrá pronto.

—*En un biombo chino.* Es un… testimonio de mis recientes viajes por China.

—¿Cómo es China? ¿Su situación es tan desesperada como me han contado?

Willie se tomó unos momentos para elaborar su respuesta.

—Hice mis prácticas de obstetricia… en Saint Thomas —empezó.

—¡Somerset Maugham, obstetra! Eso es difícil de imaginar.

—Sí. Bastante. Como iba diciendo, en un mes fui a los suburbios de Lambeth más de sesenta… veces —dijo Willie—. Traje niños al mundo en los entornos… más espantosos. Diez o quince hombres y mujeres hacinados en una pequeña habitación, sin agua corriente, ni fuego. Nunca me había sentido tan impotente en toda mi vida. No hay nada noble en la pobreza, pese a lo que diga la gente, por lo general, los ricos. —Willie tomó un sorbo de su té y limpió sus labios con pequeños toques de la esquina de su servilleta—. Tuberculosis… difteria y pobreza; los maridos borrachos… que daban palizas a sus mujeres e hijos. Las bandas criminales que aterrorizaban a la gente por la calle. La desesperanza y la violencia pesaban como una niebla espesa en el aire. A eso me recordaban… los pueblos en China, a los suburbios de Lambeth.

—Debió de ser bastante aterrador. —Geoff garabateaba, exaltado—. ¿Alguna vez te robaron o asaltaron?

—Podía entrar en los tugurios más peligrosos con mayor impunidad que… la policía. El maletín de piel negra de médico era mi talismán. Por supuesto, al principio las mujeres, y sus maridos, desconfiaban de mí. Mantenían la boca totalmente cerrada en cuanto a sus enfermedades y sus síntomas; tuve muchas dificultades para… diagnosticarlos.

Geoff dejó de escribir.

—¿Cómo lograste que confiaran en ti?

Con los aires de alguien que está a punto de divulgar un secreto antiguo, Willie se inclinó hacia adelante, acercándose más a Geoff.

—Un hombre está más dispuesto a abrirse a ti cuando revelas algo… personal, algo vergonzoso, sobre ti mismo —dijo—. Si quieres que alguien confíe en ti, primero debes ofrecerle un pedacito privado de tu cosecha.

Willie se sentó derecho de nuevo, dándole tiempo a Geoff para terminar de anotar sus palabras.

Se había levantado un viento que aplanaba los rizos blancos de la superficie del mar.

—Hablando de China —dijo Willie—, acabo de terminar tu libro sobre el doctor Sun Yat Sen.

—Ah, *A Man of the Southern Seas.* ¿Te ha gustado?

—Es un… título atractivo.

—Ojalá pudiera decir que se me ocurrió a mí, pero fue idea de Lesley. —Hizo una pausa—. Me ha dicho que piensas escribir sobre él.

—Me ha estado hablando de él —dijo Willie—. No esperaba encontrar un vínculo tan… personal con China aquí.

—Yo fui el único de la prensa inglesa con quien habló —Geoff señaló con el dedo índice su pecho regordete—, el único en quien confió. Estuvo aquí, Willie, la primera vez que le vi se sentó donde estás sentado tú ahora. Lo más probable es que en la misma silla.

—¿Cómo era?

Geoff fijó la mirada en la distancia, revisando sus recuerdos.

—Para ser honesto, cuando le conocí no tenía buena opinión de él.

—¿Qué es lo que no te gustaba?

—Apestaba a fracaso. Todos esos intentos de iniciar una revolución… Ya hubo cinco o seis tentativas y se fueron al traste. Me parecía asombroso que tuviera tantos simpatizantes. Hasta que le conocí mejor no comprendí que era un experto en manipular a las personas. Podía tenerlos comiendo de su mano y, aun así, le imploraban más.

—También era popular entre las damas, sin duda.

—Oh, se hizo con una buena colección de colaboradoras femeninas. Era un tipo muy guapo, ¿sabes?

—Lesley fue una persona muy cercana a él, ¿verdad?

Una expresión de cautela envolvió el rostro de Geoff.

—Ella apoyaba su causa —dijo.

—No hubo muchas mujeres blancas aquí que lo hicieran, estoy seguro.

—Mi hermana siempre ha sido un poco subversiva. De cualquier manera —Geoff se puso en pie dando una palmada sobre sus rodillas—, ya te he quitado demasiado tiempo, Willie. Oh, casi me olvidaba… —Sacó un ejemplar de *El temblar de una hoja* de su cartera—. ¿Te importaría dedicármelo a mí y a mi mujer?

En su habitación, Willie tomó de su escritorio *A Man from the Southern Seas* y estudió las imágenes de Sun. La mayoría habían sido tomadas en Penang. Una de las fotografías le mostraba sentado con los Hamlyn en la veranda de Cassowary House. En la última, fechada en octubre de 1918, aparecía un Sun mayor, solo, sentado en un sillón Ming de ébano. Su rostro reflejaba un sufrimiento noble, casi santo. Willie recordó haber visto esa instantánea en particular en el periódico cuando estuvo en Shanghái.

En el interior del libro, un mapa trazaba las líneas elípticas de los viajes de Sun por el mundo. Eran tan extensas como las de los suyos. Ambos habían estado en Londres al mismo tiempo, advirtió, y ahora él se encontraba en la misma isla donde el revolucionario había pasado medio año de su vida. Y, lo que era aún más curioso, se hospedaba en la misma casa a la que el hombre chino había acudido de visita con frecuencia.

Recordó haber leído sobre su secuestro en los diarios de Londres, pero el recuerdo era borroso; en esa época se había tomado un interés fugaz en la historia. Había estado ocupado con sus prácticas de obstetricia. Y por añadidura, él y sus amigos, al igual que muchos otros en el estrato de la sociedad londinense en el que se movía, estaban conmocionados por la amenaza que acechaba a toda Inglaterra debido al desgraciado destino del pobre Oscar Wilde. En una especie de terror frenético, todo el mundo arrojaba alijos de cartas y notas a las llamas, cartas y notas que nunca debieron ser escritas ni enviadas. ¿Cuántos hombres huían por el Canal hacia los refugios civilizados del Continente? ¿Qué le importaba a él, o a nadie, la suerte de un hombre chino que había sido raptado por su propio Gobierno?

Capítulo diez

Lesley
Penang, 1921

Al igual que la noche anterior, Willie ya se había sentado en la sala de estar cuando bajé las escaleras. La lluvia, que había empezado después de cenar, ahora era más débil, aunque el cántico de las ranas se acrecentaba en la noche fría y húmeda. El libro de Geoff estaba abierto sobre su regazo, pero los ojos del escritor estaban cerrados, su cabeza ladeada en un ligero ángulo. Parecía escuchar con atención algo en el aire.

—Las canciones de Anura —dijo Willie, abriendo los ojos cuando me uní a él en el pequeño círculo que describía la luz de la lámpara—. Incluso en Londres, nunca deja de recordarme a... los trópicos cada vez que lo... oigo.

Durante todo el día, había estado inquieta por las dudas. Al revelar mi historia a Willie traicionaba no solo a Robert, sino también a Ethel. Y, sin embargo, debo confesar que me sentí liberada al contársela a este hombre sentado en la penumbra, a este caballero que ocupaba mi salón.

Tras acomodarme en el sillón, retomé el relato donde lo había dejado la noche anterior.

Capítulo once

Lesley
Penang, 1910

Uno de los colaboradores de Sun Wen le había prestado un *bungalow* no muy lejos de nuestra casa. Se convirtió en un visitante habitual que se dejaba caer una o dos veces a la semana por las noches. Disfrutábamos de su compañía y él proporcionaba a Robert la oportunidad de perfeccionar su cantonés. Se deleitaba en los enérgicos debates con Sun Wen sobre la situación política en China. Yo intentaba estar a su nivel, pero sus deliberaciones, que a menudo se convertían en acalorados enfrentamientos verbales, por lo general me dejaban fuera.

Siempre se quedaba el tiempo justo para una copa. Cuando su vaso de *whisky* quedaba vacío, abría su reloj de bolsillo con un clic, lo escudriñaba y se ponía en marcha. Tenía trabajo pendiente, anunciaba, debía ponerse en contacto con algunas personas de las asociaciones empresariales locales, las casas de clan y otros gremios; o le requerían en la Unión Filomática en Armenian Street, un club de lectura establecido por un grupo de chinos para facilitar libros y revistas a sus miembros.

—Se han equivocado con el nombre —comentó Robert, una noche después de marcharse Sun Wen—. Una sociedad filomática es para personas interesadas en las ciencias; no me creo que sea un club de lectura, no es más que una tapadera para su partido.

Tal como esperaba, mi hermano no tardó mucho en enterarse de nuestra amistad con Sun Wen. Nada sucedía en Penang, o en el resto de las Colonias del Estrecho y por supuesto en los Estados Federados Malayos, sin que Geoff se enterara. Previa petición suya, organicé un encuentro para que conociera a Sun Wen en nuestra casa una noche lluviosa.

—¿Va todo bien? —preguntó mi hermano cuando entró en el vestíbulo.

—Oh, sí, estoy muy bien. —No había hablado con él desde aquella mañana en los salones Tiffin. Durante esas tres semanas, mi antigua y confortable vida se había vuelto del revés—. Robert estará trabajando hasta tarde hoy —dije, y no pude reprimir añadir con acritud—, ha enviado a un empleado para avisarme en el último momento.

—No has hablado con él sobre…

—¡Por Dios, no!

—Tal vez sea mejor que no lo hagas —apunto Geoff—. Tenías razón, no es de mi incumbencia. No te lo tenía que haber contado.

No era la primera vez que me preguntaba si Geoff estaría equivocado respecto a Robert. Durante semanas, había esperado que una *mem* bien intencionada me llevara aparte y me susurrara algo en el oído sobre la infidelidad de mi marido. Me había estado preparando para ese momento, sin embargo, nadie me dijo nada. Ni una sola persona. Con toda seguridad, ya tendría que haber oído algo; no había secretos en nuestra pequeña isla.

—¿Alguna noticia de Ethel? —pregunté. Los diarios no revelaban nada de ella desde que la enviaron a Pudoh Gaol.

—Aún se niega a hablar con nosotros, los humildes reporteros. No quiere ver a nadie excepto a su marido.

—Es terrible, encerrada en ese lugar horrible.

—Se encuentra en el pabellón de mujeres europeas, Les. Se lo concedieron, no es precisamente el E&O, pero está limpio y, dadas las circunstancias, es lo bastante cómodo. Se les permite preparar sus propias comidas y pueden pasar el rato cosiendo, haciendo punto o leyendo.

—Todo lo que a Ethel le resulta tedioso —dije—. Ojalá pudiera hacer algo por ella.

—Le escribes cartas, ¿no es así?

—Casi nunca responde y, cuando lo hace, no me cuenta mucho.

En una de aquellas primeras misivas le había rogado que me dejara informar a su abogado, Wagner, de lo que me había contado, sin mencionar de manera explícita de qué se trataba, ya que sospechaba que el guardia leería su correo, pero no hizo ni una sola alusión a ello.

—Su historia suena plausible —concedió mi hermano—, pero hay cosas sobre ella que no parecen ciertas…

—Vamos, Sun Wen está esperando —dije.

Sun Wen estaba recostado en su sillón de siempre, en la veranda, con un *whisky* en la mano. Sus ojos, cuando levantó la mirada, parecían inertes. Nunca le había visto tan desalentado.

La recaudación de fondos no había ido bien, admitió ante las preguntas de Geoff.

—Son…, ¿cómo era la palabra en hokienés?, *kiam-siap*, tal como me advirtió su hermana. —Se frotó los dedos índice y pulgar—. Incluso los ricos. En especial los ricos.

—O tal vez no creen que tengas muchas posibilidades de éxito —señaló Geoff—. Estas personas no han hecho su fortuna por apostar a los caballos equivocados.

—No seas cruel, Geoff —dije, aunque sentí una punzada de venganza satisfecha; todavía estaba resentida por lo que había dicho acerca de los hombres que tienen varias esposas.

Geoff levantó las manos hacia mí y después se volvió a Sun Wen.

—Tu propia gente en Singapur tampoco pensaba que fueras a tener éxito. Te querían fuera del partido, por eso acabaste aquí, ¿no es así? De hecho, te han deportado de todos los lugares donde has puesto el pie: Hong Kong, Japón, Siam, Singapur. Penang es el último refugio que sigue abierto para ti.

Las polillas volaban alrededor de las lámparas, coqueteando con la luz. Sun Wen se giró para enfrentar a Geoff cara a cara.

—¿Sabes cuántas veces he intentado derrocar al Gobierno manchú? —La luz de sus ojos, que apenas unos minutos antes era un destello leve, apático, se había intensificado—. Siete. Y todos aquellos levantamientos fracasaron, todos y cada uno. Miles de personas murieron por nuestra causa. —Sus manos, apoyadas en las rodillas, se cerraron en puños—. Pero no me rendiré. No puedo.

La angustia de su voz pareció silenciar por un momento los sonidos habituales de la noche. Poco a poco, volví a escuchar los coros estridentes de las cigarras en los árboles y el siseo de las olas en la orilla. En el interior de la casa flotaba el leve tintineo de la cubertería y la porcelana. Los sirvientes estaban poniendo la mesa para cenar.

—Has estado derrochando toda tu energía para ganarte a los locales de educación china —dijo Geoff—. ¿Qué hay de los habitantes de la colonia china del Estrecho? ¿Por qué no has reclutado su ayuda?

—¿Esa gente? No tienen ninguna lealtad hacia su patria. Ni siquiera hablan su propia lengua. Están del lado de los ingleses; creen que Inglaterra es su hogar. Y los diarios británicos de aquí no muestran ningún interés, ninguno en absoluto, por mi país, ni lo mencionan, salvo para referirse a él con desprecio.

—Ah, sí, ¿qué era lo que decía hoy el *Straits Echo*? —Geoff rebuscó en sus bolsillos y sacó una página de un periódico. La desdobló y leyó en voz alta—: «Con el doctor Sun Yat Sen, todo tiene que ver siempre con dinero y más dinero, pero nunca se alude a la procedencia del oro que fluye hacia él. Lo cierto es que, para ser un revolucionario, no revoluciona absolutamente nada».

Me tendió el artículo.

—Nosotros no tenemos un diario, no podemos entrar en esta guerra periodística —dijo Sun Wen—. Aquí soy un extranjero, para ellos es fácil decir lo quieran sobre mí. Siempre ha sido así, en todos los lugares en los que he estado.

Sentí lástima por él.

—Geoff, ¿por qué no le entrevistas?

—Me lo has quitado de la boca —dijo mi hermano—. ¿Qué te parece, Sun Wen?

El revolucionario parecía escéptico.

—Los chinos del Estrecho leen el *Post* —apunté—. Puedes hablarles a ellos sobre tu causa, explicarles lo que quieres conseguir.

—No es momento de ser escrupuloso, Sun Wen —dijo Geoff.

Sun Wen se levantó de la silla y se acercó a la balaustrada. Permaneció allí, contemplando las sombras del jardín empapado. Al cabo de un minuto o dos, se dio la vuelta.

—Quiero aprobación plena sobre lo que publiques —pidió.

—Olvídalo. Así no es como hacemos las cosas, amigo —respondió Geoff.

—Entonces no habrá entrevista.

—Será justo contigo, Sun Wen —intervine—. Justo y objetivo. Me aseguraré de ello. Te lo prometo. —Me volví hacia mi hermano—. Le enseñarás lo que has escrito antes de publicarlo. Si hay algo en lo que no esté de acuerdo, incluirás sus argumentos en contra al final del artículo. Le dejarás esclarecer las cosas desde su punto de vista.

—Es bastante justo —dijo Geoff, alzando su vaso de *whisky*—. ¿Por la revolución?

Sun Wen le miró y después a mí. Levantó su vaso de la mesita de café y lo sostuvo en el aire.

—Por la revolución.

Durante la siguiente hora, Geoff hizo preguntas a Sun Wen y apuntó sus respuestas en un cuaderno. Tras un largo rato, Sun Wen dejó de hablar y comprobó su reloj.

—Debo irme.

—¿Adónde vas? —preguntó Geoff. Casi podía ver las contracciones de su nariz.

—Doy una charla en el club de lectura.

—¿La Sociedad Filomática en Armenian Street? —Geoff se puso en pie también. Le sacaba una cabeza a Sun Wen—. Me gustaría ir contigo.

—No entenderás ni una palabra.

—No importa. Quiero ver cómo hablas.

—Está bien.

—Yo también voy —dije.

—A Robert no le gustará —dijo Geoff.

—Robert no está aquí para dar su parecer.

—¿Qué pasa con los niños?

—Ah Peng les dará de cenar y los acostará.

—Está lloviendo.

—No voy a derretirme.

Geoff apeló a Sun Wen.

—No es apropiado, no es en absoluto apropiado.

—También hay mujeres en el Tongmenghui —dijo Sun Wen.

Avanzando a través de las lluviosas calles de George Town en nuestro *rickshaw*, Geoff y yo no podíamos evitar sonreírnos. Sabíamos que el mismo recuerdo rondaba nuestras mentes.

—¿Alguna vez habrá ganado la lotería Ah Peng? —preguntó mi hermano mientras el *rickshaw* giraba para entrar en otra calle.

Cuando éramos niños, Ah Peng en ocasiones nos llevaba al barrio chino. En un templo lleno de humo se arrodillaba con dificultad ante el altar de ébano en la entrada principal, juntaba las palmas de las manos y suplicaba a la deidad local que le concediera los números de la suerte. Habíamos prometido no contarlo a nuestra madre, promesa comprada con un frío vaso de zumo de caña de un puesto callejero. Pasaba la mañana yendo de un templo a otro y repitiendo la misma oración a diferentes dioses.

—Siempre juraba que regresaría a China si ganaba, ¿lo recuerdas? —dije.

Seguimos al *rickshaw* de Sun Wen por calles oscuras y silenciosas, cercadas por las casas-tienda de dos plantas. Los carteles de ébano colgaban sobre los dinteles de las puertas, su caligrafía china tallada y laminada en oro resplandecía en las sombras como la llama de una vela entre nubes de humo. A través de puertas y ventanas, abiertas para dejar pasar el frescor del aire nocturno, podía vislumbrar a una familia sentada en torno a la mesa cenando. En un cruce, mis oídos captaron las estrofas de una balada china que provenía de un gramófono.

Nos detuvimos en la puerta de una casa-tienda en la parte alta de Armenian Street. Geoff me ayudó a bajar del *rickshaw* y nos encontramos con Sun Wen en el *goh kaki*. Un letrero tallado con cuatro ideogramas chinos colgaba por encima de las puertas y, clavado en el centro del dintel, había una pequeña placa de bronce con el número 120 en relieve. Sun Wen llamó y levantó su rostro hacia el techo del soportal.

—¿Qué está mirando? —susurré a Geoff.

—Hay una mirilla.

—Dirigí la vista hacia arriba, pero solo vi jirones de telarañas en la sombra.

La cerradura giró, un pestillo se descorrió y se abrió una de las hojas de la doble puerta, dejando un espacio lo bastante ancho como para que entrara una persona. Sun Wen entró, seguido por Geoff. Titubeé y, a continuación, me subí la falda por encima de los tobillos y atravesé el umbral.

La entrada estaba iluminada tan solo por el frágil resplandor de una lámpara de aceite. Apenas podía distinguir las siluetas de algunos sillones y algunas estanterías bajas arrinconadas en los extremos de aquel espacio sumido en la penumbra.

Seguimos a Sun Wen detrás de un biombo plegable hasta el comedor. La sala daba al «pozo de viento»[1] característico de las casas tradicionales chinas, donde el agua de lluvia se entretiene dibujando remolinos, antes de abandonar la vivienda, con el fin de purificarla y dejar en ella salud y fortuna para sus habitantes. Las ventanas de una habitación del piso superior se asomaban a este patio descubierto pavimentado con granito.

Una bandera oscura —¿negra? ¿azul?..., era imposible distinguirlo con tan poca luz— con un sol amarillo en el centro colgaba de la pared de la sala, donde se arremolinaban unas treinta o cuarenta personas, tanto mujeres como hombres. Tenían entre veinte y treinta y tantos años, y muchos de ellos llevaban ropa occidental. Sentados ante una mesa larga y rectangular de madera de palisandro había otro grupo de personas. Todos callaron cuando repararon en nosotros.

Sun Wen nos presentó y añadió para mí.

—Ah, aquí llega Arthur, él será vuestro intérprete.

Reconocí al hombre que había visto la noche de la fiesta de los Pykett en la terraza del E&O. Me sonrió y nos condujo hasta la parte de atrás. Las personas que estaban de pie se hicieron a un lado para dejarnos sitio.

Sun Wen se mantuvo de pie a la cabecera de la mesa. La sala permanecía en silencio mientras él contemplaba a los participantes. Entonces empezó a hablar. Arthur nos susurraba, pero a partir de un momento su voz se interrumpió: luchaba por seguir el ritmo del torrente de palabras de Sun Wen. Sin embargo, la furia del

[1] A modo de *impluvium* romano, un sistema de canalización recoge en el pozo las aguas procedentes de la lluvia, que, según las creencias chinas y también en la cultura malasia, tienen un poder beneficioso para los habitantes de la casa, al actuar como vía de conexión entre el Cielo y la tierra, como relación entre lo espiritual y el ser humano. *(N. de la T.).*

revolucionario no requería interpretación. Me sentí arrastrada por su pasión, por su convicción firme y exaltada, al igual que Geoff, pensé, al mirarle. Mi hermano observaba a Sun Wen completamente absorto, ignorando su pluma y su cuaderno.

Todos en la sala aplaudieron y gritaron su nombre en el instante en que dejó de hablar. Se quedó allí, en medio de la tormenta, fijando sus ojos en cada de una de las personas que le rodeaban. Durante un segundo o dos, nos miramos y, en ese preciso instante, sentí que nos vinculaba a todos los presentes en un pacto de futuro por el que sacrificaría todo, incluso su vida, con tal de llevar a cabo el compromiso adquirido.

Robert aún no había llegado a casa cuando regresé a Cassowary House. Intenté no pensar dónde o con quién estaría. Recorrí las habitaciones de la planta baja apagando lámparas de aceite y dejé una encendida en el vestíbulo para él. Di cuerda al reloj de pared en la entrada de la sala de estar y corregí la posición de sus manecillas. Eché un vistazo a mis hijos en su cuarto y comprobé que no hubiera agujeros en las mosquiteras que cubrían sus camitas. Ah Peng roncaba con estruendo en su cama, su cabeza descansando sobre un ladrillo de porcelana. Hacía ya mucho tiempo que renuncié a convencerla de que durmiera con almohadas; se quejaba de que le daban dolor de cuello.

Antes de ir a la cama, escribí en mi diario todo cuanto había visto y oído en el club de lectura. Las palabras de Sun Wen habían levantado una tempestad en los corazones de su público. Iba a transformar el mundo, estaba segura. Había asistido a un punto de inflexión en la historia; más aún, aquella noche yo había formado parte de ello. Todo era muy emocionante.

Sun Wen. Qué extraño parecía su nombre escrito en la página: *Sun*, la estrella más brillante del firmamento, emitía ondas de calor y luz vivificante, y los demás planetas circulaban a su alrededor durante toda la eternidad en sus estelas invisibles.

La exaltación de esta noche también hervía en mi sangre. Intenté leer la nueva novela de Somerset Maugham, pero la dejé a un lado tras una página o dos. ¿Por qué sus historias con frecuencia hablaban de adulterio y matrimonios infelices? Estaba a punto de apagar la lámpara de mi mesita de noche cuando oí el vehículo de Robert llegando a la entrada. Percibí su *selamat malam*[2] al *syce*, y después le escuché entrar en casa. Mis oídos captaron el crujido de sus pasos al subir las escaleras. Siguió un largo silencio —estaría echando un vistazo a James y a Edward; siempre lo hacía por muy tarde que llegara a casa—. Un momento después, oí unos suaves golpecitos en mi puerta.

—Todavía estoy despierta —dije.

Abrió la puerta y permaneció de pie, su cuerpo, un vacío negro contra la luz del rellano.

—¿Has cenado? —pregunté.

—Comí algo en el club con Peter Ong. Esta noche había cordero al *curry*. Duro y cartilaginoso. Por lo que a mí respecta, podía haber sido carne de perro. También fuimos a nadar. ¿Cómo se llevaron Geoff y Sun Wen?

—Geoff va a escribir sobre él. —Me resistía a contarle más, aunque con el tiempo acabaría enterándose; en esta isla no había secretos—. Fuimos a oír su discurso al club de lectura.

—¡Eso ha sido jodidamente imprudente… y estúpido! Geoff debió tener la sensatez de no llevarte allí.

—No me sentí insegura, Robert, ni por un segundo. Deberías ir y escucharle alguna vez. Habló con tanta fuerza y tanto entusiasmo que parecía un tifón.

—Los tifones a menudo dejan destrucción a su paso.

—Buenas noches, Robert —dije.

—Buenas noches, querida —dijo y cerró la puerta.

Los susurros del mar inundaron la noche. Escuché a un cárabo ulular como un extraño llamando a la puerta. Pasó un largo rato antes de que me envolvieran las aguas del sueño.

II

A lo largo de los años que vivió en Hong Kong, Robert había acumulado una extensa colección de libros sobre historia, literatura y

2 «Buenas noches» en malayo. *(N. de la T.)*.

filosofía de China. Nunca me habían interesado, pero a la mañana siguiente, cuando se marchó a trabajar, hice una batida en nuestra biblioteca para encontrarlos y fui extrayendo un volumen tras otro de las estanterías.

Más de dos mil años atrás, descubrí a partir de mis lecturas, el gobernador de Qin unificó varios estados en conflicto en un solo imperio poderoso, con él como primer emperador. Para mantener a raya a sus enemigos, inició la construcción de una muralla que se extendería a lo largo de cientos de kilómetros. Estudié las glorias y derrotas de las siguientes dinastías del imperio Qin; aprendí sobre sus emperadores, sus ciudades y estados, sus poetas y filósofos, sus artistas y escritores y sus deidades y demonios. La actual decadencia del Imperio Medio se podía trazar hasta 1644, cuando los manchúes vencieron a la dinastía Ming. En 1839, más de cuarenta años antes de mi nacimiento, Inglaterra entró en guerra con China para reforzar su derecho a vender opio a los chinos. Es del todo indignante, pensé, usar armas contra una nación para obligarla a comprar opio. No es de extrañar que los chinos nos llamen bárbaros.

Defendida por un ejército desfasado y líderes militares incompetentes y sometidos a un funcionariado imperial corrupto, no fue en absoluto inesperado que China perdiera. Con la derrota, los vencedores —Inglaterra, Alemania y Francia— perfilaron sus territorios y se acordó una indemnización de millones de dólares de plata. No obstante, en lugar de modernizarse, la monarquía Qing se replegó aún más en su mundo de ensueño detrás de las murallas de la Ciudad Prohibida, mientras fuera del recinto el país se sumió en disturbios y caos. Por añadidura, cuando China luchaba por recuperarse de las dolorosas heridas de las guerras del Opio, surgió una rebelión en el sur que rápidamente se extendió hacia el norte, abriéndose paso hasta la capital.

La rebelión Taiping. Me preguntaba por qué me sonaba familiar, y entonces recordé los comentarios de Robert durante la primera visita de Sun Wen a nuestro hogar. Hong Siu Chuan, el líder de los Taiping, un estudiante que había suspendido los exámenes imperiales, no solo se creía el hermano menor de Jesucristo, sino que había recibido órdenes de su Padre Celestial para derrocar al emperador y fundar una nueva Jerusalén. Pensé que era un simple loco que, con toda probabilidad, deliraba, pero al leer más sobre él descubrí que, en solo dos años, Hong y su medio millón de convertidos conquistaron Nankín e hicieron de ella la capital del Reino Celestial de la Gran Paz; iban a gobernar durante catorce años. Los misioneros e impresores de biblias de Occidente visitaron la ciudad con la esperanza de formar alianzas y difundir el Evangelio en toda China. Algunos se quedaron en Nankín durante años, pero con el tiempo fueron repelidos debido a sus distorsionadas ideas de la cristiandad. El Reino Celestial de la Gran Paz fue derrotado por el Ejército imperial en 1864. Hong murió envenenado y su hijo y miles de colaboradores fueron ejecutados por el emperador.

Los Taiping, me alegró saber, consideraban a las mujeres iguales que los hombres. Desde los primeros días de la rebelión ellas lucharon codo con codo con los varones en contra de las tropas imperiales. No recordaba la última vez en la historia que algo semejante había sucedido.

Mi interés incipiente en China agradó a Robert; pasábamos muchas tardes debatiendo sobre su enrevesada historia, pese a que él consideraba que yo estaba demasiado obsesionada con los Taiping. Hacía mucho tiempo que no compartíamos un interés; el tema nos aportaba un espacio seguro en el que debatir, algo que retenía la marea de silencio que se había instalado en nuestro matrimonio sin darnos cuenta.

—Debemos ayudar a Sun Wen —le anuncié una noche.

—¿Ese polígamo, incorregible e impenitente?

Hice caso omiso a su comentario irónico.

—Imagínate si tiene éxito, una sociedad en la que todos sean iguales, los ricos y los pobres, los instruidos y los analfabetos. Una vez que lo consiga, las mujeres no volverán a estar indefensas.

—Siempre habrá desigualdad, Lesley. Así es como funciona el mundo.

—¿Entonces, no deberíamos hacer nada?

—Te lo recomiendo encarecidamente —dijo Robert—: las autoridades le vigilarán más si cabe después de lo que ha escrito tu hermano, recuerda mis palabras.

La entrevista de Geoff a Sun Wen había sido publicada el día anterior. Con detalles de su infancia turbulenta y desarraigada, de su familia y sus tres hijos —Sun Wen había permitido que se mencionara solo a una esposa—, la entrevista ofrecía un retrato amable del revolucionario. Satisfecho con el resultado, Sun Wen había invitado a mi hermano a seguirle a todas partes y a escribir una serie de artículos sobre su causa.

Durante su siguiente visita a nuestra casa, Sun Wen mencionó que estaba traduciendo los folletos y artículos del Tongmenghui al inglés para que pudieran ser distribuidos entre la colonia china del Estrecho.

—Será mejor que tus traducciones estén bien hechas —le advertí—, o los chinos del Estrecho se reirán de ti.

—Arthur, le has conocido, ¿lo recuerdas? Arthur hace lo que puede para revisar los textos, pero en realidad le falta tiempo.

—Yo podría hacerlo para ti —dije.

—¡Tú no irás allí, Lesley! —exclamó Robert.

—Allí hay otras mujeres también, Robert —dijo Sun Wen—, incluso mujeres jóvenes de las mejores familias de Penang. Y yo estaré allí, por supuesto.

—Puede que eso sea cierto, pero aun así lo prohíbo.

La sonrisa de Sun Wen se desdibujó.

—Ah, sí. Por supuesto. Tu mujer no debe ser vista en compañía de chinos.

—Sabes muy bien que el resto de Penang no es... tan tolerante... como nosotros.

Sun Wen dejó su *whisky* a medias sobre la mesa. Me sentí mal por él. ¿Con cuánta frecuencia se vería obligado a refrenar su rabia y tragarse el orgullo, todo por el bien de su causa?

Le hice a Robert una propuesta:

—Puedo recoger los papeles mañana por la mañana. Haré el trabajo en casa.

—Es muy amable por tu parte, Lesley, pero... —Sun Wen sacudió la cabeza—. Debes obedecer a tu marido.

—Mañana por la mañana —repetí con firmeza.

Sun Wen se puso de pie e hizo una breve reverencia.

—Gracias Robert y Lesley por recibirme en vuestro hogar.

Acorralé a Robert después de marcharse Sun Wen.

—Escríbele una nota y discúlpate.

—No haré nada por el estilo.

—Lo que intenta lograr pondrá fin al sufrimiento de millones de personas, Robert, millones. Yo, nosotros, hemos de hacer lo que podamos para ayudarle.

—Le encuentras atractivo, ¿no es así?

Era lo último que me esperaba. Busqué con torpeza algo que decir.

—Tiene cualidades atractivas, sí —admití al fin—. Pero no me atrae.

Una sonrisa agria deformó sus labios.

—Una respuesta muy diplomática.

Le clavé la mirada. Robert —de entre todas las personas tenía que ser él— me acusaba de sentir algo por otro hombre. De pronto me harté de fingir. Estaba cansada, cansada de no saber. Durante semanas me había encontrado al borde de un precipicio, preguntándome qué era lo que me acechaba bajo el banco de niebla.

Era suficiente. Se acabó. Salté de la cornisa hacia el vacío.

—¿Tienes una aventura, Robert?

Sabía, incluso cuando aquellas palabras salieron de mis labios, que mi matrimonio cambiaría de manera irrevocable a partir del mismo instante en que las pronunciara.

Estaba encendiendo la pipa y se quedó paralizado, sus manos rígidas en el aire.

—¿Qué si qué?

El tiempo se congeló; un ruido ensordecedor inundó mi cabeza; mi voz sonó amortiguada en mis oídos, hueca.

—¿Te estás acostando con otra mujer?

Encendió la cerilla con un rasgo brusco y ahuecó la mano para dirigir la llama hacia la cazoleta. Sus mejillas succionaron un par de veces, y a continuación soltó bocanadas de humo.

—¿Por eso has estado tan rara? ¿Porque crees que tengo una aventura con una mujer? ¿De dónde diablos te has sacado eso, esa idea lunática? ¿De esas viejas brujas del club? ¿De la estirada esposa de Pykett y su aquelarre del *mahjong*[3]? ¿O de la señora Biggs? La boca de esa maldita mujer es tan grande como su trasero.

[3] Es un juego solitario de origen chino. *(N. de la T.)*.

—Alguien te vio con…. —desee no haberlo confrontado, pero ahora era demasiado tarde—, con otra mujer.

Me miró fijamente; y después soltó una carcajada. El sonido de su risa era horrible, áspera y aterradora. Nunca le había oído reírse así.

—¿Y quién es esta mujer, esta sirena seductora?

—No me lo dijeron.

—Claro que no. Típico, ¿no es así? Malditas vacas. ¿Recuerdas cómo sus chismes maliciosos, y he recordarte, en definitiva sin fundamento, hundieron el matrimonio Fitzpatrick? Dio un par de bocanadas largas y perezosas de la pipa y me miró directamente a los ojos—. No me estoy acostando con otra mujer, Lesley.

III

Mientras aguardaba fuera de la casa en Armenian Street, observé un cartel negro encima de las puertas. Mis ojos se fijaron en los trazos gruesos y fluidos de los caracteres chinos tallados. Estos carteles eran visibles por toda la ciudad, pero esta mañana los ideogramas decorados con pan de oro me parecieron agobiantes, extraños.

Robert había estado distante conmigo toda la mañana, ocultándose detrás del periódico. Cuando se marchó a la oficina, no rodeó la mesa para besarme en la mejilla.

Llamé a las puertas y examiné los tablones del techo. Si había una mirilla, estaba bien camuflada. Un minuto después, se descorrió el cerrojo y el rostro de un hombre asomó detrás de una puerta a medio abrir.

—Doctor Loh —dije, aliviada al ver una cara conocida—. Lesley Hamlyn. Estoy aquí para recoger…

—Sí, sí; pasa, pasa.

Entramos y echó el cerrojo. Llevaba una camisa blanca impoluta, pantalones grises y una corbata de rayas azules y rojas. Su rostro era anguloso, casi rectangular, y su nariz, fina, de proporciones armoniosas; la mirada alerta transmitía ingenio e inteligencia.

—Vamos —dijo—. Y llámame, Arthur. Aquí todos nos llamamos por el nombre de pila.

La sala parecía más agradable con el sol matutino bañando el pozo. Unas seis personas se encontraban sentadas ante la larga mesa de palisandro, libros y papeles se desplegaban sobre ella. Uno o dos alzaron la mirada para saludarme. Tras indicarme que esperara, Arthur se dirigió a un montón de cajas en la esquina del comedor. Miré a mi alrededor. Las paredes estaban desconchadas por la humedad; había documentos apilados en las mesas o apretujados en estanterías desbordadas. Una jaula de pájaros de bambú vacía colgaba junto al pozo. Desde allí, un corto pasillo daba a un par de habitaciones en la parte trasera. A la derecha del pasillo estaba la cocina, donde un hervidor de agua ennegrecido se disponía sobre una cocina de carbón, el vapor susurrando en la boquilla.

Arthur regresó y me tendió un fajo de papeles.

—Los impresores los necesitan para mañana al mediodía.

—Los traeré antes.

—Ya que has venido, ¿por qué no te quedas y lo haces aquí?

Miré los documentos y después a él.

—Necesitaré una pluma y papel.

El trabajo no era tan fácil como esperaba. Los documentos —artículos, panfletos y todo tipo de textos que describían en tono histriónico la corrupción del Gobierno chino, los abusos de poder y el sufrimiento del pueblo— estaban repletos de faltas y errores gramaticales. Tuve que pedirle a Arthur con frecuencia que me aclarara palabras o nombres mientras enhebraba las enrevesadas frases, acortaba párrafos y hacía lo que podía para que resultaran coherentes. Arthur también me pidió que eliminara cualquier cosa que pudiera interpretarse como algo sedicioso o crítico con nuestro propio Gobierno, por muy impreciso que fuera.

Charlamos durante el corto receso para tomar el té. Él tenía treinta años y era médico de familia, compartía una clínica en Campbell Road. Mediante las preguntas habituales acerca de quiénes eran sus padres y con quién estaba emparentado, tracé las coordenadas en el mapa de nuestro mundo social; era un hábito que todos, en especial los chinos, nos permitíamos cuando nos presentaban a alguien, y era del todo consciente de que él hacía lo mismo conmigo. Había oído hablar de su padre: un comerciante de estaño y presidente de la Asociación Internacional Antiopio; su madre era de una familia antigua e importante de la colonia china del Estrecho.

—¿Esa es la bandera del partido? Señalé la bandera expuesta en la pared detrás de él; en plena luz del día era de color azul oscuro y, según pude comprobar, el sol irradiando desde el centro era un círculo blanco vacío.

—Sí. Y un día ondeará en toda China. —Me miró—. ¿Has estado allí alguna vez?

—No.

—Lo imaginaba.

El desdén en su voz me chocó. De pronto comprendí lo que era para él; otra *memsahib* aburrida que se mezclaba con los locales en busca de un poco de emoción en su vida insatisfecha y rutinaria.

—¿Y a ti por qué te importa tanto China? —disparé la pregunta—. Vosotros, los chinos del Estrecho fuisteis a colegios de habla inglesa, todos habláis inglés en casa y os vestís como europeos. Solo os postráis ante Inglaterra.

Esperaba haber provocado enfado en él, pero tan solo sonrió.

—Los que hemos recibido educación china decimos *chiak ang moh sai* —dijo—: «comemos la mierda del hombre blanco».

—Ya sé lo que significa.

Se puso serio.

—Estoy aquí por mi abuela. Ella tenía dieciocho años cuando se unió a los rebeldes para luchar contra el emperador manchú.

—¿Tu abuela era una rebelde de Taiping?

—¿Los conoces? —En su rostro se entremezcló el asombro y la duda. Le ofrecí un rápido resumen de lo que sabía sobre el apogeo y la decadencia de la rebelión. Parecía bastante impresionado cuando concluí.

—¿Qué le ocurrió a tu abuela? —pregunté.

—Se desilusionó de los Taiping cuando tomaron Nankín, después de fundar el Reino Celestial de la Gran Paz. La destinaron a trabajar para un impresor de biblias escocés. Él la ayudó a escapar. Tenía contactos en Penang y le dio dinero para venir aquí. Trabajó para un pequeño impresor en Bishop Street y al cabo de unos años le compró el negocio. Aún está en marcha, lo lleva mi tío segundo.

—¿Todavía vive? —Deseaba conocerla.

Negó con la cabeza.

—Murió cuando yo tenía quince años. Cuando era un niño solía llenarme la cabeza de relatos sobre su vida en China y, cuando fui lo bastante mayor, decidí ir allí y verlo por mí mismo. —Parecía dirigir sus palabras a la bandera sobre la pared—. Me quedé conmocionado por lo mal que estaban allí las cosas. La pobreza y la miseria, la corrupción. China debe ser salvada, y todos y cada uno de los chinos de todo el mundo deberíamos implicarnos en ello y desempeñar nuestro cometido.

—Hasta que conocí a Sun Wen, apenas tenía interés en el país —dije—. Pero aquella noche, cuando vinimos aquí, cuando le escuché hablar…

Me miró y sentí que comprendía lo que intentaba explicar.

—Cada uno de nosotros habríamos ido a la guerra por él de buena gana —dijo.

Terminé de corregir el último artículo y le entregué el montón de papeles. Revisó unos cuantos y después los apartó.

—¿Podrías volver la semana que viene? —preguntó.

IV

Todos los martes por la mañana, después de irse Robert a trabajar, cogía un *rickshaw* hasta la casa de Armenian Street. Por lo general, Arthur se encontraba allí y ayudaba durante una hora antes de marchar hacia su clínica. Al principio me sentía fuera de lugar, la gente me dedicaba miradas susceptibles, pero, tras algunas semanas, enseguida perdieron el interés.

Los retrasos de Robert por las noches se fueron haciendo menos frecuentes. A menudo me encontraba echada sobre el sofá de la veranda cuando llegaba a casa, absorta en algún libro. Hablábamos mientras tomábamos un *whisky* con soda antes de entrar a cenar, pero nunca me preguntaba sobre lo que hacía en el club de lectura y yo tampoco le comentaba nada. Mis ojos le escrutaban en busca de señales para averiguar dónde y con quién había estado, sin embargo, nunca encontraba nada incriminatorio.

Hasta ese momento, Ethel llevaba un mes encerrada en Pudoh Gaol. Apenas podía imaginar lo difícil que debía de ser su situación. Le escribía con regularidad con la esperanza de levantarle el ánimo; le enviaba novelas y las últimas publicaciones del *Illustrated London News*, pese a que no era una gran lectora. El alcaide y los demás prisioneros se portaban bien con ella, según me había contado en una de sus escasas respuestas, y William la visitaba todos los días sin falta, pero echaba muchísimo de menos a su hija. Parecía que la gente se había olvidado de ella, sin embargo, a medida que se avecinaba el juicio, su nombre comenzó de nuevo a estar en boca de todos. Al igual que todo el mundo que conocía, Arthur estaba intrigado por su caso y a menudo aireaba indignado especulaciones difamatorias sobre ella y William Steward cuando trabajábamos en la mesa alargada.

—Tu interés lascivo es impropio —le regañé en una ocasión. Habíamos adoptado la costumbre de hablar una mezcolanza de inglés y hokienés—. Eres peor que todos ellos.

—No es lascivo.

—Oh, claro que no.

—Ninguna europea de Malaya ha ido a juicio por asesinato, ¿lo sabías? Ethel Proudlock será la primera. Y no ha matado a cualquier hombre, Lesley, ha matado a uno de su propia raza sublime. Vosotros los *ang mohs* siempre nos habéis dicho con orgullo que «todo el mundo es igual ante la ley, ya sean blancos, mestizos, negros o amarillos». Pues ahora que uno de los vuestros es llevado a juicio y su vida está en juego, ¿cómo afrontarán los *ang mohs* la justicia? Eso es lo que me parece cautivador.

—Será juzgada justamente, como tú y como yo, como todos nosotros.

—Oh, claro que sí —imitó con sarcasmo mi tono a la perfección—. El juez presentará una farsa de imparcialidad y justicia, pero al final el veredicto será «no culpable».

—Eso será porque no lo es.

De repente comprendió y, levantando las cejas, dijo:

—¡La conoces!

—Es una gran amiga.

—Entonces, ¿se acostaba con él?

—Arthur… —le recriminé.

Alzó sus manos para aplacarme.

—Bueno, aunque el veredicto sea culpable —dijo—, idearán alguna escapatoria para que se libre. Dirán...: «Oh, tenía amnesia», o que se quedó temporalmente en blanco; o estaba histérica, no sabía lo que hacía. Nunca colgarán a una mujer blanca. Nunca.

Estaba equivocado, pensé. Me mordí la lengua y retomé mi tarea, pero no podía evitar recordar lo que había dicho Robert: Ethel había disparado a William Steward con la intención de matarlo.

Miré el reloj de la pared cuando Arthur comenzó a recoger sus plumas y sus cuadernos, que metió en su maletín de médico.

—¿Una cita con un paciente? —pregunté. Se marchaba más temprano de lo habitual.

—Me llegan unas puertas. —Sostuvo el maletín de piel en una mano—. ¿Te gustaría verlas?

—Sé cómo son las puertas.

Sonrió.

—Vamos, no está lejos, un poco más abajo de esta misma calle.

Parecía tan dispuesto a que fuera con él que no me pude negar. Hice una última modificación en el artículo en que había estado trabajando y se lo tendí a una de las mujeres sentadas ante la mesa.

—Está bien, Arthur —dije—. Vamos a ver tus puertas.

Aún no era mediodía, pero el sol ya irradiaba con furia y agradecí mi sombrilla cuando seguimos el trazado ligeramente curvo de Armenian Street hacia el puerto. Un chico no mayor de nueve o diez años nos adelantó en una bicicleta que le quedaba grande, una mano diminuta sobre el manillar, la otra equilibrando una bandeja con un cuenco de fideos wonton humeantes; un *rickshaw* cargado con un par de *nyonyas* corpulentas nos apartó de su camino. Nadie me miró dos veces; los habitantes del barrio se habían acostumbrado a ver a esta mujer *ang moh.*

Estábamos en su zona preferida de la ciudad, me comentó Arthur. El barrio había sido testigo de las luchas feroces entre los Ghee Hin y los Hai San durante los disturbios, me dijo. Más tarde fueron proscritos, pero aún se encontraban aquí las sociedades secretas, progresando en la sombra.

Podía entender por qué: los caminos y callejones proporcionaban convenientes rutas de escape hacia el puerto, y me preguntaba si Sun Wen había tenido esto en cuenta cuando eligió la zona para establecer su base.

Un hombre acuclillado a la entrada de su tienda, manipulando un trozo de masa de color almendra tostada en un barreño, llamó a Arthur.

—*¿Loh loke-kun, chiak-pah buey?*

—Ya he comido, Ah Tong —respondió él en hokienés—. Eh, ¿su mujer está mejor del estómago o no?

—Ya no duele, no duele. Su medicina muy buena, *lah.* —Ah Tong desprendió un trozo de pasta del tamaño de un puño y lo estiró hasta formar un rollo delgado y largo que ensartó en un palo fino de madera. Lo colocó sobre una bandeja con otra docena más que ya había preparado; se asemejaban a una fila de salchichas—. Esta mañana hasta quería comer cerdo asado. Le dije: «¿Cerdo asado? ¿*Siau-ah*? Ah Lan, ¿tú crees que te has casado con el hijo de un hombre rico como el doctor Loh?».

—Dile que le compraré un plato de *soi-bahk*, pero debe seguir tomándose las pastillas.

Ah Tong rio. Escogió una varilla de la bandeja y me la ofreció. La pasta aún estaba húmeda y blanda. Lo acerqué a mi nariz. El olor del sándalo me devolvió a los templos humeantes a los que me solía llevar mi *amah* cuando era una niña. Se lo devolví al artesano, pero me indicó con un gesto que me lo quedara.

—Dile que con unas horas al sol estará seco como una galleta —indicó el hombre a Arthur.

—*Kamsiah* —respondí yo en hokienés, y lo olí de nuevo—. Muy aromático. —Sonreí mientras sus ojos se abrían de par en par.

—Deberías ver el incienso que prepara para el festival del Fantasma Hambriento —dijo Arthur mientras continuábamos nuestro camino—. Varas de un metro ochenta y tres de largo, y gruesas como un poste de telégrafos, todas ellas con dragones y aves fénix enroscadas a lo largo. Se queman durante una semana entera.

Dejó de caminar cuando llegamos a la última casa-tienda de la calle. Se encontraba en una esquina junto a un callejón, nada la distinguía de las que habíamos dejado atrás. Las puertas principales eran lisas, sin inserciones de cristal ni calados, y las ventanas estaban cerradas con contraventanas. Un banco de madera y una buganvilla de flores moradas en una maceta de barro ocupaban el *goh kaki* embaldosado con dibujos geométricos de color verde y blanco.

Arthur seleccionó una llave larga y fina como una ramita —de entre otras enganchadas a una anilla— y desbloqueó las puertas. No me invitó a entrar, pero hizo un gesto hacia algo que había detrás de mí. Al mirar por encima de mi hombro, vi a un culi que bajaba la calle empujando una carretilla cargada con dos puertas envueltas en un saco mugriento de yute. Balbuceó un saludo a Arthur y las llevó hasta la casa. Salió de nuevo, aceptó el pago y despareció con su carretilla hacia donde quiera que hubiera venido.

Arthur extendió su mano hacia mí. La cogí y pasamos por encima de un tope que me llegaba hasta la espinilla.

Dentro estaba fresco, las ventanas emplomadas proyectaban una luz blanquecina hacia el vestíbulo. Salvo por un biombo de Coromandel en el lado opuesto, la entrada estaba desprovista de muebles. Sin embargo, en las paredes colgaban puertas de madera pintadas con escenas de pájaros y flores o montañas envueltas en bruma. La mitad superior de algunas de estas puertas exhibía una decoración de complejos diseños calados de dragones y aves fénix.

—Las he conseguido en casas-tienda y en templos que estaban a punto de ser derribados —me explicó Arthur—. Siempre me había hecho sentir *sihm-tnhia* —utilizó el término hokienés para «dolor de corazón»— saber que iban a ser troceadas y convertidas en leña. Un día pensé: ¿por qué no las compro? Mi abuela me había dejado esta casa y estaba vacía. La utilizo para almacenarlas.

Me dirigí al par de puertas más cercano. Estaban talladas con trazos sinuosos y verticales de caligrafía china laminados con pan de oro. Con cuidado, levanté la esquina de una de las puertas, separándola apenas unos centímetros de la pared. Por supuesto, sabía que no vería nada, pero no pude evitar la decepción al encontrar detrás tan solo la pared encalada y no otra puerta que condujera a otra habitación, tal vez a otro mundo.

—Deja que te muestre mis últimas adquisiciones —sugirió Arthur.

Me esperó junto al biombo. Titubeé. De pronto me pregunté qué diría la gente: yo era una mujer blanca sola en la casa de otro hombre, y no de cualquiera, sino de un hombre chino.

Me miró desde el otro lado del pasillo y, entonces, sin mediar palabra, se dirigió de nuevo a las puertas principales y las abrió de par en par, exponiendo el interior de la casa a la mirada de cualquier transeúnte. Comprendí que tal vez él estaba más preocupado sobre lo que diría la gente acerca de encontrarse a solas en una casa con una *ang moh.*

Le seguí por detrás del biombo hacia un pequeño pasillo. En la entrada al comedor de pronto me detuve.

—¡Madre mía…! —exclamé.

Las paredes también estaban cubiertas de puertas. Y colgando de las vigas del techo había muchas más, que mantenían entre sí un espacio calculado cuidadosamente y quedaban suspendidas por alambres tan finos que parecían estar flotando en el aire.

Anduvimos entre las hileras de puertas pintadas, el contacto de nuestros hombros y nuestros codos las movían con suavidad. Cada una se abría con un giro para revelar otra más, y yo tenía la turbadora sensación de estar deambulando por los corredores de un laberinto en constante movimiento, cada par de puertas dando paso a otro pasadizo, después a otro…, sin darme pista alguna sobre dónde aparecería al final.

Regresamos a la parte trasera del comedor. Una escalera de caracol de hierro forjado ascendía enroscada, como los restos de una gigantesca concha de nautilo. Al pie de la escalera una cítara descansaba sobre su peana.

—¿Tocas este… cómo se llama? —pregunté. La cítara medía más de metro y medio y unos treinta centímetros de ancho.

—Es un *guzheng.*

Rasgó las cuerdas, haciendo emerger un arpegio de sonoridad acuática. Por alguna razón inexplicable, el sonido me hizo pensar en un arroyo frío y claro fluyendo por la ladera de una montaña desnuda y rocosa.

Contemplé las puertas; aún oscilaban de forma lánguida desde las vigas del techo.

—¿Cuántas tienes?

—Oh, treinta o cuarenta pares, —Su risa sonaba abochornada, pero también contenía el matiz orgulloso del auténtico coleccionista—. He perdido la cuenta. Estas dos de aquí —señaló un par de las quc colgaban de la pared— son las más antiguas de mi colección. Las adquirí en un templo el día antes de ser derribado. Son del siglo XVIII. Fueron pintadas por un artista de un pueblo de la provincia hokienesa.

Ambas piezas mostraban pinturas de hombres con vestimenta militar, rostro arrebolado y ojos feroces. La figura de la puerta izquierda blandía un hacha grande y de aspecto letal, mientras que la de la derecha empuñaba una alabarda también intimidante. La pintura estaba desgastada y en algunos sitios los colores se habían desvanecido por completo.

—¿Quiénes son? ¿Guerreros? ¿Deidades?

—Se cuenta que un emperador de la dinastía Tang era acosado noche tras noche por demonios y espíritus malvados que se colocaban a las puertas de sus aposentos —me explicó Arthur—. El emperador no podía dormir y su salud se deterioró. Sus consejeros intentaron desesperadamente dar con una solución. Entonces, el general Qin y el general Yu, dos de sus más leales hombres, dieron un paso al frente y hablaron ante su señor: «Durante toda nuestra vida, nosotros, sus dos humildes sirvientes, hemos matado hombres como si abriéramos melones. Hemos apilado cadáveres en montones tan elevados como montañas. No tememos ni a los fantasmas ni a los demonios. Nos quedaremos haciendo guardia en las puertas de sus aposentos reales; mantendremos la vigilancia durante todas las horas de la noche». El emperador accedió a sus sugerencias y aquella noche ningún fantasma o demonio perturbó su sueño. Pero, a la mañana siguiente, convocó a los dos generales. «Habéis velado por mí toda la noche», les dijo, «sin embargo, no habéis dormido. Esto no puede continuar». El emperador reflexionó por un momento y entonces se le ocurrió una solución: ordenó al artista de la corte que pintara la imagen de los dos generales en sus puertas, una en la puerta de la izquierda y otra en la de la derecha. Y desde entonces, nunca más fue molestado por los espíritus malignos. Con el tiempo, esta práctica se extendió por todo el país; el general Qin y el general Yu comenzaron a ser conocidos como los Dioses de las Puertas.

Arthur se encaminó hacia otras dos puertas apoyadas en un aparador.

—Estas que has visto traer justo ahora tienen doscientos años. —Retiró la tela de yute que las cubría y enderezó su posición. En la puerta de la izquierda había un pequeño halcón marrón, fluctuando sobre un elevado barranco brumoso.

Mis dedos se deslizaron sobre las cuatro líneas verticales de caracteres chinos trazados sobre la bruma.

—¿Qué dicen?

—«Senderos de sueños fugaces, en la noche de verano. Oh, pájaro de la montaña, lleva mi nombre más allá de las nubes». Un poema de Shibata Katsuie, un samurái japonés del siglo XVI, un guerrero. Fue traicionado durante una batalla. Lo compuso momentos antes de usar la espada contra sí mismo.

Algo me removió por dentro, algo lúgubre. Qué extraño que los versos de un guerrero japonés de hace más de trescientos años, compuestos durante su último aliento, aún existieran, grabados en una puerta desgastada a miles de kilómetros de su hogar. Murmuré el poema unas cuantas veces, con la intención de conservar las palabras en mi memoria.

—Tú coleccionas estas puertas pintadas. —Acaricié la madera polvorienta mientras pensaba en el número incontable de personas que habrían pasado a través de ellas a lo largo de los siglos—. Sin embargo, tus puertas principales están desnudas.

Por primera vez desde que lo conocí, parecía haberse quedado sin palabras.

—¿Sabes? —dijo—, nunca se me había ocurrido.

—Me gusta la idea de que tus puertas lisas y anodinas oculten estas otras —mi mano barrió las superficies pintadas que nos rodeaban— del mundo exterior.

Reflexionó sobre lo que había dicho.

—A mí también me gusta.

Las puertas oscilaron con lentitud en el aire, como hojas que forman espirales en una suave brisa, cayendo eternamente, sin tocar nunca el suelo.

V

Los artículos de Geoff sobre Sun Wen le habían dado a conocer más si cabe entre los europeos y los chinos del Estrecho, pero la avalancha de fondos que esperaba no fue tal; el dinero ni siquiera llegaba con cuenta gotas. Arthur decidió celebrar una merienda en su casa para todos sus amigos con fines recaudatorios. Sun Wen daría una charla y expondría lo que intentaba lograr.

—Será este sábado a las tres. Debes venir —dijo Arthur—. Trae también a Robert.

—Este fin de semana se va a Kuala Lumpur —apunté—. Tiene un juicio el lunes.

—¿Pero tú asistirás?

Sacudí la cabeza.

—Mi querido esposo no está muy contento de que venga aquí.

—¿Va todo bien entre vosotros?

Tenía la actitud reconfortante de un médico de cabecera de confianza: comprensivo pero discreto. Tuve que resistir la tentación de desahogarme con él.

—No podíamos estar mejor —respondí.

El club de lectura tenía una de esas mañanas raramente tranquilas; tan solo un pequeño grupo de personas trabajaba ante la mesa alargada.

Estaba irritada por la traducción chapucera de un folleto, cuando apareció Sun Wen con una mujer. Nunca la había visto antes. Dejamos nuestras plumas y nos acercamos a la pareja. Sun Wen me hacía señas para que me colocara a su lado.

—Hace tiempo que deseaba que conocierais a Chui Fen, y ahora por fin está aquí en Penang —dijo—. Chui Fen es una de nuestras colaboradoras más leales.

La mujer parecía solo unos años mayor que yo, pero su presencia resultaba imponente. Su cabello, peinado hacia atrás y recogido en un moño bajo, revelaba una frente y un rostro ovalado delicados. Sus ojos eran grandes e inteligentes, su nariz, larga y bien proporcionada. Tenía unos labios carnosos de forma perfecta. Cogió mis manos entre las suyas y, con ayuda de la interpretación de Sun Wen, me dio las gracias por ayudar en su causa.

—Ella es una de sus mujeres, ¿no es así? —susurré a Arthur en el momento en que se marcharon—. La segunda. Es joven y bastante guapa.

No alzó el rostro del documento que estaba revisando.

—En realidad no están casados.

—¿Oh? ¿Entonces, es una concubina?

—Será mejor que Chui Fen no te oiga decir eso. Tiene buena mano con las armas y sabe artes marciales; de joven ya dio una paliza a unos cuantos hombres. Ha estado a su lado durante veinte años. Para él, y para nosotros, ella es su esposa.

Veinte años juntos. Yo llevaba casada con Robert una cuarta parte de eso.

—Bueno, siento lástima por su primera mujer.

Garabateó unas palabras en el margen del papel.

—Puedes expresarle tu simpatía en persona; se unirá a ellos en unos días.

—Quieres decir... ¿Vivirán juntos? ¿Los tres bajo el mismo techo?

—Todos los matrimonios tienen sus propias reglas, Lesley.

La suavidad y la ausencia de condena en su voz me hizo mirarlo con detenimiento.

—¿Su matrimonio fue concertado?

—En realidad sí. —Por fin alzó la mirada del papel que estaba leyendo—. Ah, *memsahib* piensa que es una bárbara costumbre nativa.

¿Eran mis sentimientos tan transparentes?

—Es... anticuado.

—Cuando terminé mis estudios y vine a casa, una mañana durante el desayuno mi padre me dijo que iba a casarme con la hija de su socio. Ya estaba todo organizado.

—¿La conocías?

—Desde los diez años.

—¿No te opusiste?

—Hasta Sun Wen tuvo que obedecer a sus padres.

—Pero ¿la amas? ¿Y ella te ama?

—El matrimonio no solo trata de amor. El deber de un hijo es asegurar que el nombre de la familia no desaparezca. El árbol debe producir ramas. Anna es una nuera cumplidora, una madre entregada y una buena esposa.

—Es tan… triste. ¿Qué hay del amor romántico?

—¿Por qué te casaste con Robert? Casi te duplica la edad. ¿Era amor romántico?

Por su forma de mirarme, me preguntaba si habría oído algo sobre la infidelidad de mi marido.

—Lo siguiente que me dirás es que Sun Wen tiene otra esposa escondida en alguna parte —dije—, una tercera esperando para saltar a la vista de todos.

—La tiene. Es a la que más ama.

—¿Quién es?

—Ya la conoces.

Rebusqué en mi memoria los rostros de las mujeres que había conocido desde que empecé a frecuentar este ambiente.

—¿Quién es? Dímelo.

Arthur dejó su pluma sobre la mesa. Sus ojos estaban empañados por la tristeza.

—China —dijo—. Está casado con China. Es a la que más ama y a la que ha amado durante más tiempo. Ella no permitirá que sus esposas, por muchas que tenga a lo largo de su vida, compitan entre sí. Exigirá todo de él. Y al final, después de entregarle todo, ella le romperá el corazón.

VI

El monzón se acercó más a la isla, trayendo fuertes tormentas que por las tardes, durante la marea alta, inundaban las calles en torno al puerto. Agradecí la tregua del calor; siempre me ha gustado Penang cuando llueve, cuando la dura luz tropical se suaviza y el mundo parece más silencioso y acogedor.

Al volver a casa de la playa con mis hijos una tarde, encontré a Ah Peng esperando ansiosa en la veranda, con las manos sobre sus amplias caderas.

—¡Entre, rápido, rápido! —gritó—. Cielo negro, negro, quiere llover ya.

Dejó caer un puñado de papeles y monedas en mi mano.

—*Dhobi-wallah*[4] encontrar en bolsillo de señor Robert —añadió mientras se llevaba a James y a Edward para bañarlos.

Era viernes, lo que significaba que Cookie hacía *roti babi*[5] para cenar. Lo estaba deseando. Robert se había llevado a su ayudante, Peter Ong, a Kuala Lumpur aquella mañana. Pasarían el fin de semana allí preparando un juicio que iba a durar toda la semana. Ya habría llegado al hotel Empire. Le imaginé con su amante en su habitación, una mujer cuyo rostro no lograba ver. Me obligué a apartar esa imagen, lo cual, para mi sorpresa, me resultaba cada vez más fácil.

Alisé los fragmentos arrugados de recibos y facturas que Ah Peng me había entregado. Entre ellos había un trozo de papel doblado con esmero. Lo desdoblé. Las palabras estaban escritas con una tinta de color rojo vino, la letra era suelta pero elegante: «Mi querido Robert, me encanta el libro. Gracias. Peter».

Imbécil descarado… Alguien debería ponerle en su sitio. «Mi querido Robert»… ¡Qué insolencia, dirigirse así a un superior!, pensé mientras leía la nota de nuevo. Empecé a tomar conciencia poco a poco y, después, como el féretro que penetra en la sepultura, todo encajó. «Mi querido Robert».

Me hundí en el sofá, sintiéndome enferma. Todos estos años, todo el esfuerzo para que me encontrara atractiva y toda la culpa que me había atribuido porque ya no mostraba ningún interés en mí, preguntándome qué tenía de malo… ¡Qué tonta había sido! Tonta de remate.

El viento cobró fuerza, haciendo sonar las persianas de bambú enrolladas bajo los aleros. Tenía que haberlas cerrado cuando llegó la tormenta, pero no me podía mover. Mi cuerpo, mi corazón pesaban tanto, tanto… Me desplomé en el sofá y apenas reparé en Ah Peng cuando entró para avisarme.

—Comer arroz ya —afirmó en voz alta—. *Oi*, Lesley-*lah*, ¿tú oírme o no?

Alcé el rostro hacia ella y me miró. Sus ojos se desviaron hacia el trozo de papel de mi mano y después volvieron a mi cara. Un siglo de silencio pareció deslizarse entre nosotras.

—*Aiya*, así que tiene otra mujer —dijo Ah Peng.

4 *Dhobi-wallah* es el hombre que recoge y lava la ropa.*(N. de la T.)*.

5 En malayo, «emparedado de cerdo» *(N. de la T.)*.

—¿Cuánto hace que lo sabes?

Asintió.

—¡Ah, lo sabía! Todos los hombres se descarrían. Se cansará de ella pronto.

—No es… —empecé, pero estaba demasiado angustiada como para revelarle toda la verdad.

Aún sentía que era mi culpa, alguna deficiencia, algún defecto serio en mí lo que había empujado a Robert a los brazos de un hombre. En ese momento me dije: «Nadie lo debe saber jamás».

—Ah Peng —dije—, ¿alguna vez te has arrepentido de tomar los votos? ¿Alguna vez has deseado estar casada?

Su suspiro, al sentarse junto a mí, parecía emerger de un lugar situado en lo más hondo de su ser. Capté el olor del ungüento de alcanfor que solía frotar en sus dedos artríticos, un aroma que conocía desde mi infancia. Ahora, al percibirlo, dejaba un vacío dentro de mí asociado a la pérdida.

—Tú ver esta cara, *lah*. ¿Tiene lo que quiere un hombre? —Ah Peng sonrió, pero en la profundidad de sus ojos habitaba un dolor muy antiguo, reflejado a lo largo de años de resignación—. Yo unir Sor Hei hace mucho tiempo. ¿Arrepentir para qué sirve? —Bajo su túnica blanca, su seno montañoso ascendió con un jadeo sísmico antes de calmarse de nuevo—. Aquella mañana, yo encender varilla de incienso y tomar votos ante el altar de Kuan Yin. Mi hermana Sor Hei, Ah Suan, me dice: «Ah Peng, desde este día en adelante, ningún hombre puede traerte tristeza, solo tú misma».

Las articulaciones de sus dedos mostraban nudos de artritis. Su brazalete de jade colgaba suelto en su muñeca; era la única joya que le había visto llevar. Su rostro presentaba arrugas profundas y su cabello, recogido en un moño, estaba completamente gris. ¿Cuándo había envejecido tanto?

De niña, a veces me llevaba con ella a la ciudad cuando visitaba al redactor de cartas. Nos sentábamos a la entrada de Prangin Road sobre taburetes bajos de bambú mientras ella dictaba las noticias que quería contar a su familia, en su pueblo de China, al escribiente, un hombre delgado con una barba gris cuidada que le llegaba hasta el pecho. Y semanas más tarde, cuando recibía una respuesta, la llevaba al mismo redactor de cartas, que escudriñaba el papel y ponía voz a las numerosas pinceladas de caracteres —inscritos por otro escribiente como él— que ni ella ni ninguna otra persona de su familia habían aprendido a descifrar. Se encaramaba en el borde del taburete, las manos metidas entre sus anchos muslos, y su rostro, dependiendo de lo que expresaran aquellos signos, dibujaba sonrisas o se contraía de preocupación y tristeza. De vez en cuando se reía, incluso soltaba carcajadas, pero esos momentos eran raros; en la mayoría de los casos suspiraba o meneaba la cabeza con pena. Parecía tan absorta, tan concentrada mientras escuchaba la voz del hombre, que me regañaba con acritud si me movía nerviosa o me quejaba; no comprendí hasta hacerme mayor que intentaba memorizar las palabras recitadas para traerlas de nuevo a su mente hasta que llegara la siguiente carta de más allá de las montañas y del otro lado de los mares.

Al recordar esos momentos, dije:

—Ah Peng, ¿quieres regresar a tu pueblo? ¿Quieres volver a ver a tu familia?

—Ya morir todos, *lah*. Mi madre, mi padre, mi tía. Mis hermanas no sé dónde están. —Me dio unas palmaditas en la mano y se levantó; sus rodillas crujieron—. Mi familia ahora aquí. —Entró en la casa con sus piernas anquilosadas y su andar patizambo.

El viento azotaba una y otra vez una contraventana sin cerrar en algún sitio de la casa. Rompí la nota y me acerqué a la balaustrada para soltar las persianas de bambú. Los rayos acuchillaban las nubes en el horizonte. Las montañas, el mar y después la playa desaparecían tras la cortina de lluvia a medida que aumentaba la fuerza de la tormenta. Como una acuarela en el papel, el cielo, los árboles, los matorrales e incluso el jardín se diluyeron.

Permanecí allí durante un largo rato, con la mirada fija en el vacío, apenas consciente de que el viento arrastraba la lluvia hacia mis brazos y mi rostro.

Capítulo doce

Willie
Penang, 1921

El sonido de la contraventana golpeando la pared parecía haber viajado desde tiempos lejanos. Se sentó al borde de su cama, frotándose los ojos como para desprender de ellos el sueño. El libro de Geoff cayó sobre la tarima. Lo recogió y lo dejó junto a la fotografía de su madre antes de ir a cerrar la contraventana que estaba suelta.

Las nubes ocupaban el cielo, dejando largos flecos de lluvia. Hoy no habría paseo por la playa.

Después de desayunar, regresó a su habitación para escribir lo que le había contado Lesley y apuntó una lista de preguntas que quería hacerle. Probó algunas ideas sobre cómo quería estructurar la historia, pero se sentía frustrado e inquieto. Ojalá fuera ya de noche para que ella pudiera retomar su relato. No le agradó la interrupción de Gerald, que entró en su cuarto y se dejó caer en la cama.

—Una lluvia torrencial —dijo—. Está lloviendo a mares, ¿verdad? Me recuerda a aquella vez que nos quedamos atascados en Pago Pago. ¿Necesitas que te pase algo a máquina?

—Aún no.

Gerald cruzó las manos detrás de su cabeza y liberó un bostezo lujurioso. Parecía estar conforme con la pobreza recién descubierta de Willie y él se sentía agradecido por ello.

—Lesley me ha estado contando su historia —dijo.

Gerald soltó una carcajada ramplona.

—¿Entonces, a quién se estaba tirando? ¿Al chino ese, Sun? Me apuesto lo que quieras.

Durante un rato, Willie permaneció callado. Sentía que de alguna manera la traicionaría si revelaba su secreto a cualquier otra persona. No obstante, era necesario que supiera cuanto antes que existían muchas probabilidades de que terminara escribiendo sobre ello. ¿Qué otra razón, aparte de su silencio, tenía para haber confiado en él? Era imposible que ignorara que su reputación sería destrozada en pedazos y su matrimonio arruinado si él publicaba la historia que le estaba contando.

—Robert tuvo una aventura hace unos años —dijo Willie finalmente—. Con un hombre chino.

—Oh, Robert me ha echado el ojo desde el día que llegamos aquí —dijo Gerald—. De una manera muy discreta, claro está, pero estoy seguro de que me ha echado el ojo.

—¿Robert? ¿Estás seguro?

—Nuestra *memsahib* siente repulsión hacia la gente con inclinaciones como las nuestras, ¿sabes? Lo oculta bien, pero a mí no me engaña. ¡Y pensar que se ha casado con uno de nosotros! —Gerald rio—. Oh, qué dulce ironía.

Willie aún tenía serias dudas sobre ello. Pensó en los viejos tiempos, cuando había pasado días con Robert: sus veladas frecuentes en el teatro y en la ópera, sus cenas semanales en el club de él.

—Si Robert es homosexual, entonces se camufla mejor que ninguna persona que yo conozca.

—Oh, querido Willie... ¡Y pensar que los críticos dicen que eres cínico!

—Te has equivocado en otras ocasiones. ¿Tengo que recordarte lo del padre Bailey y el estúpido embrollo que armaste? ¿Y aquel terrateniente viudo en Johor? Te iba a disparar.

—Oh, esos jodidos viejos pederastas no querían admitir que me deseaban —se justificó Gerald.

—Para ti todos los hombres son homosexuales y todos y cada uno de ellos quieren acostarse contigo. En especial los tipos que te gustan.

—No me equivoqué mucho contigo, ¿verdad?

Willie giró en su silla, trazando un círculo con parsimonia.

—Robert pretende vender Cassowary House y mudarse a Karoo.

—Está loco.

—No lo está. El aire del desierto podría darle unos seis años más de vida, tal vez más, aunque a Lesley no le hace mucha gracia.

—Bueno, no la culpo —dijo Gerald—. Sé lo que es verse obligado a dejar tu hogar y que no te permitan regresar más.

Willie suspiró. Otra vez con lo mismo, el viejo problema cansino.

—Hice todo lo que pude por ayudarte. Hablé con todas las personas que podrían haber ejercido alguna influencia.

—Bueno, es obvio que no fue suficiente. O no te lo tomaste en serio. No puedo volver a Inglaterra, Willie. ¿Lo entiendes?

—Tú sabes… muy bien que fue tu comportamiento imprudente lo que motivó el destierro —replicó Willie—. Ligar con hombres en un… baño público… Tarde o temprano ibas a acabar detenido.

—Sí, claro, todo porque Gerald no podía mantener su polla dentro de los pantalones. —Se apoyó sobre el cabecero, dobló las rodillas y las rodeó con sus brazos—. No llevo la fotografía de mi madre conmigo a todas partes, Willie, pero eso no significa que no piense en ella. Quiero volver a verla. La echo muchísimo de menos. Si enferma, no podré visitarla o cuidarla. ¿Te das cuenta de que si muere ni siquiera se me permitirá regresar para su funeral?

Gerald apenas hablaba de su madre y Willie nunca le había oído hacerlo con esa intensidad de sentimientos.

—Hemos recorrido el mundo juntos, querido mío —dijo—, y siempre me he sentido agradecido por tenerte a mi lado. Sabes que me daría una gran alegría que pudieras estar en Londres conmigo.

—Es por Syrie. Fue cosa suya. Tu maldita esposa se aseguró de que no pudiera regresar a Inglaterra. Esa puta no te iba a compartir conmigo, qué va.

Willie frunció el ceño; lo cierto es que a veces Gerald podía ser burdo en extremo.

—Haré averiguaciones de nuevo cuando esté en Londres. Hablaré con alguien de las altas esferas.

—Cuando regresemos, quiero decir…, cuando regreses tú a Londres, yo me iré a América.

—No te precipites, Gerald. Te encontraré algo más cerca, París o Ámsterdam. Podríamos vernos una vez al mes.

—He estado pensando estos días. Conozco gente en Nueva York. Allí será fácil conseguir un empleo. Oh, no pongas esa cara, Willie, solo será hasta que te recompongas.

De modo que, ya ha empezado, pensó Willie al contemplar a su joven compañero. Su mayor temor.

Ya entrada la noche, las nubes de lluvia habían avanzado hacia el interior, dejando los cielos despejados una vez más. Encerrado en casa todo el día, Willie accedió sin dudar cuando Robert sugirió una visita al cementerio protestante.

Aparcaron el Humber en la explanada del E&O y cruzaron la transitada carretera hasta el camposanto. El *jaga* tamil estaba a punto de cerrar, pero Lesley le dijo unas palabras en malayo al tiempo que dejaba un puñado de monedas en la palma de su mano. El vigilante abrió las verjas y les dejó pasar.

El ruido del mundo exterior se desvaneció, quedó fuera de los elevados muros del cementerio. En los banianos empapados, un koel hacía sonar su pregunta de tres notas a intervalos regulares, intensificando aún más el silencio. A los ojos de Willie, las tumbas estaban dispuestas sin ningún orden en particular. A medida que penetraban, encontraron las de aspecto barroco y los imponentes monumentos decorados con urnas neoclásicas en los tejadillos. La luz parecía haber envejecido al contacto de las lápidas grisáceas desgastadas por el clima.

Robert clavó su bastón en un pasillo poblado de hierbas entre las tumbas.

—¡Seguidme, chicos! —gritó, y se puso en marcha.

—Ten cuidado, Robert —le advirtió Lesley—, la hierba resbala.

—Cuida de él —le murmuró Willie a Gerald.

Había unas cuatrocientas tumbas en el cementerio, aunque al parecer nadie conocía el número exacto, les informó Lesley mientras caminaban unos pasos por detrás de Robert. Los frangipani, sus ramas cuajadas de flores de color blanco crema, se combaban hacia el sendero.

—Tal vez aparezcan algunas nuevas… durante la noche —dijo Willie.

—Qué ocurrencia tan horrible, Willie. Hoy no podré dormir.

Las tumbas más antiguas databan del siglo XVIII, los últimos lugares de reposo para los misioneros y empleados de la East India Company. Las inscripciones de muchas de las losas envejecidas estaban en inglés, pero Willie reparó en que otras tantas estaban grabadas también en francés, alemán y holandés.

Un recuerdo de su tía Sophie emergió ante él. Solía acompañarla al cementerio detrás de la iglesia de Whitstable. Ella era una mujer austera y circunspecta, y él cargaba con el lastre de su tartamudeo, de modo que el niño y la mujer apenas hablaban. Al principio caminaba a su lado con timidez por el cementerio; entonces, un día estiró la mano para coger la suya. Ella le miró con una ligera expresión de asombro en su rostro, y le respondió con una fugaz sonrisa, casi asustadiza. Desde aquel momento, él siempre la llevó de la mano a cualquier sitio al que acudían juntos, ya fuera el cementerio, la calle o cuando se acercaban al mar a observar el regreso de los barcos de pesca con la marea.

Ahora, décadas más tarde, cuando su infancia quedaba tan atrás, enroscó sus dedos en la palma de su propia mano. Tuvo un repentino anhelo de sentir de nuevo, solo por un brevísimo momento, la mano huesuda y enguantada de su tía en la suya, pero sus dedos se cerraron sobre el vacío.

—No es un lugar para recuerdos felices, ¿verdad? —Lesley se había girado y le observaba. Ni siquiera advirtió que habían dejado de andar—. No habíamos venido aquí desde que Robert regresó de la guerra. Solíamos traer a los amigos que llegaban del extranjero, sobre todo si eran escritores.

—¿Hay escritores enterrados aquí?

—Ahora lo verás; no quiero estropear la sorpresa.

Willie la ayudó a salvar una maraña de raíces de un padauk malayo que sobresalían de la tierra. Sus pies aplastaron las flores de frangipani esparcidas por el suelo y las imaginó suspirando, dispersando un último aliento aromático al aire. Se agachó y recogió una flor. Su forma era perfecta, pero sus sedosos pétalos blancos ya se oscurecían en los bordes.

Chamuscadas por el aire despiadado, pensó. Mientras vivimos, el aire nos mantiene vivos, pero en el mismo instante en que dejamos de respirar, ese mismo aire de inmediato hunde sus dientes en nosotros. Lo que nos preserva vivos al final es lo que también nos consume.

Sumergió la nariz en la flor de frangipani e inhaló profundamente desde su corazón embadurnado de amarillo. Se la ofreció a Lesley, pero puso mala cara y se apartó de él.

—Mi *amah* solía advertirme de que, si hueles una pizca de su perfume por la noche, significa que hay fantasmas cerca.

—Bueno —dijo Willie—, al fin y al cabo, estamos en un cementerio.

Se detuvieron frente a una tumba custodiada por un ángel de mármol; su boca abierta interpretaba un lamento eterno y silencioso. Los ojos de Lesley trataban de hallar las cruces de granito y los querubines petrificados. Parecía haber localizado lo que buscaba. Haciéndoles señas para que la siguieran, enfiló por un sendero medio escondido entre las tumbas. En un par de ocasiones el sendero se perdió por completo y sus acompañantes tuvieron que trepar por entre las tumbas. Llegaron a un antiguo baniano, sus grandes ramas extendidas se sostenían sobre gruesas columnas de raíces. A Willie no le hubiera extrañado ver a un faquir con las piernas contorsionadas en la posición de loto, meditando bajo el árbol, vagando a través del espacio y el tiempo en el universo de su mente en busca de los secretos de la eternidad. A la sombra del baniano descansaba una docena de tumbas. Eran pequeñas y modestas, y las líneas verticales de los ideogramas chinos estaban trazadas en las lápidas de manera tan precisa como la sutura de un cirujano.

—Te conté la otra noche que Sun Wen y Robert hablaron sobre la rebelión Taiping —dijo Lesley.

—Su líder era aquel loco que creía ser el hermano pequeño de Jesucristo, ¿no es así? —Asintió.

—Cuando los rebeldes fueron derrotados, muchos tuvieron que huir para salvar su vida. Algunos pudieron abrirse camino hacia los mares del sur y llegaron a Penang. Echaron nuevas raíces en la isla; crearon nuevas vidas aquí. —Se detuvo ante una de las lápidas—. Esta de aquí es de madame Cheah. Fue soldado en el ejército de Taiping.

—¿Una mujer?

—¿Por qué no? Los Taiping pensaban que una mujer podía ser tan buen soldado como un hombre. —Miró hacia atrás y vio a Robert y Gerald estudiando a cierta distancia las inscripciones de un sepulcro. Y añadió—: Ella era la abuela de Arthur Loh. Cuando Sun Wen escuchó hablar de ella, le pidió a Arthur que le trajera aquí. Quería presentar sus respetos a los rebeldes. Geoff y yo le acompañamos.

El crepúsculo teñía de rojo los límites del cielo mientras retomaban el camino y alcanzaban a Robert y a Gerald, que esperaban junto a una tumba rectangular.

—¡Vosotros dos, vamos! ¡Dejad de perder el tiempo! —gritó Robert. Puso su mano encima de la tumba—. Aquí está, el mismísimo viejo Francis Light.

—¿De quién se trata? —preguntó Willie.

El bloque de granito medía más de medio metro por setenta y cinco centímetros y le llegaba casi hasta los hombros. Las hojas y flores secas de frangipani habían ensuciado el tejadillo y un caracol se deslizaba por uno de sus laterales.

—Uno de los dos hombres que hicieron de Penang lo que es en la actualidad —Robert hizo un tibio esfuerzo por barrer las hojas de la tumba con su bastón—. Francis Light fue un tipo listo que alquiló la isla al sultán de Kedah para construir un almacén de avituallamiento para los clíperes de la East India Company.

—«El primero en instituir esta isla como colonia británica» —dijo Willie, recitando la inscripción grabada en un lado de la tumba—. ¿Quién fue el otro?

En lugar de responder, Robert se puso en marcha para adentrarse más en el cementerio, señalando con su bastón las lápidas de ambos lados al pasar junto a ellas.

—Colonos, cultivadores de nuez moscada, misioneros, marineros, soldados, comerciantes y canallas —dijo—. Aquí se puede indagar en la historia de la isla. Esta de aquí es de un tipo llamado Thomas Leonowens, una especie de empleado de segunda categoría, creo. Su mujer aceptó un empleo como institutriz de los hijos del rey de Siam. La gente decía que era mestiza; al parecer, su madre era anglo-india. Tenemos una copia de sus memorias, si las quieres leer, Willie. Debo confesar que son algo deprimentes e insípidas. Pero, esto es lo que te quiero mostrar, como respuesta a tu pregunta.

Dio unos golpecitos con su bastón a un lado de una tumba. Era apenas más pequeña que un carruaje de caballos de dos ruedas. En el tejadillo, encaramado en el medio como un pomo sobre la tapa de una mantequera, había una urna de piedra.

—James Scott, el socio de Francis Light. —Los ojos de Robert recorrieron la tumba maravillados—. Juntos fundaron Penang. Era primo de sir Walter Scott y antepasado de uno de mis tíos. Te hablé sobre él en Londres, Willie, ¿lo recuerdas? Crecí escuchando hablar de sus hazañas. Me hizo sentir deseos de viajar al este. Se podría decir que él fue la razón de que acabara aquí. —Esbozó una sonrisa triste—. Recuerdo lo que *Waverley* significó para ti, Willie.

El aludido rodeó el monumento funerario. Lo último que esperaba encontrarse en una tumba en Penang era un vínculo, por tenue que fuera, con el escritor escocés. Recordó su infancia infeliz con sus tíos en Whitstable. De niño, como huérfano, había encontrado consuelo en los libros, y aprovechaba cualquier oportunidad para leer, incluso en secreto los domingos, algo que el tío Henry tenía estrictamente prohibido. *Waverley* fue la primera novela que leyó; a la edad de doce años ya había devorado todas las obras de Scott.

—Tiene el doble del tamaño de la tumba de Scott —dijo Willie, tras concluir sus divagaciones.

—Bueno, este Scott fue el terrateniente más importante de Penang —comentó Robert.

—Cuéntales cómo lo hizo —sugirió Lesley, y continuó ella misma antes de que Robert pudiera responder—: Light tuvo hijos con una mujer con la que nunca se casó, Martina Rozells. Era euroasiática, portuguesa y siamesa, dicen. Scott la estafó con las propiedades que Light le había dejado en su testamento, Willie. Ella luchó contra él en los tribunales, pero, por supuesto, dictaminaron en su contra.

—En esos tiempos el mundo era diferente —dijo Robert.

—Yo no creo que haya cambiado mucho —apuntó Lesley—. ¿Y tú? —Se dirigió hacia una tumba sencilla y de pequeño tamaño bajo un árbol samán—. A ver si puedes descifrar lo que pone aquí, Willie —gritó por encima de su hombro.

Las raíces del padauk prácticamente habían arrancado la lápida de la tierra. Cuajada de pequeños cogollos de liquen, su simplicidad atrajo al escritor. Muchas de las letras y números ya se habían hundido bajo la piedra y lo que quedaba aparecía desgastado en la superficie.

A NA HAMM ND I 97 - 18 I
H R SU I GO E DO N WH E IT WA YE DY

Willie se agachó y repasó las hendiduras poco profundas con la punta de su dedo índice, acariciando los espacios en blanco entre las letras.

—El nombre es bastante fácil —dijo—, Anna Hammond.

—¿Y la segunda línea? Yo no he podido descifrarlo.

Él estudió la lápida de nuevo y dio con la respuesta al cabo de un minuto. Los fantasmas de los caracteres se materializaban una vez más en los espacios vacíos.

—«Su sol se puso siendo aún de día» —dijo—. Jeremías 15: 9.

—«Su sol se puso siendo aún de día» —repitió Lesley—. A ti se te da bien interpretar las palabras.

—Ya te lo dije, mi tío era vicario. No me estaba permitido leer nada los domingos excepto la Biblia. —Willie se agarró de las esquinas de la lápida y se impulsó para ponerse en pie.

—Lo único que queda de la vida de una mujer, de la historia de una mujer, unas pocas líneas borrosas con palabras omitidas —sentenció Lesley, pasando la palma de su mano sobre el borde de la lápida—. Un cementerio no es un sitio donde se recuerda a los muertos, sino un lugar donde son olvidados.

Robert ladeó la cabeza en dirección a las verjas del camposanto.

—El *jaga* nos llama. Será mejor que nos marchemos antes de que nos encierre y tengamos que pasar aquí la noche.

Vigilados por los ojos blanquecinos del querubín de piedra, enfilaron hacia la entrada. Willie se volvió para echar un último vistazo. El *jaga* cerró las verjas de hierro, corrió el cerrojo y colgó la llave oxidada en torno a su cuello. Reposaba sobre su pecho como un amuleto. A continuación, el anciano se giró y caminó hasta su choza bajo los banianos.

Capítulo trece

Lesley
Penang, 1910

Nunca sabré cómo conseguí sobrevivir el resto de aquella noche, cómo no me convertí en una lunática delirante solo de pensar en la aventura de Robert con Peter Ong. Sin embargo, debí de dormir bien porque a la mañana siguiente me desperté con una sensación de claridad que no había sentido en muchos años. Sabía lo que tenía que hacer.

Después de dar de comer a mis hijos, se quedaron con Ah Peng y pedí a los sirvientes que me trajeran el baúl de madera de alcanfor del trastero. Fui sacando capas de ropa y sábanas viejas hasta encontrar lo que buscaba en el fondo. Lo desdoblé y lo llevé junto a la ventana, sujetándolo a la luz. La *kebaya* estaba arrugada, pero me alivió ver que no se había descolorido. La olisqueé. El olor del alcanfor era fuerte, pero una hora o dos al sol lo eliminaría.

Desde que era una niña, había envidiado a las *nyonyas* por sus *kebaya*s, pero madre nunca me permitió llevar una. Solía dibujarlas en mis cuadernos y crear mis propios diseños.

La *kebaya* de las *nyonyas*, al igual que la de las familias chinas del Estrecho, había absorbido influencias de los malayos, los siameses, los javaneses, los chinos e incluso de los europeos. La blusa de manga larga se estrecha en la cintura y llega hasta las caderas, pronunciando las curvas femeninas, y al mismo tiempo asegurando a las mujeres un aspecto elegante y refinado. Es de gasa, se lleva sobre una camisola y hace juego con un *sarong*[1]. Después de casarme con

[1] El *sarong* es un pareo. *(N. de la T.)*.

Robert, encargué a una viuda de Kimberly Street que cosía para las familias chinas de los Estrechos que me hiciera una. Estaba basada en uno de mis diseños.

«Pareces una maldita nativa», había dicho Robert cuando me vio. Al final, después de ponérmela unas cuantas veces, la guardé.

Mi *kebaya* era la sombra de un joven bambú. Flores bordadas de verde oscuro y amarillo resplandecían en las solapas; los helechos se abrían desde los extremos de las mangas y se enroscaban desde el dobladillo. La camisola de color crema pálido y el *sarong* verde oscuro también estaban en el baúl.

Estrujé la ropa contra mi cuerpo, sonriendo al comprobar que aún me servía. Rebusqué hasta encontrar la bolsa de algodón que contenía un par de zapatos de tela con cientos de diminutas y coloridas cuentas de cristal; *manek-manek*, recordé su nombre malayo.

Llamé a Ah Peng a mi habitación y le pedí que aireara la *kebaya* y todo lo demás poniéndolo al sol antes de plancharla.

—Esta tarde voy a una merienda que dan para Sun Wen —dije—. Le estamos ayudando a recaudar fondos.

—¿Vestida con esto? —Sostuvo las prendas en alto—. *Liu Siau-ah?*

—Sí, sí, me he vuelto loca, mi cabeza está llena de viento —respondí en hokienés, al tiempo que la echaba del cuarto.

Después de comer me probé el conjunto. Enganché la parte delantera de la *kebaya* junto con el *kerongsang* con un trío de broches de orquídeas de plata unidos por una cadena fina. El tacto del *sarong* contra mis muslos era refrescante y suave, pero también estrechaba mis zancadas, y los zapatos *manek-manek* eran tan delicados que temía cargar todo mi peso sobre sus suelas. Una vez completa la vestimenta, las prendas me obligaban a moverme con una gracia lánguida, tal como una *nyonya* sin nada con que llenar sus días, salvo practicar los juegos de cartas *pua' chiki* y cotillear y regañar a la nuera.

Era demasiado complicado hacerme un peinado al estilo *nyonya* —un recogido alto con un círculo de horquillas enjoyadas—, de modo que me hice un moño sencillo. Al terminar, me estudié en el espejo de cuerpo entero. Me gustó lo que vi.

Antes de salir de casa pasé por el cuarto de los niños para darles un beso a mis hijos. James me miró boquiabierto.

—Estás guapa, mamá —dijo.

Edward, por su parte, abrazó su conejo de peluche y empezó a llorar al verme. Ah Peng le cogió en brazos, meciéndole con delicadeza, y me tendió un sobre. La miré con expresión interrogante.

—Yo, Ah Keng y los demás sirvientes hemos reunido dinero para dárselo al doctor Sun —dijo. Se lo agradecí y guardé el sobre en mi bolso. Mientras salía, añadió—: Ningún hombre te puede causar tristeza, tan solo tú misma.

La carretera junto a la casa adosada de Arthur en Leith Street estaba atestada de taxis tirados por caballos y carruajes de dos ruedas. Sus *syces* estaban en cuclillas bajo la sombra de los árboles, fumando *kretec* o leyendo periódicos. Sentí sus miradas sobre mí mientras recorría el corto camino de acceso a la entrada principal y oí un par de comentarios burdos en hokienés que me ruborizaron. Arthur se encontraba ante las puertas dando la bienvenida a sus invitados. Sus ojos se agrandaron ligeramente cuando me vio ante él.

—Cambié de opinión —dije.

Sonrió, hizo un *salam* elaborado y me acompañó hasta el interior. Había veinte o treinta personas reunidas en el salón de invitados, hablando y riendo. Al recorrer la habitación con la mirada, reparé en que yo era la única *ang moh.* Una mujer con las manos suaves y el rostro endurecido de los ricos me examinó de la cabeza a los pies. Apreté mi bolso contra el estómago y sonreí; asintió con elegancia y retomó la conversación con sus amigos. Ah Peng tenía razón, fue una insensatez ponerme la *kebaya.* Había cometido una locura viniendo aquí.

Me di la vuelta para marcharme, pero Arthur me detuvo.

—Sun Wen llegará pronto —me dijo—, y tu hermano también viene.

—¿Dónde está tu mujer? Me gustaría conocerla.

—Se llevó a nuestra hija a casa de mis padres. No quise que nos molestara. —Su atención se distrajo por la llegada de otros invitados a la entrada principal.

—Adelante. —Le hice un gesto indicándole que fuera a recibirlos; yo estaría bien.

Al mirar a mi alrededor de nuevo, reconocí a una mujer joven del Tongmenghui sentada a una mesa en una esquina. Me saludó con timidez y me sentí reconfortaba al ver una cara conocida. Los folletos y cuadernillos se disponían en filas ordenadas encima de una mesa; había también un libro de contabilidad abierto para que los invitados registraran sus aportaciones.

—¿Cuánto has recaudado, Ah Ying? —pregunté.

Deslizó su mano con expresión indignada sobre las páginas en blanco del libro de contabilidad. Le entregué el sobre de dinero que me había dado Ah Peng. La observé mientras apuntaba los nombres de los donantes y la cantidad con letra cuidada y después le pedí la pluma. Escribí el nombre de Robert y el mío en la página y anoté una cifra que la dejó boquiabierta.

—Eso avivará el fuego —dije.

Me retiré a un rincón del salón con una copa de vino. Las ventanas estaban abiertas, la brisa de última hora de la tarde inflaba las cortinas. La casa de Arthur era similar a la de los clientes de Robert de la colonia china del Estrecho, reflejaba la combinación de mundos orientales y occidentales en que vivían. Las sillas de madera curvada y las mesas de medialuna, con incrustaciones de madreperla, estaban alineadas contra las paredes decoradas con azulejos en la mitad inferior. Dominaba el salón una mesa grande y redonda con la encimera de mármol, un florero Epergne de cristal en forma de cisne en el centro. Las baldosas del suelo, de Stoke-on-Trent, presentaban un diseño floral que se repetía. Cerca de los techos provistos de vigas se habían abierto orificios de ventilación en forma de murciélago —porque, según me explicó una vez un cliente de Robert, esta palabra en hokienés suena parecida al término «riqueza»— para facilitar que el aire circulara y enfriara la casa. El salón de invitados se abría a dos salas de estar, ubicadas en cada uno de sus laterales. Una, amueblada en estilo oriental para la familia y los amigos asiáticos; la otra, de estilo europeo, para recibir a sus amigos *ang moh.*

Un par de fotografías enmarcadas sobre una mesa de medialuna llamaron mi atención. Una era de Arthur con un chaleco y frac oscuro, de pie, detrás de su esposa; ella estaba sentada en un sillón de ébano, con el traje de novia, su rostro oval muy empolvado y un círculo de horquillas de plata moldeando su cabello en un moño elaborado. La otra los mostraba con un bebé en brazos. Recordé que, según me dijo, la niña había cumplido cinco años hacía unas semanas.

De los fragmentos de conversaciones que capté a mi alrededor, concluí que todos se movían en los mismos círculos; viajaban con regularidad a Singapur, Londres y Europa. Al igual que Arthur, hablaban sin el acento local, lo que me recordó cómo mi madre nos reñía a menudo para que Geoff y yo creciéramos hablando con el acento apropiado y no sonáramos como asiáticos. Si cerraba los ojos, podía regresar a una sala llena de *tuan besars*[2] y *mems* que intercambiaban información sobre lo que habían hecho durante sus vacaciones en Inglaterra.

Me alegré de ver a Geoff. Le saludé con la mano y se abrió camino hacia mí entre los invitados. Mi hermano era mucho más alto que el resto de la gente que ocupaba el salón, y no era ajeno a las miradas de admiración de las mujeres; siempre había sido así, desde que éramos niños.

Me dio un beso rápido en la mejilla, se echó ligeramente hacia atrás y enarcó una ceja mientras me miraba.

—¿Qué es esto? ¿Ahora vistes como una nativa? Casi no te reconozco, aunque debo decir que estás deslumbrante.

—Bueno, tú estás… diferente. Y no me refiero al traje. Pareces… de alguna manera más claro. Más definido. Más nítido. Qué raro… —Geoff encendió nuestros cigarrillos y observó la sala—. ¿Y Robert, está aquí?

—Está en Kuala Lumpur. Se fue ayer. —El humo del cigarrillo dejó un velo frente a mi rostro, y añadí con calma—: Se llevó a su amante con él. —Di una calada al cigarrillo y liberé otra nube de humo—. Su amante chino.

Mi hermano me clavó una mirada cautelosa, como si acabara de comprender que estaba en presencia de un animal feroz. Me gustó. Me hizo sentir poderosa, alguien con quien no se juega.

—¿Cómo te has enterado?

—Su catamita le dejó una nota. Una nota bastante dulce, por cierto.

[2] Denominación de los jefes europeos en la Malasia colonial. *(N. de la T.).*

Geoff dio un respingo.

—Preferiría que no usaras esa palabra.

—¿Qué hay de malo en la palabra «nota»?

Muy a su pesar, soltó una carcajada.

—A veces creo que madre tenía razón: una mujer no debería recibir demasiada educación ni tener un vocabulario extenso.

—Idiota.

Le golpeé con suavidad en el brazo.

—Estoy conmocionado, absolutamente conmocionado de que conozcas una palabra como «catamita». ¿Qué libros inapropiados has estado leyendo últimamente, jovencita?

—He seguido el proceso de Wilde, ¿sabes?, como todo el mundo. —Robert había estado absorto en los juicios, leyendo los diarios con avidez todas las mañanas, y ahora entendía por qué—. La sola imagen de mi esposo en la cama con otro hombre… —me estremecí—, y además chino…

—Ahora que lo sabes, tu argumento para un divorcio es mucho más fuerte. Incontestable, diría yo.

—¿Estás loco? Yo no quiero que mis hijos crezcan sabiendo que su padre es… —No podía articular la palabra en voz alta, ni siquiera ante mi propio hermano.

—Estoy seguro de que él tampoco querría que lo supiesen, de modo que es bastante improbable que se opusiera al divorcio.

—Todo se acabará sabiendo, Geoff. Siempre sucede así. El barro se quedará pegado a nosotros. Nunca se limpiará. Nunca.

—Entonces, ¿qué es lo que vas a hacer? ¿Quedarte encerrada en un matrimonio muerto para el resto de tu vida?

Soplé con suavidad la punta luciente de mi cigarrillo; el anillo de fuego se iluminó, devorando el papel.

—¿Encerrarme? En absoluto. De hecho, todo lo contrario. Siento como si me hubieran liberado de una prisión en la que nunca me di cuenta de que me habían encerrado. Es extraño, ¿verdad? ¿Sabes cuánto alivia comprender por fin que no es culpa mía que mi matrimonio haya fracasado?

—Tampoco lo llamaría fracaso.

—Los envidiables señor y señora Hamlyn, con su matrimonio perfecto.

—Ningún matrimonio es perfecto, Les.

—Supongo que conoces a muchos maridos que engañan a sus mujeres.

—También conozco mujeres que engañan a sus maridos.

—Pero no muchos casos en los que el esposo se acuesta con otro hombre, estoy segura.

—No es común, lo reconozco, pero tampoco es algo inaudito.

Fijé los ojos en él con una mirada penetrante.

—No le serás infiel a Penelope, espero…

—¿Yo? Dios me libre. La *memsahib* me castraría con un machete si la engañara con otra mujer, o con un hombre o con un coco. —Su voz se volvió grave—. Detesto…, detesto en extremo a la gente que es infiel. Recuerda cómo nuestro querido padre solía hacer sufrir a madre.

—Con todo, no te he oído objetar a la infidelidad de Sun Wen.

—Él no oculta a Chui Fen a su esposa, ¿verdad? Y, de cualquier manera, es chino, es su costumbre tener muchas mujeres. Es poligamia, no adulterio.

—Eso es hilar fino.

Suspiró.

—Mira, Les, no lo apruebo, pero hay problemas mucho más graves en juego, problemas importantes.

—Ya está aquí —dije.

Hubo un bullicio en la sala mientras los invitados dejaban paso a Arthur y a Sun Wen. Ambos hombres se detuvieron bajo la lámpara de araña en el centro de la estancia y observaron los rostros a su alrededor.

—Mis queridos amigos —anunció Arthur—, el hombre al que todos hemos venido a ver, el doctor Sun Yat Sen.

Arthur se retiró a un lado, dejando a Sun Wen solo en el centro del corrillo. El revolucionario agradeció el aplauso dirigiendo una sonrisa leve a algunas mujeres y gestos de asentimiento a los hombres. Vestía su acostumbrado traje gris con el chaleco a juego y exhibía su cabello engominado con raya al lado hecha con precisión y su bigote meticulosamente recortado. Sin embargo, su rostro parecía más demacrado de lo que recordaba, como si le hubieran extraído la carne de las mejillas con una cuchara.

Un silencio expectante se apoderó del salón, sin embargo, esperó, alargando el momento para acrecentar el interés. Y entonces comenzó a hablar. Era la primera vez que le oía pronunciar un discurso en inglés. Tenía una seguridad y una convicción naturales y sus palabras nos hacían viajar por la turbulenta historia de China; describió la forma en que su país se había deteriorado hasta su estado actual, y concluyó señalando el papel vital que los chinos de ultramar debían desempeñar para restaurar la gloria de la nación, la patria de todos los hombres y mujeres chinos en todo el mundo.

—Por el bien de nuestra amada China, por el bien de la propia vida de nuestra patria, apelo a todos ustedes, mejor dicho, les ruego, que aporten todo lo que puedan. Nuestros camaradas en el extranjero, personas como las que hoy están aquí —los ojos de Sun Wen parecían encender los rostros que tenía delante—, sacrifican su dinero. Sin embargo, nuestros camaradas en China sacrifican sus vidas.

Una ronda de aplausos respetuosos estalló de nuevo, pero me preguntaba, mientras me limpiaba las lágrimas del rabillo del ojo con discreción y miraba a mi alrededor, cuánta simpatía habría logrado suscitar en los corazones de estas personas.

Los criados traían más vino y más comida, y el ambiente se animó. Podían pasar por hermanos fácilmente, pensé, mientras observaba a Arthur presentando a sus amigos a Sun Wen.

—Qué elegante estás, Lesley —comentó Sun Wen cuando por fin se unieron a nosotros—. Los invitados no pueden dejar de mirarte. ¿Verdad que está preciosa, Arthur?

—Hace tiempo que no nos visitas —dije, consciente del rubor en mis mejillas—. Debo pedir disculpas por lo que dijo Robert. Espero que no nos guardes rencor.

—Claro que no. Ambos estáis siempre en mis pensamientos, pero hay cientos de asuntos urgentes que requieren mi atención. ¿Te he contado que vamos a publicar nuestro propio periódico? ¿No? Se llamará *Kwong Wah Yit Poh - Glorious China Daily*. Y, además —una gran sonrisa transformó su rostro—, por primera vez en veinte años, mi familia vuelve a estar reunida.

—Me alegro muchísimo por ti, Sun Wen —dije.

Su mujer y sus dos hijas habían llegado a Penang hacía unos días. Toda la familia, incluyendo a Chui Fen, vivía en el *bungalow* de Dato Kramat Road. Tan solo su hijo, que seguía en Honolulu, faltaba en la reunión familiar.

—Una parte de mí desea que las cosas vayan más rápido, pero otra parte quisiera que el tiempo se ralentizara, incluso que se detuviera por completo, para que pudiéramos estar juntos más tiempo. —Suspiró—. Mis hijas crecen muy rápido.

Una mujer delgada, con estilo, se abrió paso hasta nuestro pequeño grupo.

—Un discurso conmovedor, doctor Sun —dijo ella, agitando la boquilla de marfil entre sus dedos—. Diana Chua, la esposa de David Chua. Dígame, ¿cuál es su punto de vista sobre las *suffragettes*? ¿Se les permitirá votar a las mujeres de su nueva China?

—Siempre he creído que los hombres y las mujeres son iguales. —Sun Wen me dedicó una mirada cargada de sarcasmo, como si me retara a contradecirlo—. En nuestra nueva China, en nuestra nueva república, sí se les permitirá.

—Desde luego es usted más inteligente que nuestra querida reina Victoria. ¿Sabe lo que dijo? Que los derechos de las mujeres son una «insensatez malvada». ¿Se lo puede creer?

—Bien, entonces, Diana —dijo Arthur—, será mejor que logre que David sea generoso con nosotros.

—Mi pobre David estaría horrorizado si llegara el día en que su esposa fuera considerada su igual. Como yo; todos sabemos que yo soy superior, ¿no es así, Arthur?

—Eso es lo que siempre nos dices, Diana —confirmó el aludido.

La tormenta inminente proporcionó la excusa perfecta a los amigos de Arthur para empezar a marcharse. La mayoría pasó por delante de la mesa de registro de donativos sin tan siquiera mirar. Geoff había prometido encontrarse con su mujer en el Penang Club.

—Y a la *memsahib* no le gusta que la hagan esperar —dijo, disculpándose.

Al cabo de unos minutos, Sun Wen y yo éramos los únicos que quedábamos. Los sirvientes empezaron a recoger, de modo que nos trasladamos a la sala de estar —a la europea, concluí por el estilo de su decoración—. Podía oír a Arthur bromeando con sus invitados mientras los acompañaba a la salida.

—Venir aquí ha sido una pérdida de tiempo —dijo Sun Wen.

—Oh, no digas eso. Hoy has convencido a mucha gente.

—La situación en China empeora cada día y yo estoy aquí atrapado, mendigando migajas de estas personas ricas y malcriadas. —Caminó inquieto por la sala—. Esta gente no siente nada por China, por su dolor. Lo único que les importa es Inglaterra, la maldita Inglaterra.

—Al menos tu familia está contigo de nuevo —dije, tratando de aliviar su mal humor.

Cogió un libro de una mesa auxiliar y lo volvió a dejar en su sitio.

—Tengo que pedirte un favor, Lesley.

Una de las cosas que había descubierto de Sun Wen es que no mostraba timidez cuando quería algo.

—Sabes que estaría más que feliz de ayudar en lo que pueda.

—Quiero matricular a mis hijas aquí en un colegio, el mejor.

—Bueno, en realidad no hay ninguno mejor que el Convent Light Street —dije—. Soy una antigua alumna y solía dar clases allí.

—¿Podrías hablar con alguien?

—Hablaré con la directora, la hermana Mathilda querrá saber durante cuánto tiempo estarían inscritas.

—Quiero que completen su escolaridad aquí.

—¿Qué sucederá cuando regreses a China? ¿Dejarás a tus hijas aquí?

—El Gobierno se está acercando a su fin. Un empujón poderoso y coordinado, y se desmoronará —dijo—. Pero un animal moribundo usará la fuerza que le reste para luchar, para repeler el golpe final. Será un esfuerzo desesperado. Mi vida está más amenazada que nunca, pero sé que mis hijas estarán a salvo en Penang. Aquí tenemos amigos. Amigos muy queridos como tú y Robert.

Arthur entró en la sala de estar en ese momento.

—Ya se marchó el último que quedaba. ¿Alguien quiere tomar algo más?

—¿Hablaste con tu padre? —preguntó Sun Wen.

—Me temo que aún está muy indeciso.

—Dile que le garantizo los derechos exclusivos para la importación de caucho durante tres años si nos dona sesenta mil dólares.

Durante las últimas semanas, había empezado a notar que Sun Wen consideraba a los chinos de ultramar principalmente como una fuente de dinero para exprimir. Intenté no juzgarlo, pero su actitud interesada me hizo sentir incómoda.

—Debo irme —dijo—. No hace falta que me acompañes, Arthur. —Hizo una sutil reverencia y se marchó.

Me dirigí a las estanterías. Siempre había disfrutado de la ligera emoción voyerista de ver lo que leían otras personas.

—Tienes una colección de Somerset Maugham bastante impresionante. —Señalé una fila de libros en uno de los estantes—. Tan buena como la de Robert.

—Todo lo que ha escrito. Cuando estudiaba en Londres iba a la representación de todas sus obras de teatro. Recuerdo una temporada en la que se estrenaban cuatro en el West End al mismo tiempo. Nadie había logrado eso antes.

—Es un viejo amigo de Robert.

—¿Lo has conocido?

—No, no se encontraba en Londres cuando estuvimos nosotros.

Arthur deslizó sus dedos por los lomos de los libros y preguntó:

—¿Cuál es tu favorito? ¿*La señora Craddock* o *El carrusel*?

—En realidad ya no me gusta.

—Sun Wen tenía razón, ¿sabes? —Su voz era tenue, aunque podía escucharla con claridad—. No podían apartar sus miradas de ti.

Mi cuerpo parecía liviano, casi ingrávido, cuando me giré hacia él. En silencio, nos miramos, cada uno esperando a que el otro hablara o se moviera.

—La casa de las puertas —dije, con suavidad.

Tomamos los *rickshaws* por separado. Las calles estaban desiertas, el viento arremolinaba las hojas caídas, dispersando arenilla hacia mis ojos. En las nubes bajas y negras, los truenos acechaban como un dios voraz. Muchas de las casas-tienda de la ciudad ya se habían cerrado para protegerse de la tormenta.

Al irme yo primero, llegué antes que él. Inserté en la cerradura la llave que me había dado —tuve que manipularla unas cuantas veces antes de que se abriera— y me deslicé dentro, cerrando enseguida. Tenues esporas de polvo daban vueltas en la pálida luz. En el comedor, las puertas crujían discretamente mientras giraban en el aire.

El *guzheng* aún descansaba sobre su peana. Toqué una cuerda, tensionando una nota solitaria —un mi— en la quietud. La toqué una y otra vez; las notas sonaban ásperas. Me detuve de forma abrupta, apretando los puños. Esto está mal. No debí venir. Debo marcharme de este lugar ahora, de inmediato.

Sin embargo, no me moví; me quedé allí, contemplando las puertas que se mecían por encima de las baldosas. El cielo se abrió en jirones y la tormenta rugió a través de los conductos de ventilación. El diluvio era tan fuerte que era como si me hallara frente a una catarata cuyas gotas dispersas me estuvieran mojando brazos y rostro.

Vi a Arthur entrar en el comedor. Se deslizaba entre las puertas flotantes abriéndose paso, apareciendo y desapareciendo mientras se abrían y se cerraban. Y entonces, se mostró ante mí, su cabello goteaba y la lluvia había aplastado su camisa contra su cuerpo. No hablamos, no murmuramos una sola palabra, aunque con la tormenta tampoco nos hubiéramos oído. Observé su mano subir desde un lado de su cuerpo y alargarse más allá de mi rostro. Me atrajo hacia él y me besó en los labios.

El tiempo se detuvo. Finalmente, abrí los ojos y me aparté de él. Tan solo era consciente de la cadencia atropellada de mi corazón y de mi respiración acelerada y trabajosa. Me pasé la lengua por los labios; tenían un sabor que no había probado nunca, un sabor muy diferente a los de Robert. Entonces advertí que ya no recordaba a qué sabía la boca de mi marido; lo había olvidado años atrás.

Le seguí por la escalera de caracol hasta una habitación iluminada solo por las finas ranuras de luz que se colaban por las contraventas. En el centro había una cama de matrimonio, el cabecero de bronce, desolado, como los restos de un buque naufragado que reposaran en el lecho oceánico. En la pálida media luz nos desvestimos y nos buscamos el uno al otro.

Abrí los ojos, desorientada por la ausencia de sonido. La lluvia había parado hacía un rato y las sombras en los extremos de la habitación se habían intensificado. Mis ojos se cerraban de nuevo cuando me sacudió un pánico repentino: había estado fuera de casa toda la tarde.

Salí de la cama y me empecé a vestir a toda prisa. Mis dedos se enredaron con el *kerongsang*, dejándolo caer. La frustración me hizo gritar. Arthur puso sus manos en las mías, recogió los broches del suelo de madera y, con movimientos hábiles, los prendió en las solapas de mi *kebaya*.

Frente a la puerta principal de la casa le tendí la llave, la llave alargada y fina que había utilizado para entrar. Fijó su vista en ella y después me miró a mí. Abrí mi bolso y la introduje en su interior.

La gente empezaba a salir de sus casas, las familias daban su paseo vespertino en la calle, disfrutando del aire puro y fresco. En el *goh kaki* dudé, agobiada por mi resistencia a marcharme de aquel lugar. El mundo aún parecía el mismo, sin embargo, el diseño de su entramado ahora era diferente. Había pasado una eternidad desde que entré en la casa. Todo había cambiado y nada se podía revertir.

Me puse en marcha hacia Armenian Street. Al pasar por el estudio de un fotógrafo en la esquina de Victoria Road, me detuve para examinar los retratos de boda de las parejas de las colonias chinas del Estrecho en el escaparate; las mujeres *nyonya*, majestuosas en sus *kebayas*, y los hombres *baba*, solemnes con sus trajes occidentales. Empujé la puerta y entré. El chino detrás del mostrador alzó la mirada de su periódico, su expresión aburrida no se alteró lo más mínimo al reparar en mí.

Me llevó delante de un tocador con tres paneles de espejos para mostrar las horquillas enjoyadas que llevaban las mujeres *nyonya*. Me hizo un gesto para que me sentara en el sillón de madera curvada, pero elegí quedarme de pie. Esperé mientras revelaba la placa. Cuando estuvo lista puso la impresión y el negativo en un sobre y me los entregó.

Las luces de las casas-tienda ya se habían encendido cuando me marché. Los vendedores ambulantes prendían sus estufas de carbón y colocaban las mesas y sus utensilios en las aceras. El mercado nocturno cobraba vida, hombres y mujeres intercambiaban chascarrillos, bromas e insultos ordinarios mientras montaban sus puestos. Hice señas a un *rickshaw* y le indiqué al tirador que me llevara a casa.

A pesar de la información recién descubierta sobre mi marido, me sorprendí a mí misma saludándole con calma cuando regresó de Kuala Lumpur, incluso dándole mi acostumbrado beso en la mejilla cuando entró en casa.

—¿Ganaste? —Hice un ademán al sirviente para subiera su equipaje.

—Por supuesto. Arrasé a Harrison de manera irrevocable. Se quedó lívido, totalmente lívido. Su cliente tampoco parecía contento con él. —Echó un vistazo a su alrededor—. ¿Dónde están los pequeños granujas? Llevémoslos a nadar, ¿quieres?

Jugamos en la parte poco profunda del agua hasta el anochecer. Robert me sonreía cada vez que hacía chillar a nuestros hijos de falso terror, y yo no podía dejar de pensar en los primeros tiempos de nuestro matrimonio. Me parecía que había pasado una eternidad.

Si Robert detectó cualquier cambio en mí, no hizo ninguna mención al respecto, ni siquiera de forma indirecta. Me sentía… radiante… por mi tarde con Arthur, como si me hubiera quedado dormida al sol demasiado tiempo, y estaba segura de que era visible para todo el mundo a mi alrededor. Ahora era una adúltera.

II

Iba al club de lectura dos días a la semana. Era como estar en el purgatorio, sentada ante la mesa alargada del comedor con los demás, fingiendo interés en mi trabajo, cuando ardía en deseos de estar en la cama con Arthur. En torno a media mañana, me marchaba del club y bajaba la calle dando un paseo hasta la Casa de las Puertas, tratando de ocultar a cualquiera que me viese que tenía una prisa tremenda. Arthur y yo nunca llegábamos a la vez y, salvo por nuestras mañanas en el club de lectura, yo era inflexible en cuanto a dejarnos ver juntos en público.

—No habrá cartas ni mensajes escritos, ni notas que puedan caer en las manos equivocadas —le advertí—. Nadie se debe enterar nunca de lo nuestro.

—Estás siendo excesivamente cautelosa, ¿no te parece? ¿Y si pasara algo y no pudiera encontrarme contigo?

—Te esperaría aquí, si no puedes venir, sabría que hay algo que te retiene. No me enfadaré. —Recordaba la nota que había encontrado en el bolsillo de Robert—. No habrá cartas, Arthur.

En la cena de cumpleaños de uno de nuestros amigos, vislumbré una cara entre la multitud que no esperaba ver. Hice un gesto a Robert.

—¿Ese no es Wagner?, ¿el que está allí?

Faltaba una semana para el juicio de Ethel; me había imaginado a su abogado ocupado, preparando sus alegaciones en Kuala Lumpur, en lugar de en una fiesta del Penang Club.

Wagner saludó con la mano y se abrió paso hasta nosotros.

—Hola, Robert, tienes buen aspecto —tronó—. Una fiesta maravillosa, ¿no?

—¿Qué haces aquí? —pregunté.

—Llegué ayer —explicó—. Hoy he tenido reuniones durante todo el día. Me voy a Kuala Lumpur mañana a primera hora. Eres justo la persona a la que quería ver, Lesley. Asistirás al juicio de Ethel, supongo.

El destello astuto en su mirada me hizo actuar con recelo.

—Necesita el apoyo de todos sus amigos —dije.

Juntó sus manos con un palmetazo.

—Excelente. En ese caso, no tendrías reparo en que te llamara como testigo.

—¿Quieres que testifique? —Se me secó la boca—. ¿Qué…, sobre qué?

—Bueno, sobre lo que llevaba puesto aquella noche, por un lado. Ya sabes, sobre el hecho de que no era algo fuera de lo común que llevara un vestido de fiesta cuando apareció Steward. De veras, debo agradecértelo de nuevo por habérmelo hecho saber. —Echó un vistazo rápido en torno a la sala y bajó la voz—. La cosa es que…, bueno, al ser su amiga más cercana, me gustaría que también testificaras sobre su personalidad. Podrías ayudar a desmentir los rumores que corren por ahí. Ya sabes, sobre ella y Steward…

Mi reacción inmediata fue negarme.

—¿Has discutido esto con Ethel?

—Es muy terca. Ha sido inflexible respecto a no molestarte. Bastante inflexible. —Negó con la cabeza, perplejo—. Con todos los problemas a los que se enfrenta, siente que sería muy desconsiderado molestarte. Le dije que de cualquier manera asistirías al juicio. —Me miró con dureza—. No perjudicaría sus posibilidades en absoluto el tener a una mujer en el estrado testificando a su favor. De hecho, soy de la opinión de que fortalecería su caso de forma considerable. Pooley también lo piensa.

—¿Tienes a James Pooley para ayudarte a defender a Ethel? —preguntó Robert.

—William y Ethel lo querían.

—Bueno, la posibilidad de que quedara impune ha mejorado enormemente. —Robert palmeó el hombro de Wagner—. No es que dudara de tu habilidad, viejo amigo.

—En realidad, aún no he decidido si quiero asistir a su juicio. —Era consciente de la mirada de Robert sobre mí—. ¿Has preguntado al resto de sus amigas? ¿Kathleen Simpson? ¿O Frances Reed?

—Todas me dijeron que no lo harían. Mira, todos somos conscientes de que en realidad Ethel nunca hizo migas con las señoras de Kuala Lumpur —dijo Wagner—. No solo eres su amiga más cercana, Lesley, sino que eres la única amiga que tiene ahora mismo.

La Casa de las Puertas fue la primera propiedad que había comprado la abuela de Arthur en Penang. Nacida de una familia de impresores en un pueblo del sur de China, el ejército de los rebeldes de Taiping la había reclutado cuando conquistaron su provincia. Tenía doce años. Un año más tarde, en la primavera de 1853, los rebeldes tomaron Nankín y la instauraron como capital del Reino Celestial Taiping. Ella fue asignada para trabajar con un misionero escocés de la ciudad, al que ayudaba a maquetar y a imprimir las biblias que contenían las enseñanzas de la Cristiandad del Rey Celestial. Aprendió la técnica de tipografía de aquel hombre, que también le enseñó a leer y a escribir en inglés. Cuando el Reino Celestial fue derrocado por el ejército del emperador en 1864, huyó de China con la ayuda del misionero, quien le aseguró que encontraría refugio en Penang, en los mares del sur. A los pocos años de llegar a la isla, había ahorrado lo suficiente como para empezar su propio negocio de impresión de calendarios y —algo que me pareció irónico— biblias para los misioneros locales, por supuesto, ahora en la versión del rey Jacobo, no la del Reino Celestial. Con los años, adquirió una hilera de casas-tienda y otra serie de viviendas más grandes en zonas más salubres, pero siempre mantuvo aquella primera casa en Armenian Street donde había abierto su imprenta. Al morir, se la dejó a su nieto favorito con la condición de que nunca la vendiera.

La casa era alargada y umbría, el interior era fresco incluso durante los días más tórridos. Me gustaba su suelo de tablones de madera oscura y los alegres diseños florales de las baldosas pirograbadas del suelo. Sus paredes encerraban una sensación de intemporalidad, como si el sol se hubiera ocultado tras la luna y hubiera permanecido allí fijo en un eclipse permanente.

La Casa de las Puertas se convirtió en mi santuario. Iba allí hasta cuando no había quedado con Arthur, para estar sola y, durante al menos unas horas, olvidar todo cuanto existía más allá de sus paredes: olvidar que tenía un esposo e incluso olvidar que yo era una madre de dos hijos pequeños. En su interior podía convertirme en una mujer diferente, vivir una vida diferente.

Llevaba pequeños objetos cada vez que iba: flores, macetas con plantas y libros. No siempre pasábamos el tiempo en la cama; a veces nos sentábamos en el comedor a beber té y a charlar. Hablábamos de muchas cosas: nuestra infancia, los libros que leíamos, China, el juico de Ethel y, siempre, sobre Penang. Gracias a Arthur descubrí muchas historias sobre nuestro hogar. Sentía un profundo e intenso amor por la isla, un amor que pronto aprendí a compartir.

En ocasiones tocaba el *guzheng* para mí. Disfrutaba viendo cómo sus manos se deslizaban por las cuerdas, sus dedos punteando y presionándolas, para interpretar tristes canciones de dinastías desintegradas en el polvo largo tiempo atrás. Las notas resplandecían como lágrimas condensadas; resonaban en el aire, dispersándose en el silencio.

En una de nuestras visitas a la casa tocó una canción que no había oído antes y cantó —en francés, para mi sorpresa— con una voz de tenor limpia, si bien poco llamativa.

—¿Qué ha sido eso? —pregunté cuando terminó.

—Reynaldo Hahn, *L'heure exquise* —respondió—. La letra es del poema de Verlaine. Lo escribió para su esposa. —Tradujo el poema en inglés para mí. Las palabras contenían la fría veladura de la luz de la luna sobre la superficie de un estanque helado.

—Debió de amarla mucho —dije.

—Tal vez sí, al menos al principio.

—¿Qué les sucedió?

—Justo antes de dar a luz a su primer hijo, invitó a un joven poeta a quedarse en su casa. Cuando nació el bebé, un niño, Verlaine la abandonó a ella y al recién nacido y viajó por Europa con el joven. Su nombre era Rimbaud. Arthur Rimbaud.

El relato se acercaba demasiado a lo que sucedía en mi casa. Pero en aquella canción fluía una belleza desolada, una pureza helada, y a menudo le pedía que la interpretara para mí.

Además de coleccionar puertas, Arthur también era un entendido en tés. En una de mis visitas a la Casa de las Puertas, salió de la cocina con una bandeja. No dijo nada, pero por su actitud y su expresión supe que se trataba de algo especial. Llenó dos pequeñas tazas de porcelana china del Estrecho con el líquido delicado, casi transparente. Cogió una con ambas manos y la dejó en la mesa frente a mí.

Me acerqué la taza a la nariz.

—Huele… —intenté poner en palabras mis impresiones—, huele a las primeras gotas de lluvia que caen en la hierba en un día abrasador. —Tomé un sorbo y cerré los ojos, dejando que el té reposara en mi lengua un momento mientras él me ilustraba—. Es un sabor melancólico. —Le miré desconcertada—. Qué extraño que una taza de té pueda tener sabor a pérdida.

—«La Fragancia del Árbol Solitario» —dijo—; se lo compré a un comerciante de té en Tokio hace unos años.

Llovía. Finos y chispeantes cordones de agua se escurrían de los aleros, inundando el pozo de viento.

—Lo único que faltan son unas pocas carpas nadando en él y podría ser un estanque —dije—. Deberías revisar los desagües, lo más probable es que estén atascados.

Me dedicó una sonrisa indulgente.

—No están atascados. El pozo de viento está diseñado para hacer fluir el agua en el sentido de las agujas del reloj antes de salir al exterior.

—¿Para qué?

—Para retener la riqueza y la buena fortuna dentro de la casa, claro.

Cada vez que salía con algo así o cuando le veía en una discusión acalorada con otras personas en el club de lectura, me sacudía un razonamiento repentino: «Pero… es chino». Entonces, un segundo después, la conmoción se desvanecía y volvía a ser solo Arthur, solo un hombre al que conocía.

Más tarde, holgazaneando en la cama después de hacer el amor, le pedí que me dijera cuál era su nombre en chino. Lo hizo y añadió:

—Quiere decir «grabar el testimonio de un anhelo».

Repetí su nombre unas cuantas veces, intentando pronunciarlo bien. Conocer su significado me hizo alterar ligeramente el modo en que le veía; había vislumbrado en él algo que estaba reservado solo a los que habían sido educados en chino.

Una polilla revoloteó desde las vigas y se posó en las sábanas. Estiré el brazo para echarla, pero Arthur me sujetó la mano.

—No le hagas daño —dijo—. Son las almas de las personas a las que una vez amamos que vienen a visitarnos, a cuidarnos.

De nuevo sentí esa sacudida desconcertante, a pesar de que ya estaba habituada a él.

—¿Quién te dijo eso?

—Mi abuela. La que me dejó esta casa.

—Entonces, ¿podía haber sido la abuela la que nos vigilaba? —Saludé con picardía a la polilla—. *Ah Mah* —dije en hokienés—, espero que antes te taparas los ojos.

Soltó una risa nerviosa.

—No seas irrespetuosa con mi *Ah Mah*.

La pregunta que había estado merodeando en las profundidades de mi mente salió a la superficie.

—¿Soy la primera *ang moh* con quien te has acostado?

Fijó la vista en las vigas, acariciando mi mano de un modo lento y distraído.

—Hubo una chica en Londres… cuando hacía las prácticas.

—¿Estabais enamorados?

—Nos gustábamos mucho, pero no estábamos enamorados. Ella se casó con un pastor anglicano en Colchester. —Me besó la mano—. Pasé por Cassowary House ayer por la tarde. Me quedé en las verjas de la entrada mirando la casa.

Retiré la mano. Sentí como si hubiera estado nadando en un mar templado y de pronto me atravesara una corriente helada. De haber apartado las cortinas de la sala de estar, si hubiera mirado fuera justo en el momento adecuado, le habría visto plantado en el camino de acceso, y los dos mundos que intentaba con determinación mantener separados se hubieran entrometido uno en el otro.

—No debiste hacer eso.

—Solo quería ver dónde vivías. —Le desconcertó mi enfado—. Quería tener una imagen de tu día a día.

—Yo nunca pienso en tu hogar, Arthur; no pienso en ti con tu esposa y tu hija —dije—. Pienso en ti aquí, solamente aquí. Si quieres tener una imagen de mí, tenla aquí, en esta casa, en nuestra casa.

Se incorporó para apoyarse en el cabecero y me miró.

—¿Por qué estás aquí, Lesley?

¿Qué podía decir? Al cabo de un rato me decidí por la verdad, al menos una versión parcial.

—Robert dejó de dormir conmigo hace años.

—Ocurre en muchos matrimonios.

—¿En el tuyo también?

—Mi esposa no disfruta. Nunca lo ha dicho, pero, bueno…

—Tal vez no disfrute contigo —apunté—. Quizá ella tenga también un amante.

—No seas ridícula.

—¿Ridícula? Si puede encontrar gratificación en otra parte, ¿por qué no? Tú y Sun Wen —dije—, siempre pontificando sobre la justicia y la igualdad, pero cuando se trata de vuestras esposas…

—No es lo mismo.

Discutir sobre ello con él —o, ya puestos, con cualquiera— sería tan inútil como intentar empujar el viento hacia atrás.

—He aceptado la falta de interés de Robert. —Rebusqué en mi mente las palabras adecuadas antes de seguir—: Me… he acostumbrado. —Nunca había hablado con nadie sobre la descomposición de mi matrimonio, y las palabras que quería usar estaban oxidadas por la falta de uso—. Me dije a mí misma que él era mucho mayor que yo y lo más probable era que ya no necesitara... intimidad. Pero a mí sí me gusta. Lo disfruto.

—En todos estos años, ¿nunca habías considerado acostarte con otro? ¿Nunca pensaste en tener una aventura?

—Ahora eres tú el que hace el ridículo.

—¿Qué hizo que cambiaras de opinión? Ya sé que soy encantador y terriblemente guapo, pero...

—¿Recuerdas aquella noche en el E&O cuando trajiste a Sun Wen a que conociera a Robert?

—La primera vez que te vi. ¿Cómo podría olvidarlo?

—Pues esa misma mañana descubrí que mi marido me había sido infiel.

La sonrisa desapareció de su rostro.

—Así que —recorrió con su mano por nuestros cuerpos, la cama—, ¿todo esto es solo para vengarte de él?

Ojalá pudiera decirle que era mucho más que eso. Cuando descubrí que Robert prefería a los hombres en su cama, comprendí que nada de lo que hiciera podría traerlo de vuelta a la intimidad que yo deseaba.

—¿Con quién se está acostando? —Arthur siguió indagando pese a no obtener respuesta—: ¿Una de tus mejores amigas? ¿Alguna jovencita guapa de alguna comisión a la que perteneces?

Sopesé qué decir a continuación, cuánto estaba dispuesta a revelar.

—No importa quién sea ella —dije al final. Al acostarme con Arthur había traicionado a mi marido, pero no traicionaría su secreto; no quería avergonzarle.

—Todavía le amas —preguntó Arthur.

La polilla, cuyas alas revoloteaban sin hacer ruido, se fue flotando hacia las sombras de las vigas.

—Todos los matrimonios tienen sus propias reglas —dije.

Desde la calle, abajo, emergían voces que se perdían en las quebradas de silencio que se abrían entre nosotros. En un intento por suavizar los ánimos, dije:

—Siempre me he preguntado por qué se llama Cassowary House.

Arrastró su pie, despacio, por el lateral de mi pierna. Sus pies eran estrechos, bien formados.

—Es por tu casuarina —dijo—; el nombre en malayo es *kasuari*.

—¿Por qué?

—Porque dicen que sus hojas se parecen a las plumas de los casuarios.

—Es un árbol feo, ¿verdad?

—Ningún árbol es feo, Lesley. Todos tienen su propio encanto, su propia belleza particular. —Recordó algo—. Los malayos también los llaman «árboles susurradores».

—Nunca lo había oído.

—Dicen que, si permaneces bajo una casuarina en luna llena puedes oír sus hojas susurrándote, contándote todo lo que quieres saber de tu futuro.

—El árbol susurrante —murmuré.

Qué extraño; con solo unas palabras, lo que siempre me había parecido poco atractivo ahora se transformaba en algo bello.

—Acabo de terminar el informe de un misionero sobre sus experiencias durante la rebelión Taiping —dijo—. Es horrible, pero absolutamente fascinante. Lo traeré el próximo día.

—La semana que viene no podré verte —dije—. Voy a Kuala Lumpur al juicio de Ethel.

—Iré contigo.

—Destacarás como un bicho raro en el hotel Empire.

—Hay otros hoteles en Kuala Lumpur, ¿sabes?

—¡Oh, por amor de Dios, Arthur!

¿Acaso no era capaz de entender que era demasiado arriesgado que nos vieran juntos? Tarde o temprano alguien nos descubriría. Vivía con ese temor. Tenía sumo cuidado en vestir con sencillez y ocultar mi cara bajo un gorro o un sombrero de ala ancha cuando me encontraba en Armenian Street, pero era una mujer europea y, si bien la gente aquí estaba acostumbrada a verme, lo cierto es que destacaba. Lo más sensato era poner fin a mi aventura con Arthur, pero no quería hacerlo. No podía.

—El abogado de Ethel me ha convocado como testigo —dije—. Lo más probable es que el fiscal me interrogue a mí también, y existen ciertas cosas que conciernen a Ethel sobre las que no querría que me preguntaran.

—Se estaba acostando con él, ¿verdad?

—Desde diciembre del año pasado.

—Ahora todo cobra sentido.

—Lo había dejado el mes anterior, pero él no pudo asumir que habían terminado. La noche en que le disparó, había ido a verla para que cambiara de opinión.

—Pero ella no quiso ceder. —Encajó las piezas en su cabeza—. Se enfadó e intentó violarla, de modo que ella le disparó.

—Eso es lo que ella me contó. —Rememoré los diversos escenarios que había planteado Robert semanas antes. ¿Saldría a la luz algún día la verdad, la auténtica verdad?—. Le rogué que se lo dijera a su abogado, pero ni siquiera lo consideró.

—Desde luego, haría su defensa más creíble. El juez simpatizaría más con su situación desesperada. —Su comprensión repentina dejaba entrever su irritación—. Ah, claro, su aventura con Steward ahora es solo un cotilleo, pero de contarlo a su abogado y si él lo usara en el juicio…

—Sería cubierta de brea y plumas como una adúltera, cualquiera que sea el veredicto.

—Pues no vayas a Kuala Lumpur —me aconsejó—. Al final va a dar igual, lo sabes. Ya te lo dije; si la declaran culpable, nunca la colgarán.

Ojalá las cosas fueran tan sencillas.

—A Robert le parecería sospechoso que no fuera. He apoyado mucho a Ethel desde el principio. Ese maldito traje de fiesta…, ojalá hubiera cerrado el pico sobre ello.

—Los hechos son más complejos de lo que parece —replicó Arthur—. Seguro que es una historia apasionante.

—A nadie le importará un bledo el juicio de Ethel una vez que haya terminado todo —dije—. Para finales de año se habrán olvidado de ella. Podría regresar a su antigua vida normal. Y así es como debería ser.

Capítulo catorce

Willie
Penang, 1921

Robert se encontró mal después de cenar, pero se negó a que Lesley llamara al doctor Joyce. Willie le ayudó a subir las escaleras hasta su dormitorio y le acomodó en la cama, recostándole en las almohadas. Le dio su pastilla para dormir y un vaso de agua.

Estaré bien después de dormir esta noche —dijo el enfermo, su respiración agitada—. Estoy organizando un viaje para ir a la colina de Penang uno de estos días. Solíamos coger un *bungalow* allí para los meses de calor. A Lesley y a los chicos les encantaba.

—Me ha estado contando lo de… Ethel Proudlock —dijo Willie desde el sillón a los pies de su cama.

Robert le miró de un modo inexpresivo durante unos segundos.

—Oh, ese suceso vergonzoso. Nadie quiere remover toda esa porquería otra vez. —Su respiración se había calmado—. Ethel Proudlock —murmuró—… Hacía años que no oía mencionar ese nombre. La forma en que la trataron… su marido y su propio padre, lo que le hicieron… Tenían que haberlos colgado… Y nosotros debimos decir algo…

Willie, de pronto, se puso en alerta, dispuesto a prestar toda su atención:

—¿De qué hablas, Robert? —Se levantó y se acercó a la cama—. ¿Robert? ¿Qué le hicieron a Ethel?

Pero él había cerrado los ojos y roncaba plácidamente. Willie le observó durante unos minutos, después le retiró con cuidado las gafas de la cara y las colocó en la mesita de noche. Salió de la habitación despacio y cerró la puerta. Dejó la luz encendida para su amigo.

Al bajar a la veranda para encontrarse con Lesley, su mente seguía confusa por las palabras de Robert. ¿Qué diablos habría querido decir? Se preparó un *whisky* y se sentó frente a Lesley.

—Se ha quedado dormido —dijo Willie. Le contó lo que había dicho Robert acerca de Ethel Proudlock—. ¿Sabes a qué se refería?

—No tengo ni idea. —Permaneció mirando al techo—. Ethel no se llevaba bien con su padre, pero nunca oí que dijera nada malo sobre él. Y William…, bueno, él adoraba a Ethel. Jamás habría hecho nada que le causara daño.

La noche era cálida y húmeda, el canto estridente de las cigarras de fondo. En algún lugar un perro aulló una vez y después se calló.

—Gerald se ha ido a la ciudad —dijo Lesley.

—Me sorprendería que no lo hubiera hecho.

—¿No te molesta?

Advirtió la verdadera cuestión bajo la que estaba preguntando.

—Es joven y está lleno de energía. —Encogió los hombros—. No importa a quién conozca por ahí, o lo que sea que haga, siempre… viene a casa conmigo por la mañana. Por lo general, hecho unos zorros, pero… viene a casa.

—¿Y qué pasa si un día decide no venir a casa?

Clavó la vista en su vaso como si estuviera contemplando un pozo profundo, sin fin. No dijo nada.

—¿Sabías que Robert es homosexual? —preguntó Lesley.

Levantó la mirada de su copa lentamente.

—Nunca me dio ningún… indicio.

—Oh, vamos, Willie, habéis compartido habitación durante unos ocho o nueve meses. Y seguro que él sí sabía algo de ti.

—Nunca… lo mencionamos entre nosotros —dijo—. Ni siquiera… de manera indirecta.

—¿Qué piensa tu mujer acerca de lo tuyo con Gerald?

En realidad, no era de su incumbencia y no tenía intención de hablarlo con ella. Sin embargo, la expresión ofendida en su semblante no la disuadió:

—¿Ella tiene aventuras?

—No se me ha ocurrido preguntárselo.

—Pero la idea de cuando en cuando se desliza en tu mente, ¿no es así? Oh, no te pongas tan moralista. —La ira la invadió—.

¿Sabes qué? Espero que sí se acueste con otros hombres, hombres que le proporcionen placer, que la hagan sentirse deseable y deseada. Que la hagan sentir como una mujer normal. Es lo mínimo que se merece, ¿no te parece?

Willie se puso en pie con un gesto de severa dignidad.

—Buenas noches, Lesley —dijo con frialdad, y se adentró en la casa.

Se encontró con él en la biblioteca, cuando recorría la casa para cerrar las puertas y apagar las luces. Recostado en su sofá de piel favorito, tenía un libro abierto sobre su regazo. Se miraron y ella rompió el silencio entre ambos plantándose delante de él.

Willie cerró el libro, se hizo a un lado e indicó el espacio junto a él. Ella se sentó, ajustándose la falda sobre las rodillas. El escritor captó un ligero rastro de su perfume, entremezclado con su olor natural. Ahora era un aroma familiar y no le resultaba desagradable.

—Eres el único con quien he hablado de este… asunto, Willie. —Su voz sonaba tensa; no había rastro de su ira anterior—. Eres el único con el que puedo hablar de ello. Llevo diez años sin decir nada a nadie sobre las… preferencias de Robert. No ha sido fácil guardármelo. No ha sido nada fácil.

—Syrie nunca ha conocido a Gerald —dijo Willie—, pero se aseguró de que no le permitieran volver a poner un pie en Inglaterra.

—¿Qué hizo?

—Gerald fue deportado hace dos años. Es un «extranjero indeseable». A mi querida esposa —se expresó con acritud— no le faltan amigos en las altas esferas. Su padre es Thomas… Barnardo y estuvo casada con Henry Wellcome. No tengo la menor duda de que pidió algunos favores y envenenó algunos… oídos poderosos.

—¿Por qué los homosexuales hacéis esto? —Parecía resignada, hundida—. ¿Por qué os casáis con nosotras cuando tarde o temprano saltaréis a la cama de un hombre?

La respuesta de Willie, cuando llegó, cargaba con la tristeza del mundo.

—¿Y qué otra opción tenemos?

—Nadie consideraría algo fuera de lo normal que los hombres como vosotros permanecierais solteros.

—¿Después de lo que le ocurrió al pobre… Oscar Wilde? —Negó con la cabeza—. El mundo se ha vuelto en contra de nosotros, Lesley. Tú no sabes lo que es vivir con temor… todo el tiempo, sabiendo que en cualquier momento podrás estar expuesto y tu vida entera… destruida. Al casarte con Robert, le has dado un refugio. Le has puesto a salvo de la especulación y de los rumores. Pero, sobre todo, a salvo de… ser encerrado en una cárcel.

—Somos esposas, Willie —dijo Lesley—, no mártires.

No tenía respuesta para eso.

—Cuéntame lo que le ocurrió a Ethel —le pidió.

Capítulo quince

Lesley
Penang, 1910

Todos los asientos de la sala del tribunal estaban ocupados el primer día del juicio de Ethel, pero Wagner había dado instrucciones al secretario judicial para que me reservara uno en la primera fila, junto a William Proudlock, que sonrió al verme, un tanto agobiado, antes de darse la vuelta para hablar con el padre de Ethel, al otro lado. Wagner me había facilitado un esbozo de lo que pretendía preguntarme, pero, con todo, me sentía muy nerviosa. Deseaba que todo este estúpido juicio terminara de una vez por todas.

Había estudiado mis anotaciones una y otra vez en el tren de camino a Kuala Lumpur para refrescar mi memoria sobre el interrogatorio. Ya habían pasado casi dos meses desde que encerraron a Ethel en Pudoh Gaol, pero tenía la sensación de que había pasado más tiempo. Durante aquellas semanas mi vida había cambiado de forma drástica.

Unos minutos antes de las nueve trajeron a Ethel desde una celda de detención en alguna parte del edificio. Me sobrecogió comprobar lo delgada que se había quedado y lo pequeña que parecía, sentada en el banquillo. Me vio y su rostro se tensó.

Sentados ante sus mesas, los letrados de la acusación y la defensa llevaban peluca, sobrecuello, pechera y toga negra. Fijé la mirada en James Pooley. Robert y yo le habíamos visto antes en un par de ocasiones. Alto y atractivo, de unos cincuenta años, era uno de los abogados más importantes de Malaya y me alegraba por Ethel de que la defendiera él.

A las nueve y media en punto, la puerta situada detrás del estrado del juez se abrió. El secretario judicial apareció y nos indicó que nos pusiéramos de pie. «¡Dios salve a la reina!», gritó.

El juez Sercombe Smith entró, su rostro rechoncho y enrojecido, extrañamente femenino bajo su peluca blanca; su toga de color carmín le atribuía una redondez episcopal. Le seguían un par de asesores europeos. Ambos rondaban la cincuentena. Reconocí a uno de ellos, Kindersley, pero al otro no. Los juicios con jurado habían sido abolidos hacía algunos años, y la tarea de estos dos hombres era ayudar al juez a examinar las pruebas. Los abogados hicieron tres reverencias ante su señoría, que respondió a su vez con otra, y los murmullos se extendieron mientras nos volvíamos a sentar.

El fiscal, Hastings Rhodes, inició la sesión convocando al banquillo de los testigos a William Proudlock. Puso su mano sobre la biblia que sostenía el secretario e hizo el juramento.

—¿Cuándo fue la última vez que vio al fallecido antes de morir por el disparo de su esposa?

La elección de sus palabras, por supuesto deliberada, resultó hábil y provocativa, pero William Proudlock permaneció imperturbable; tan solo un ligero entrecerrar de ojos mostró su disgusto.

—Fue el día antes de ir a nuestra casa y atacar a Ethel. El sábado por la noche. —Por la forma de hablar de William, cualquiera podía ver que era un rector razonable pero firme, sin duda muy querido por sus alumnos—. Le vimos en el Spotted Dog, el Selangor Club, quiero decir. Estaba en la biblioteca leyendo un periódico.

—¿Habló con él la acusada?

Mis ojos saltaron de William a Ethel; estaba completamente inmóvil, toda su atención centrada en su marido.

—Nos llamó —respondió, tomándose su tiempo—, y hablamos con él un rato. Ethel le comentó que hacía tiempo que no le veíamos y que nos habíamos mudado al *bungalow* de Bennett.

—¿Eso fue todo lo que hablaron?

—Sí... Creo que sí. No fue una conversación muy larga.

—¿Había estado el fallecido en su casa?

—En la nueva no, pero se pasó por nuestra antigua residencia en Brickfields Road en una ocasión o dos.

—Me gustaría que rememorara el día 23 de abril, un domingo —dijo Rhodes—. ¿Qué hicieron usted y la acusada aquella tarde?

—Tomamos el té sobre las cuatro —dijo William— y después pasamos un rato en nuestra parcela practicando tiro. Eran como las cinco y veinte cuando miré el reloj y caí en la cuenta de que teníamos que prepararnos para ir a la iglesia. Le di el revólver a Ethel y le pedí que lo guardara mientras subía a cambiarme. Después fuimos andando hasta Saint Mary.

—¿Suele guardar la pistola en la veranda?

—Por supuesto que no. —Un tono irritante endureció la voz de William—. Siempre la guardo bajo llave en el casillero de mi mesa, en el dormitorio.

—Pero aquella noche se quedó en la veranda. ¿Por qué?

—No lo sé. Tendrá que preguntárselo a mi mujer. Teníamos prisa por ir a la iglesia, supongo que no tuvo tiempo de guardarla bajo llave en mi mesa.

—¿Retiró la munición del revólver antes de dárselo a la acusada? —preguntó Rhodes.

William Proudlock negó con la cabeza.

—Ya se lo he dicho, no quería llegar tarde a la oración vespertina. Verá, era mi deber guardar los himnarios, de modo que llegamos a Saint Mary a las seis menos cuarto, lo que me dejó bastante margen.

—El Webley que utilizó la acusada para disparar al señor William Steward —dijo el fiscal—, ¿a quién pertenece?

De nuevo entrecerró los ojos.

—Es mío. Ethel me lo regaló para mi cumpleaños este año.

—¿Cuándo fue eso?

—Mi cumpleaños es el 18 de abril.

—Cinco días antes de los disparos… —Rhodes garabateó en su cuaderno—. ¿Dónde lo compró?

—En el dispensario federal, en High Street.

—¿No es un tanto fuera de lo común que una esposa le dé a su marido una pistola como regalo de cumpleaños?

—En realidad, yo le pedí que me la comprara. Me preguntó qué quería para mi cumpleaños. El año pasado robaron en nuestra casa, quiero decir, nuestra antigua casa en Brickfields Road; cuando nos mudamos al *bungalow* de Bennett sentí que estaríamos más seguros con una pistola.

—¿Cuándo se mudaron a su casa actual?

—Como a principios de febrero de este año. No le puedo decir la fecha exacta.

—Febrero. Hace cuatro meses, no obstante, ¿sintió que necesitaba tener un arma en casa solo unas semanas antes de que la acusada disparara al fallecido?

—Bueno... Habíamos estado tan ocupados después de la mudanza que no habíamos pensado en adquirir un arma.

—¿Dónde fueron cuando terminó la misa?

—Regresamos al *bungalow* andando —dijo William—. Nos cambiamos y yo me fui a cenar a casa de mi amigo Goodman Ambler. Ethel cenó sola en casa.

—¿La acusada también se cambió de ropa?

—Sí.

—¿Es este el traje de fiesta que llevaba puesto la acusada aquella noche? ¿El traje de fiesta marcado como la prueba B? —preguntó Rhodes, indicando al secretario judicial que sostuviera el vestido en alto.

—Sí, lo es.

El secretario presentó el vestido ante el juez y los asesores. Todos nos inclinamos hacia delante para verlo bien. Era un vestido de fiesta de chifón verde pálido, adornado con una tira fina de estampado floral de un verde más pálido en la parte delantera, sin mangas y con cuello escotado y redondo. A pesar de estar rasgado en algunos sitios y manchado en la parte inferior con barro seco, era evidente que había sido un vestido elegante y seductor.

—Su cena con el señor Goodman Ambler —prosiguió el fiscal—, ¿cuándo la planearon?

—El sábado, la noche anterior —respondió William—. Después de hablar con William Steward en la biblioteca del Spotted Dog dimos un paseo hasta la casa de Goodman. Ha ocupado nuestra antigua residencia en Brickfields Road. Me invitó a cenar la noche siguiente.

—¿Solo a usted? —Rhodes lanzó una mirada a Ethel y después a William—. ¿La acusada no estaba invitada?

William se pasó la palma de la mano por la nuca.

—Pues… no sé por qué. —Por primera vez desde que pisó el estrado de los testigos parecía nervioso, inseguro—. Ethel estaba esperando fuera cuando entré a hablar con Goodman. Supongo… que nos olvidamos del asunto cuando entró.

Un gruñido escéptico se escapó del fondo de la garganta de Rhodes.

—¿Suele cenar solo con sus amigos a menudo?

William Proudlock se rascó la mejilla, cavilando.

—Solo lo he hecho tres veces este año.

—Fue a cenar a la residencia del señor Goodman Ambler, dejando a la acusada sola en casa —puntualizó Rhodes—. ¿Qué ocurrió después?

La cena duró aproximadamente hasta las nueve y media, respondió William Proudlock. Estaba tocando el piano en la sala de estar, cuando su cocinero apareció de repente con un mensaje de parte de Ethel: le pedía que regresara con urgencia a casa. William y Ambler cogieron un *rickshaw* bajo la lluvia y accedieron a los terrenos de la escuela por la entrada de High Street.

—La vi cuando llegábamos al *bungalow*. Estaba deambulando por la carretera en nuestra dirección —dijo William Proudlock—. Corrí hacia ella. «¡Sangre… sangre…!». Esas fueron las primeras palabras que pronunció y las repitió muchas veces. Entonces, dijo «¡Oh, Will, he disparado a un hombre!». «¿A quién?», le pregunté, y respondió: «He disparado al señor Steward».

William la cogió en brazos antes de que cayera. Él y Ambler la llevaron hasta la veranda y la acomodaron sobre el sofá.

—Balbuceaba y sollozaba —dijo William Proudlock—. Procuré que me dijera lo que había sucedido. «He disparado a un hombre», dijo otra vez. «He disparado a un hombre».

William se retiró de la frente un mechón de pelo antes de continuar.

—Le pregunté: «¿Dónde está el hombre?», y ella dijo: «No lo sé, salió corriendo. Salió corriendo». Señaló, confusa, por encima de la barandilla de la veranda. No pude ver nada. Estaba oscuro y aún lloviznaba. Bajé al jardín y miré a mi alrededor. Encontré el cuerpo tirado en la hierba, más allá de los matorrales de bambú.

—¿Cómo estaba posicionado sobre la hierba?

—Sobre su pecho. Sus pies señalaban hacia la casa, el lado izquierdo de su cara vuelto hacia el cielo. Le reconocí en el momento en que le vi. Era William Steward. Estaba muerto.

Dejando a su esposa bajo la mirada atenta de Ambler, William había ido a buscar al inspector Wyatt a su casa. El doctor Edward McIntyre, el asistente del cirujano jefe del Hospital General de Kuala Lumpur, también fue avisado para que acudiera al *bungalow* Proudlock. Los tres fueron juntos a inspeccionar el cuerpo que yacía en el césped. Al regresar a la veranda, el doctor McIntyre le pidió a Ethel que se pusiera de pie para que pudiera examinar sus brazos, manos y cara en busca de heridas o marcas.

—¿Puede describir su aspecto en ese momento? —preguntó el fiscal a William.

—Su vestido estaba rasgado a la altura de la rodilla. —William pidió al secretario judicial que sostuviera en alto el vestido una vez más y señaló la posición del desgarrón—. Su cabello estaba revuelto, desaliñado. Cuando al fin se marcharon todos, le di otra copa de jerez para calmar sus nervios, y después le pedí que me volviera a contar lo que había sucedido.

Colocó las manos en la barandilla del estrado de los testigos, procurando aclarar sus pensamientos. Los miembros de sala del tribunal esperaron, completamente inmóviles.

—Por favor, prosiga señor Proudlock —le apremió el juez Smith.

—Me contó que después de cenar estaba escribiendo cartas en la veranda, cuando apareció William Steward. Dijo que me buscaba a mí. Ella le informó de que yo estaba en casa de Goodman y que era allí donde tendría que dirigirse, pero Steward no se marchó. Ethel estaba deseando retomar su correspondencia, pero le parecía una grosería no invitarlo a pasar. Se sentaron en la veranda y hablaron. Mencionó un libro que estaba leyendo y se levantó para enseñárselo. Steward se puso de pie y la agarró al pasar cerca de él. La abrazó y empezó a besarla. Le dijo que la amaba. «¡Déjame poseerte!», le dijo, y… y metió su mano por debajo del vestido y… la manoseó… y empezó a besarla de nuevo.

Advertí que Ethel tenía la mirada clavada en algún punto distante de sus pensamientos.

William exhaló con intensidad.

—Steward apagó la luz —continuó—. Ethel se apartó de él y tanteó el recoveco detrás de ella para volver a encenderla. Llamó al cocinero a gritos, estaba aterrada. Entonces sus dedos se curvaron en torno al revólver. Lo agarró y apuntó a Steward. Recordaba haber disparado una vez, tal vez dos, y después de eso, nada más. —William hizo otra pausa, apretando sus nudillos contra sus labios—. Debió de perder el conocimiento. Cuando volvió en sí, se encontró en la veranda. Dio la vuelta a la casa para pedir al cocinero que me fuera a buscar. Dijo que recordaba haber caminado de un lado a otro, angustiada, esperando a que yo llegara a casa. De pronto reparó en que sostenía el revólver y que sus manos estaban manchadas de sangre. Dejó caer el arma al suelo.

—Esa noche en particular, el 23 de abril, cuando dejó a la acusada sola en casa —dijo Rhodes—, ¿ella esperaba alguna visita?

—No. Me dijo que tenía intención de contestar algunas cartas después de cenar.

—Sin embargo, llevaba un vestido de fiesta, marcado como prueba B. Como si esperara recibir alguna visita; un vestido elegante con un escote un tanto… pronunciado.

—Está describiendo una imagen del todo equivocada —le espetó William Proudlock, con la cara enrojecida—. No es algo fuera de lo común que Ethel se ponga un vestido de fiesta por la noche, aunque no espere a nadie. Ella asegura que la hace sentir más elegante. A mi esposa le encanta vestirse bien. Todas sus amigas lo saben. —En ese momento me miró—. Lo cierto es que ella llevaba vestidos de fiesta aunque cenara sola en casa. Es algo muy habitual, muy habitual —enfatizó.

El juez Smith los interrumpió. Los círculos de luz de sus anteojos, como dos monedas, parpadeaban mientras miraba a William.

—Cuando usted y la acusada regresaron de la iglesia, ¿cómo entraron en la casa?

—Entramos por la veranda, como es habitual.

—¿Vio el revólver en el recoveco?

William negó con la cabeza.

—No lo vi.

El juez indicó a Rhodes que continuara con el interrogatorio.

—Señor Proudlock —prosiguió el fiscal—, ¿mantienen buenas relaciones usted y su esposa?

La sorpresa, reemplazada casi de forma instantánea por la indignación, se apoderó del semblante de William.

—Por supuesto que mantenemos buenas relaciones. Es una esposa maravillosa, atenta y afectuosa.

—¿Alguna vez ha tenido motivo para estar descontento con el comportamiento moral de su esposa?

William se volvió hacia Ethel. Marido y mujer, cada uno en un extremo de la sala del tribunal, se miraron.

—Nunca —dijo, sus ojos aún fijos en los de su esposa.

Ethel estaba sentada derecha, con expresión plácida mientras miraba a su marido.

Rhodes indicó al juez que había terminado con sus preguntas.

—Señor Pooley, puede interrogar al testigo —dijo el juez.

El abogado de Ethel se interesó por cuestiones relacionadas con la historia conyugal de los Proudlock.

—¿Cómo es la salud de su esposa?

—No está en su mejor momento, por desgracia —respondió William Proudlock—. Verá, padece de leucorrea.

—¿Quiere explicar al tribunal en qué consiste?

—Pues, en ciertos periodos del mes experimenta una descarga de sus... partes femeninas. —William se ruborizó; dejó caer sus manos temblorosas, que quedaron fuera de la vista—. Siempre le ha causado un enorme sufrimiento. A veces tenía que permanecer en cama todo el día. Sus nervios estaban crispados y lloraba por lo más mínimo. Se enfadaba conmigo sin razón alguna.

Era una tortura para Ethel que sus detalles más íntimos se expusieran en público, pero aparentaba indiferencia ante las palabras de su marido. Como si hablara de alguien en quien no tenía el menor interés.

—¿Hasta qué punto conocía al fallecido? —preguntó Pooley.

—Supongo que bien. Le conocía desde hacía dos años. Le veíamos algunas veces en el Selangor Club y había estado en algunas de las veladas musicales que celebrábamos en nuestra antigua casa en Brickfields Road.

—¿Cuándo fue la última vez que usted y su esposa hablaron con él?

—Le vimos el sábado, la noche antes de… antes de que apareciera en nuestra casa. Habíamos ido al club a escuchar a la banda. Hablamos con Steward en la biblioteca. Ethel le dijo que no nos había visitado desde que nos mudamos al *bungalow*. Él aseguró que se pasaría alguna noche. —William hizo una pausa para rememorar la conversación—. Le comentó que no viniera después de las nueve porque solemos retirarnos temprano. Después nos fuimos a casa, dado que al final la banda no tocaba esa noche.

—Antes ha dicho al tribunal que solo había cenado fuera en tres ocasiones este año.

—Es correcto. Apenas ceno fuera. Mi esposa es una mujer muy nerviosa, se asusta con facilidad. No le gusta estar sola de noche.

Pooley terminó con William, pero se le pidió que permaneciera en el estrado de los testigos para ser interrogado de nuevo por Rhodes.

—Estuvo en Hong Kong en diciembre del año pasado, ¿es correcto? —preguntó el fiscal.

William dudó un segundo.

—Es correcto. Antes de Navidad.

—¿Cuánto tiempo estuvo allí?

—Un mes.

—¿Dejó a la acusada sola durante todo el tiempo que estuvo en Hong Kong?

—No. Le pedí a mi amigo Hugh Markes que llamara a la casa todas las noches para asegurarse de que estaba bien —dijo William—. Ethel adora a Hugh, fue nuestro padrino de boda.

Ethel ladeó un poco la cabeza, observándome de reojo. Sabía que ambas pensábamos en aquella mañana en que me contó que había ido de paseo con Steward mientras su marido estaba fuera, en Hong Kong, y que había pasado algunas noches en la casa de Steward, en Salak South.

A la mañana siguiente, Rhodes llamó al estrado a Goodman Ambler. Su versión de los hechos de aquella noche no difería prácticamente de la de Proudlock, pese a que su testimonio añadió más detalles a la imagen que él había descrito. Ethel tenía manchas de sangre en la cara, en los brazos y en el pecho, según su relato; su vestido estaba rasgado en tres o cuatro sitios y el tirante se había deslizado de su hombro derecho.

—La acomodamos sobre el sofá. Me quedé con ella en la veranda y Will se marchó a toda prisa a buscar al inspector Wyatt —dijo Ambler—. Estaba agitada en extremo. Decía «me levantó el vestido» e «intentó violarme». No pude entender nada más. Estaba recostada, pero con frecuencia se incorporaba con una sacudida violenta y empezaba a balbucear de forma aleatoria.

—¿De qué hablaba?

—En realidad, lo que decía no tenía ni pies ni cabeza. Todo era muy desconcertante. Divagaba sobre algo y después, de manera abrupta, saltaba a otra cosa completamente diferente. Y murmuraba sin parar «me obligó a hacerlo, me obligó a hacerlo. ¡Oh, Dios. Oh, Dios!, ¡ojalá nunca le hubiera conocido!». Intenté calmarla; hablé con ella, con la esperanza de centrar su atención en una sola cosa, pero se puso furiosa conmigo. «¡Cállate!», me espetó; «¡Cállate, estúpido!» «¡No entiendes nada! ¡Deja de hablar!».

Ambler dio unos toques a su rostro sudado con un pañuelo. Incluso con el movimiento de los *punkahs*, la sala de tribunal seguía cargada. El juez, tras una breve consulta a los asesores jurídicos, aplazó la vista hasta la mañana siguiente.

Aquella noche, en la habitación del hotel, escribí todo lo que había visto y oído en la sala del tribunal. Estaba exhausta tras el esfuerzo de concentrarme en los testigos durante todo el día. Anhelaba el cuerpo de Arthur junto al mío, el tacto de su piel cálida y suave. Pensé en enviarle un telegrama solo para que supiera cuánto le echaba de menos, pero resistí la tentación. No habría cartas ni notas.

A la mañana siguiente el fiscal hizo comparecer al inspector criminalista Charles Wyatt como su primer testigo. Wyatt era un hombre de baja estatura, delgado, de unos cuarenta y tantos años, con ojos observadores y tranquilos y un escaso bigote castaño. Hablaba con frases sucintas, cortantes, y casi se anticipaba a las preguntas de Rhodes.

—En la noche del 23 de abril, el señor William Proudlock llamó a mi puerta en torno a las diez y cuarto —dijo el inspector—. Me informó de que su esposa había disparado a un hombre. Me apresuré a ponerme el uniforme y, después de enviar un mensaje al doctor McIntyre para que se encontrara allí conmigo, le seguí hasta el *bungalow* del rector.

El doctor McIntyrc llcgó poco dcspués, continuó Wyatt, y todos fueron a examinar el cuerpo. Yacía a unos cuarenta pasos aproximadamente de la fachada del *bungalow*. El inspector encendió una cerilla y comprobó que se trataba del cadáver de William Steward. Estaba tendido bocabajo, su mejilla derecha, sobre la hierba.

—Tenía una gran herida sangrante en la parte posterior de la cabeza —precisó—. Estaba completamente vestido. Dimos la vuelta al cuerpo. Su capa impermeable permanecía abrochada, al igual que sus pantalones. Encontramos huellas de zapatos de mujer en el terreno embarrado junto al cuerpo.

También hallaron un revólver en la hierba encharcada, no muy lejos del cuerpo. Había sangre en el cañón y en el cilindro, al igual que en la empuñadura. Olió el cañón; olía a pólvora. Más tarde, al examinarlo, descubrió que contenía seis cartuchos vacíos.

—Dejamos el cuerpo allí y fuimos a ver a la señora Proudlock —continuó el inspector Wyatt—. Llevaba puesto el vestido marcado como prueba B. Había rastros de sangre en su rostro, así como en su cuello y en la ropa. No había sangre en su cabello, pero sí en sus manos. El vestido estaba rasgado, tal como demuestra la prueba B. Examiné sus manos —añadió—. Su dedo índice aparecía ennegrecido por la pólvora.

El siguiente testigo era el doctor Edward McIntyre. En el interrogatorio principal de Rhodes, testificó que, después de examinar el cuerpo de Steward en el césped, regresó a la veranda y examinó a Ethel. Le pidió que se pusiera de pie bajo la luz eléctrica que colgaba sobre la mesa grande en la que había estado escribiendo sus cartas. Además de las manchas de sangre en sus manos, brazos y pecho, también las encontró en la espalda.

—El inspector criminalista Wyatt me había informado de que podría haber sufrido actos impropios, de modo que la examiné en busca de contusiones u otro tipo de heridas.

—¿Encontró algo?

—No encontré marcas de contusiones ni de arañazos en la señora Proudlock. Le pregunté si tenía alguno. Me respondió con calma y claridad que no tenía ninguno. Le pedí que se lavara las manos y el resto de las partes expuestas de su cuerpo y la examiné una vez más. No había huellas de golpes ni rasguños.

—Pero los hematomas no salen tan pronto, ¿no?... —preguntó Rhodes con la ignorancia fingida de un hombre que ya conoce la respuesta.

—Es correcto. Un hematoma profundo solo aparece al cabo de veinticuatro horas; por otro lado, en el caso de una contusión superficial, habría dolor. Podría registrarse una irritación, la piel estaría enrojecida... No encontré nada parecido.

—¿Cuál era su estado mental?

—Estaba agitada y temblaba. Pero... —Por primera vez desde que comenzaron los interrogatorios, el doctor McIntyre parecía titubear.

—¿Sí? —presionó el fiscal.

—Bueno, la señora Proudlock respondió a todas mis preguntas con sensatez. Las comprendía con claridad, no tenía la menor duda. Sus ojos... no estaban nublados ni aturdidos; tenía una mirada aguda, inteligente. No me dio la impresión de que acabara de experimentar una terrible conmoción. Con todo lo que le había ocurrido y lo que había hecho, bueno... Para ser honesto, esperaba encontrarla traumatizada.

Susurros exaltados recorrieron la sala; el juez Smith estaba demasiado absorto por el testimonio del doctor McIntyre para silenciarlos. Ethel seguía contemplando al doctor McIntyre con tranquilidad y compostura. ¿Acaso una leve línea de expresión evidenciaba una ligera sonrisa en la comisura de sus labios? Te lo estás imaginando, me dije.

Pooley, el abogado de Ethel, procedió a hacer el contrainterrogatorio al doctor McIntyre.

—¿Afirma no haber encontrado hematomas en el cuerpo de la señora Proudlock cuando la examinó la noche del 23 de abril?

—Es correcto.

—Sin embargo, a la noche siguiente, el 24 de abril, la volvió a ver en casa de la señora Wilhelmina Brown, donde se alojó, ¿es así?

—Claro que sí.

—¿Podría describirnos su estado?

—Se veía diferente a la noche anterior. Estaba aterrorizada, como si algo terrible aún le estuviera sucediendo, y era incapaz de controlarse. En ocasiones se mostraba incoherente. Sus ojos, perspicaccs, parccían alcrta, y un scgundo dcspués dcsviaba la mirada con sigilo. Tenía espasmos en todo el cuerpo. En algún momento apretaba fuerte su cabeza entre las manos y gemía diciendo que se estaba volviendo loca.

—¿La volvió a examinar?

—Le pedí a la señora Brown que me acompañara a su dormitorio con la señora Proudlock. Trajo una lámpara eléctrica de gran potencia y nos alumbró.

—En esta ocasión, al examinar a la señora Proudlock, ¿qué halló en su cuerpo?

—Tenía cinco hematomas. Había moretones en su brazo izquierdo, entre el codo y el hombro. —Señaló los puntos en su propio brazo—. También, inflamación, al igual que en la parte correspondiente de su brazo derecho. Sin embargo, en este no tenía hematomas. Encontré extensas contusiones en el trocánter del fémur de su muslo derecho y otra a poco más de diez centímetros debajo de su rótula izquierda.

—En su opinión, ¿cuándo se produjeron las contusiones?

—Diría que un día antes.

—Un día. Ya veo. Entonces, ¿podrían estar causadas por el asalto de la noche anterior?

—Es posible.

Pooley cambió de táctica.

—¿Cuánto hace que conoce a la señora Proudlock?

—Llevo más de dos años tratándola. Padece de leucorrea. En más de una ocasión la aconsejé que se operara, pero siempre se ha negado incluso a valorar la posibilidad. En mi opinión es una mujer nerviosa e histérica. Es muy emocional.

—Una mujer nerviosa y muy emocional —repitió el abogado despacio y claro para que ninguno de nosotros pasara por alto sus palabras—. En su opinión, doctor McIntyre, ¿podría la señora Proudlock, siendo una mujer extremadamente emocional, haber sufrido una pérdida temporal de la razón y de la memoria causada por la turbación de ser atacada por el difunto?

—Es posible, sí.

—Gracias, doctor —Pooley miró al tribunal—. Eso es todo, señoría.

El juicio se reanudó después de comer. El inspector Frederick Ferrant fue llamado al estrado. Se le había ordenado registrar la casa de William Steward en Salak South el día después de su muerte. Como no esperaba oír nada fuera de lo normal, mis pensamientos empezaron a divagar. Pero mi atención se centró de golpe cuando escuché determinadas palabras.

—Había una cómoda con cajones en el dormitorio del señor Steward. Cuando los abrí estaban llenos de ropa femenina. Era ropa para una mujer europea. También había ropa para una niña europea, de unos tres o cuatro años. No encontré nada para una mujer nativa.

Los labios de Ethel estaban ligeramente entreabiertos. Podía ver cómo su pecho subía y bajaba de forma regular, pero sus ojos seguían inertes, como una laguna estancada. Steward era soltero y aquella ropa con toda probabilidad pertenecía a su amante. Pero ¿quién sería esa mujer? ¿Acaso Ethel se llevaba a su hija con ella cuando dormía en casa de Steward? La sola idea me parecía repugnante.

—Había cuatro mujeres chinas en la casa cuando llegué —dijo el inspector Ferrant como respuesta a otra pregunta de Rhodes—. Todas estaban sentadas en cuclillas en la veranda principal. No, no sé quiénes eran. Criadas, supongo. No hablaban inglés. Les dije que *tuan* Steward *sudah mati* y una de ellas comenzó a sollozar en voz muy alta. No se tranquilizaba, seguía y seguía, lamentándose y golpeándose el pecho.

El fiscal no dijo nada más, pero dejó la conclusión en el aire como un olor fétido en un ambiente cálido y aquietado. William Steward se había estado acostando con aquella mujer china.

El siguiente testigo era uno de los amigos de la víctima. George Spence contó a la sala del tribunal que había cenado con Steward en el hotel Empire la noche que recibió los disparos. En torno a las ocho y media, Steward se disculpó y se marchó, diciendo que tenía una cita a las nueve, aunque no mencionó con quién había quedado. El testigo afirmó que Steward mantenía relaciones con una mujer china; la mujer había vivido con él durante los últimos tres meses antes de que lo mataran.

Emergía un patrón claro y nítido: el fiscal pretendía demostrar que Ethel había tenido una aventura con Steward y, cuando descubrió sus relaciones con la mujer china, le asesinó en un arranque de celos.

II

Los diarios informaban sobre la marcha del juicio todos los días. Recortaba los artículos y los pegaba en mi diario. El ánimo de Ethel mejoró de forma notoria, al igual que su aspecto; hablaba con Pooley y con Wagner y, en una ocasión o dos, incluso me dedicó una breve sonrisa.

—El señor Pooley está muy convencido de que Ethel será absuelta —comentó William Proudlock mientras esperábamos a que comenzara el juicio.

—Eso es maravilloso, William —dije.

Los nervios me mantenían muy tensa. Era el cuarto día del juicio y había llegado el momento que tanto temía. Pooley me llamó para testificar y, con gran pesar, subí al estrado. Evité los ojos de Ethel y me centré en atender únicamente a Pooley.

Sus preguntas me llevaron a informar al tribunal de que, en efecto, era amiga de Ethel y la conocía desde hacía años. Era una persona cálida y amable, alegre, ingeniosa y graciosa. ¿Le gustaba llevar vestidos bonitos? Oh, siempre.

—A Ethel le encanta la ropa —corroboré—. Pasaba horas hojeando las revistas ilustradas para estar al tanto de la última moda. Cada vez que yo venía a Kuala Lumpur siempre íbamos de compras.

—En su opinión, ¿era algo inusual que llevara un vestido de fiesta la noche que disparó a William Steward? —preguntó el abogado.

—No había nada en absoluto fuera de lo normal —respondí—. Ethel siempre va bien vestida, aunque no espere visitas. Como ya he dicho, a Ethel le encanta la ropa.

—¿Está usted enterada, señora Hamlyn —dijo Pooley—, de los rumores maliciosos acerca de ella y del fallecido? ¿Rumores maliciosos que se han difundido por Kuala Lumpur?

—Estoy enterada, sí. —Sabía lo que venía ahora y me obligué a mí misma a permanecer serena.

—¿Alguna vez le confió la señora Proudlock que tenía una aventura con el fallecido?

Por primera vez desde que subí al estrado de los testigos, miré directamente a Ethel. Me devolvió la mirada, su expresión era inescrutable. Podía sentir las gotas de sudor escurriéndose por el centro de mi espalda. Pensé en aquella mañana en la que me habló sobre su aventura con Steward. ¿Qué ocurriría si yo contara la verdad? ¿La salvaría o la condenaría?

Con la mirada fija en ella, dije:

—No me confió que tuviera una aventura con William Steward. —A continuación, miré a Pooley y a los demás miembros de la sala. Dejé que mis palabras calaran en la mente de todos antes de afirmar, con la autoridad contundente e irrefutable de una *memsahib* que pone a un sirviente impertinente en su sitio—. Y los rumores acerca de una aventura con William Steward no son ciertos —dije—. No es cierto en absoluto.

—Gracias, señora Hamlyn —dijo Pooley—. No hay más preguntas para la señora Hamlyn, señoría.

El juez Smith dejó su pluma y preguntó al fiscal si quería contrainterrogarme. Permanecí sentada en el estrado, recurriendo a cada ápice de voluntad para mostrarme imperturbable mientras esperaba a que Rhodes hiciera añicos mi testimonio y expusiera mi mentira al mundo.

—No tenemos preguntas para la señora Hamlyn, señoría —dijo Rhodes.

El aleteo desganado del *punkah* era el único sonido en la sala cuando Pooley llamó a Ethel al estrado de los testigos.

—¿Desde cuándo conocía al señor William Steward? —preguntó.

—Mi marido y yo le conocimos hace unos dos años.

—¿Cuándo fue la última vez que le vio, antes de aparecer en su casa el 23 de abril? —preguntó Pooley.

—Le vimos la noche anterior, en el Selangor Club. Hablamos solo unos minutos.

—¿De qué hablaron?

—Le mencioné que hacía mucho tiempo que no nos veíamos y que no nos había visitado desde que nos mudamos. Dijo que no sabía dónde vivíamos, de modo que se lo dije y le invité a venir a visitarnos. Prometió que se pasaría alguna noche y le dije que no lo hiciera a partir de las nueve, ya que nos recogemos temprano.

—¿Estaba su marido con usted?

—Hablaba con alguien, no puedo recordar con quién, pero sí, estaba cerca.

—¿No invitó al señor Steward a que la visitara el domingo por la noche?

—Por supuesto que no —dijo con firmeza.

—Por favor, explique a la sala del tribunal lo que hizo usted el domingo.

Esa mañana no se sentía bien, dijo, por lo que se había quedado en casa todo el día. A las cuatro y cuarto de la tarde ella y su esposo tomaron té en la veranda. Después él le pidió que fuera a buscar su revólver, ya que quería practicar tiro en el jardín.

—¿Usted también practicó?

—Disparé un par de veces —respondió Ethel.

—¿Recargó su marido la pistola?

—No vi que la recargara.

Su marido le entregó el revólver antes de entrar a prepararse para ir a la iglesia, explicó Ethel. Se dirigía hacia la veranda cuando se distrajo por ruidos que procedían del cuarto de la niña.

—¿Qué tipo de ruidos?

—Sonaba como si algo se hubiera caído. Me preocupaba que algún gato callejero se hubiera colado en su habitación —precisó—. Esos animales han sido un verdadero estorbo desde que nos mudamos. No quería que molestaran a Dorothy. Dejé el revólver en el lado derecho de la estantería y me apresuré hacia el dormitorio de la niña. Tal y como me había temido, un par de gatos se habían colado dentro. Los ahuyenté y salieron corriendo por la ventana.

Acto seguido, fue a su dormitorio a cambiarse para ir a la iglesia. Su marido la esperaba cuando regresó a la veranda y juntos fueron andando hasta el templo. Al volver a casa después de la misa, William Proudlock se cambió enseguida y marchó corriendo a cenar a casa de Goodman Ambler. Ella se quitó el traje que había llevado a la iglesia, se puso el vestido de noche y cenó sola. Después, cuando se estaba poniendo al día con su correspondencia en la veranda, para su sorpresa, apareció William Steward.

—¿Qué hora era?

—No estoy segura, pero creo que eran como las ocho y media, tal vez poco antes de la nueve.

Llovía, pero no demasiado, dijo ella. Steward le preguntó si su marido estaba en casa. Antes de poder responder le dio instrucciones al tirador de *rickshaw* para que esperara debajo de un árbol.

—Le dije que William estaría de vuelta sobre las diez —dijo Ethel—. Me contestó que no lo buscaba por nada importante. Esperaba que se marchara, ya que deseaba seguir contestando mis cartas, pero tampoco quería ser descortés, así que le invité a entrar y sentarse. Le pedí que le dijera a su tirador de *rickshaw* que esperara en el porche porque estaba lloviendo, pero él dijo: «No es muy agradable tenerle cerca, escupiendo todo el rato».

Hablaron sobre el tiempo y el aumento del nivel del río. Le preocupaba que el césped se inundara si persistía la lluvia. Después, sobre los libros que estaban leyendo. Se dirigió a la estantería para coger uno que quería enseñarle, pero él se puso de pie y le bloqueó el paso.

—Me agarró y me rodeó la cintura con su brazo y dijo «Olvídate del libro. Estás preciosa. ¡Te quiero!». Me apretó contra él con rudeza y me besó en los labios. «¡Déjame poseerte!», dijo. «¡Te poseeré!».

—¿Qué hizo usted? —preguntó Pooley.

—Le empujé. Le dije: «¿Estás loco? ¿Qué haces?». Pero no dijo nada. Había un fuego extraño en su mirada. Apagó la luz y me agarró de los brazos con mucha fuerza. Fue muy doloroso, me dolía. Después me bajó el vestido y… empezó a manosearme. ¡Oh, fue horrible, horrible! Luché contra él, pero era tan fuerte, era muy fuerte. Estiré el brazo para buscar el interruptor de la luz, pensé que, si encendía, se detendría y podría hacerle entrar en razón. Buscaba a tientas el interruptor cuando mis dedos tocaron el cañón del revólver. Desesperada, mi mano se cerró en torno a él y lo agarré con fuerza. Aún tiraba de mí. Me espeluznaba que me arrastrara dentro de la casa y… y…

Un sollozo quebró su voz. Enterró su rostro en las manos, sus hombros temblando de forma incontrolada. Ninguno de nosotros emitió sonido alguno, ni siquiera el juez o los letrados. Poco a poco su temblor se calmó y alzó la cara. Su respiración sonaba fuerte y agitada. Aceptó un pañuelo de Pooley y se secó los ojos.

—Le apunté con el revólver —continuó—. Disparé. Creo que dos veces. —Se dio unos leves toques en los ojos con el pañuelo otra vez—. Eso es lo único que recuerdo. Me quedé en blanco.

—¿Qué ocurrió a continuación? —preguntó el abogado.

Cuando volvió en sí de nuevo, advirtió que seguía de pie en la veranda. No tenía ni idea de cuánto tiempo había pasado. Fue hasta los aposentos de los sirvientes a buscar al chico, pero no estaba. El cocinero respondió desde su habitación y ella le ordenó que fuera a buscar a su marido.

—Solo quería asustar a Steward disparando por encima de su cabeza —dijo ella—. Eso es lo único que pretendía hacer. No tenía intención de matarlo.

Su fachada de autocontrol se colapsó y empezó a sollozar de nuevo. El juez Smith hizo una pausa para darle a Ethel tiempo de recomponerse. Al cabo de un corto receso ella indicó que estaba lista para ser interrogada por el fiscal.

—¿Acaso no vio el fallecido que tenía un revólver en la mano? —preguntó Rhodes.

—No lo sé. Estaba muy oscuro. La luz de la veranda estaba apagada, la había apagado él mismo.

—¿Le previno de que tenía un revólver?

—No lo… no lo recuerdo. Yo… No creo… No recuerdo haberle advertido antes de disparar. Solo quería escapar de él. De alguna manera supe que, si no me soltaba, me… violaría.

—El difunto fue encontrado boca abajo en el jardín, a unos cuarenta pasos de la veranda. —El fiscal no consultaba sus notas—. Tenía seis balas en el cuerpo. Cuatro en el pecho, una en la parte posterior de su cabeza y otra en la nuca. ¿Puede explicar cómo pudo suceder?

—No puedo —respondió Ethel sin más—. Recuerdo haber hecho el primer disparo. Recuerdo haber escuchado el segundo. Parecía venir de muy lejos. No recuerdo nada después de eso.

—¿Qué ocurrió después de hablar con el cocinero?

Ethel hizo una inspiración larga y lenta y exhaló.

—Mis recuerdos de lo que sucedió después de que regresara mi marido son vagos. Era consciente de la presencia de Goodman, sí, pero simplemente no logro recordar lo que les dije.

—¿Había visitado el fallecido su casa antes de la noche en que le disparó?

—Solo una vez, cuando William estuvo en Hong Kong. Vino a nuestra antigua casa en Brickfields. Fue una velada musical, también hubo otros invitados —añadió enseguida mirando a los tres hombres del tribunal.

—¿Alguna vez ha ido usted a la casa del difunto en Salak South? —preguntó Rhodes.

—No.

—¿Nunca ha pasado la noche en casa del fallecido? —presionó el fiscal.

—No.

—¿Alguna vez ha tenido una aventura con el difunto?

—¡Desde luego que no! —Los ojos de Ethel barrieron la sala del tribunal antes de posarse en el juez Smith y en los dos asesores jurídicos—. ¡No soy una ramera! —se dirigió a ellos directamente—; nunca he tenido una aventura con William Steward ni con ninguna otra persona.

Pensé que había dicho todo lo que tenía que decir, pero entonces se agarró a la barandilla del estrado de los testigos y con una dignidad furiosa echó los hombros hacia atrás al mismo tiempo que empujaba su barbilla hacia adelante.

Con voz clara y estridente declaró: «Prefiero ser acusada de asesinato que vivir el resto de mi vida bajo la sombra de ser una esposa infiel».

Fue una actuación poderosa y conmovedora, pensé. Pero ¿convencería a los tres hombres allí sentados en cuyas manos estaba su destino?

III

El último día del juicio, James Pooley presentó los argumentos para la defensa.

—La señora Proudlock es una mujer elegante y virtuosa que sufrió una privación temporal de la cordura cuando William Steward intentó violarla —concluyó al final de su largo discurso—. No debería ser declarada culpable de asesinato.

Hasting Rhodes presentó su alegato para la acusación y después, durante la siguiente hora y media, el juez Sercombe Smith examinó las pruebas presentadas por ambas partes. Eran casi las cinco cuando terminó de revisar el caso.

—Señor Wise —se dirigió al asesor jurídico de su izquierda—, ¿cuál es su veredicto sobre el cargo de asesinato?

—Mi veredicto dicta que es culpable.

El juez Smith miró a su derecha.

—¿Y usted, señor Kindersley? ¿Cuál es su veredicto por el cargo de asesinato?

—Mi veredicto dicta que es culpable.

El juez se quitó los anteojos y miró a Ethel desde el tribunal.

—Coincido —dijo.

La sala del tribunal estalló. Gritos de incredulidad competían con exclamaciones de aprobación.

—¡Asesina! —vociferó un hombre detrás de mí—. ¡Asesina!

Ethel tenía la vista fija en el juez Smith, su rostro estaba pálido. Una y otra vez los alguaciles pidieron silencio hasta que por fin la agitación se calmó.

—¿Tiene la acusada algo que alegar al tribunal? —preguntó su señoría.

Esperamos tensos a que hablara. ¡Por Dios bendito, di algo, Ethel, la instaba en mi mente! Cuéntales lo que ocurrió en realidad entre tú y Steward. Habla, Ethel. ¡Lucha por tu vida!

Sin embargo, Ethel permanecía en el banquillo en silencio. El juez le concedió otra oportunidad, alargando el momento, pero ella seguía sin pronunciar una sola palabra.

—Por la presente, condeno a la acusada Ethel Proudlock —dijo el juez Smith—, a que sea colgada por el cuello hasta morir.

Se levantó la sesión y los tres hombres se dispusieron a abandonar la sala.

Ethel mantuvo la mirada fija en su marido, una expresión aturdida ocupaba su semblante. Entonces, un sonido ahogado estalló desde su garganta y se derrumbó. Su exclamación desesperada invadió la sala del tribunal. William Proudlock se apresuró hacia el estrado y acogió a su mujer en sus brazos. Le acarició la cabeza y susurró algo en su oído, pero ella seguía lamentándose.

Tuvo que sostenerla mientras la policía la escoltaba fuera de la sala. Les seguí por los pasillos, manteniéndome cerca de sus dos abogados. Salimos al patio adoquinado junto al río Klang. Era la última hora de la tarde, los samanes de la orilla bullían por la agitación de los cuervos que se disputaban el sitio entre sus ramas.

Una furgoneta policial esperaba en el patio, sus puertas traseras abiertas de par en par. Aún sollozando lastimosamente, Ethel se aferró a William. Los policías tuvieron que arrancarla de los brazos de su marido y forzarla a entrar en el vehículo. William exigió ir con ella, pero los agentes cerraron las puertas de golpe, echaron el cerrojo y se subieron a los asientos delanteros.

Nos quedamos allí William, los abogados y yo, observando cómo la furgoneta se ponía en marcha llevándose a Ethel a Pudoh Gaol.

Capítulo dieciséis

Willie
Penang, 1921

Los árboles aún estaban envueltos en la neblina cuando el *syce* condujo a Robert y a Willie hasta los Jardines Botánicos. La salida era demasiado temprano para el gusto de Gerald, y Lesley también había decidido quedarse.

—Vosotros dos, que sois viejos amigos, deberías pasar algún tiempo a solas —había sugerido ella al despedirse de ellos en la veranda.

Los portadores seguían sentados en cuclillas al comienzo de la pista de la selva que ascendía poco más de seiscientos metros hasta la cima de la colina de Penang.

Willie sintió una punzada de inseguridad cuando reparó en los *dhoolies* en los que viajarían hasta la cumbre: dos esmirriadas estacas de bambú de aproximadamente tres metros, cosidas a un sillón de mimbre en el centro.

Se acomodaron en ellos y, mediante gritos y alaridos, los portadores —cuatro tamiles asignados a cada *dhoolie*— izaron su carga sobre sus hombros y emprendieron la larga y empinada subida hasta la cima. Willie se aferró con fuerza a los brazos del sillón, por temor a caerse del asiento, pero pronto se empezó a relajar y a disfrutar de los vaivenes y del balanceo del trayecto.

—El funicular estará terminado dentro de un año —le anunció Robert, girándose en su *dhoolie*, que iba delante—. Si volvéis a Penang podréis subir a la colina en él.

—Lo haremos contigo y con Lesley, pero dudo que sea… tan emocionante como esto.

Fueron transportados colina arriba a través de tramos soleados y sombríos túneles vegetales colmados de helechos, orquídeas y bromelias. Los árboles de ancho perímetro se cernían sobre ellos, sus troncos arrugados ascendían cientos de metros hacia el cielo para extender luego sus ramas formando elevados doseles. Willie sintió que la masa exuberante e indómita de las plantas epífitas que se derramaban desde las horquillas de los árboles tenía algo de lujurioso. En varios puntos, los portadores se vieron obligados a pasar apretujados junto a enormes voladizos de roca. En la selva resonaban los cantos de los pájaros y de vez en cuando los chillidos enloquecidos de los monos hendían el aire.

Cuando alcanzaron la cumbre al cabo de una hora, el calor pegajoso de la llanura había dado paso al aire fresco. Los portadores los conducían ahora a lo largo de caminos frondosos flanqueados por casitas de arenisca. Willie sintió que podría encontrarse en cualquier pueblo de Inglaterra.

En el hotel Crag se bajaron de sus *dhoolies*. Willie se sacudió la rigidez de las extremidades mientras miraba a su alrededor. El *bungalow* principal estaba construido sobre la cresta de un elevado promontorio rocoso rodeado por árboles muy altos, y se conectaba a los *bungalows* más pequeños para los huéspedes, emplazados en las laderas más bajas, mediante escalones estrechos y pasillos.

Era temporada baja, se disculpó el director mientras los conducía, a través del espacioso vestíbulo vacío hasta el mirador, ubicado al final de la terraza de césped. Un inmenso padauk malayo, su tronco plagado de helechos, se erigía desde el centro del mirador, con un círculo de bancos en torno a él. Se había colocado una mesa para ellos junto a las barandillas de madera, un camarero esperaba, atento. George Town se extendía a sus pies bajo la luz matutina. Con los ojos entrecerrados, Willie distinguió los silos alineados en el puerto. Los buques y las incontables embarcaciones diminutas se entrecruzaban en el canal, como *skimmers*[1] deslizándose sobre la superficie del agua. Más allá, en tierra firme, reconoció las montañas que le recibían todas las mañanas desde la playa de Cassowary House y detrás, otra serie de elevaciones extendiéndose en la neblina.

[1] Embarcaciones diseñadas para recoger vertidos de petróleo u otros contaminantes en la superficie del agua. *(N. de la T.).*

El viaje y el aire fresco y puro habían despertado su apetito, y dieron buena cuenta de un desayuno abundante.

—Estoy disfrutando de *En un biombo chino* —dijo Robert mientras bebían té—. Me siento muy privilegiado de poder tenerlo en mi poder antes de que aparezca en las librerías.

—Te enviaré un ejemplar dedicado. —Willie apartó su taza y se inclinó hacia adelante, con las manos apoyadas en la mesa—. El otro día, justo antes de que te quedaras dormido, dijiste algo... sobre Ethel Proudlock, sobre su marido y lo que... le hizo su padre. Algo terrible. ¿De qué se trataba, Robert? ¿Qué... hicieron?

Robert se rascó una mejilla con el ceño fruncido.

—No recuerdo haber dicho nada parecido.

—Lo hiciste.

—Pues no tengo ni idea de lo que dije ni de lo que quise decir, viejo amigo.

Si mentía, pensó Willie, era bastante convincente.

Robert señaló las casas en la cumbre.

—Esa es la casa del gobernador. Y esa de allí..., esa es de Noel Hutton. Nos hemos hospedado en ella un par de veces. La mayoría son residencias de verano o de descanso del Gobierno. —Señaló una edificación al pie de las montañas—. Ese es el Templo de la Felicidad Suprema. ¿Ves la estructura en la ladera justo por encima? Están levantando una pagoda.

El armazón octogonal de la pagoda en construcción solo tenía tres o cuatro pisos de altura y sus laterales aparecían perforados con hileras de ventanas altas y estrechas. Rodeado de colinas y de selva exuberante, parecía la ruina de una civilización perdida.

—No la veré terminada, Willie, al igual que no subiré aquí contigo en el funicular. —Robert le miró por encima del borde de su taza de té—. Te lo habrá dicho Lesley, estoy seguro.

—Mencionó que habéis planeado mudaros a Karoo.

—Supongo que también piensas que estoy chiflado.

En el tejado del templo, un estandarte de color bermellón y amarillo aleteaba desde su mástil, como la llama vacilante de una vela.

—Mientras nos... traían hasta aquí —dijo Willie, mirando el estandarte—, me acordé de una historia que escuché en Hong Kong.

—¿Ah sí? Cuéntame.

—Tuvo lugar hace unos ocho o nueve años. Un médico de mediana edad, inglés y recién casado, descubrió que su joven… esposa tenía un amante. De modo que decidió aceptar un puesto como oficial médico de distrito… en un pueblo afectado de cólera en lo alto de las montañas de China.

—Un modo un tanto pueril de adormecer su dolor, ¿no te parece?

—En realidad, quería castigar a… su mujer. Le ordenó que le acompañara, pero ella se negó, así que le dio un ultimátum: o iba con él o se divorciaba de ella y la mandaba… de vuelta con sus padres a Inglaterra.

—¿Qué hizo ella?

—Se marchó con él, claro. ¿Qué otra opción tenía? Les llevó… cinco semanas llegar hasta el pueblo. El viaje fue duro y peligroso. Durante el último tramo, para ascender las montañas tuvieron que ser conducidos en sillas de mano, lo que me hizo recordar la historia cuando íbamos en nuestros *dhoolies*. —Willie meció su taza de té en la palma de su mano—. Tres meses después de llegar al pueblo, el médico murió de cólera. Ella le enterró… allí.

—¿Qué le sucedió a la mujer?

Willie tuvo que pensar un momento. La mujer se había marchado del pueblo y regresó a Hong Kong, recordó. Se casó con su amante y, por lo que sabía, aún vivían felices juntos.

—Aún vive allí, en ese pueblo de las montañas —dijo él—. Nunca regresó a casa.

Sopló una brisa fresca que facilitaba la muda de las hojas de los árboles. Robert señaló las placas de nubes grises que se extendían por encima de las montañas de la península.

—No queda mucho para el monzón —dijo—. Durante semanas enteras llueve día tras día. Siento como si me ahogara. No tienes ni idea de lo que es. Por supuesto que mudarse al Karoo es una decisión drástica —continuó—. ¿Crees que no lo sé? —Su voz, al hablar de nuevo, tenía modulaciones irregulares—. Pero es la única alternativa que me queda.

Contemplando a su amigo, Willie sintió una profunda tristeza por él.

—Me alegro de que me invitaras a quedarme en tu casa, Robert.

—¿Vendrás a visitarme a Karoo?

—Incluso llevaré una caja grande… con los últimos… libros para ti.

—¿Nunca te cansas de viajar?

—Nunca. Disfruto de… la libertad que me da. Cuando viajo siento que puedo… cambiar un poco, y regreso de cada viaje un poco diferente de lo que era.

—*Caelum non animum mutant qui trans mare currunt* —dijo Robert. Sonrió cuando vio la expresión impávida de Willie—. Horacio.

—Ah, sí. Por supuesto.

Las libélulas, con sus alas semejantes a vidrieras de colores, daban puntadas invisibles en el aire. Los dos amigos contemplaron el terreno que se extendía a sus pies, observando cómo las sombras de las nubes magullaban la tierra.

Capítulo diecisiete

Lesley
Penang, 1910

Después del juicio, cada vez que iba al club de lectura, la gente intercambiaba miradas suspicaces y bajaba la voz. El ambiente era tenso y paranoico. Sospechaba que Sun Wen estaría trazando los últimos planes para otro intento de derrocar al emperador, pero nunca le pregunté a Arthur lo que tramaban. Sun Wen había formado una comisión para publicar el primer diario del Tongmenghui en Penang. Habían montado una imprenta en una de las habitaciones cerca de la cocina. Me uní a los demás, ya agrupados en el comedor para ser testigos de cómo el primer ejemplar salía de la rotativa.

—El *Kwong Wah Yit Poh* —declaró Sun Wen sujetando el periódico por encima de su cabeza como un estandarte de victoria—. Desde hoy nuestras voces serán oídas, alto y claro.

El diario *Glorious China Daily* se distribuía en las tiendas que simpatizaban con el Tongmenghui, sin embargo, la mayoría de los puestos de venta de prensa de George Town no tenían trato con ellos. Al hojearlo, cuando nos quedamos solos Arthur y yo, hallé una fotografía de Ethel Proudlock acompañada por un largo artículo. Era desconcertante ver su cara encajada entre las barras verticales de la escritura china.

—Lo escribí yo —dijo Arthur.

Me lo leyó, traduciéndolo al inglés. Pensé que había sido justo y objetivo con ella; fiel a los hechos, renunciaba a divulgar lo que le había contado sobre su aventura con William Steward.

Me parecía mentira que hubieran pasado tres semanas desde que Ethel fue sentenciada a la horca. Muchos pensaban que había tenido su merecido, pero los periódicos recibían cartas todos los días criticando la decisión del tribunal. Ethel había defendido su honor, argumentaban, y condenarla a muerte por ello era una farsa brutal de la justicia. No debería permitirse que algo así le sucediera a una mujer europea.

Los abogados de Ethel presentaron un recurso el día después de que se decidiera su destino. William Proudlock escribió al secretario de Estado de las Colonias solicitando un indulto real, y el Club de Mujeres Europeas en Kuala Lumpur y Penang envió un telegrama a la reina, implorando su intercesión ante el rey para que lo concediera. Cuando el secretario de Estado rechazó la petición de William y le informó de que la solicitud de clemencia debería enviarse al sultán de Selangor, cientos de nosotros en Penang, Kuala Lumpur y Singapur firmamos las peticiones. Nos informaron de que tan solo considerarían nuestros requerimientos cuando el resultado de la apelación de Ethel se diera a conocer. Lo único que podíamos hacer —tanto nosotros como Ethel— era esperar a que se fijara la fecha de dicha apelación.

Quería verla. Tenía que verla. Un guardia me condujo hacia lo más profundo de la cárcel, a través de largos pasillos gélidos donde el eco de nuestras pisadas resonaba. Cuando nos detuvimos ante la puerta de su celda, yo ya había perdido la orientación. Estaba acostada en su litera, con la mirada fija en el techo. El guardia sij inclinó su cabeza hacia mí y esperó de pie al final del estrecho corredor.

—Ethel —Los muros húmedos y gruesos amortiguaron su nombre. No se movió y la llamé de nuevo, alzando la voz.

Muy despacio, como si levantara una roca pesada, giró su cabeza hacia mí. Me miró fijamente durante un largo rato hasta que se enderezó, retiró los mechones de cabello que le caían sobre las cejas y cruzó descalza el suelo de cemento gris, deteniéndose a unos centímetros de los barrotes. Me habían prohibido cualquier contacto físico con la prisionera, de modo que mantuve mis manos a los costados. Tenía los pómulos pronunciados, el cabello grasiento y enredado, y bajo sus ojos asomaban bolsas. Vestía el uniforme de la prisión: una amplia blusa gris de algodón y una falda larga. Parecía haber envejecido veinte años.

—Oh, Ethel…

—Me han metido aquí, en este sitio. Aquí es donde meten a los condenados —dijo—. No se me permite mezclarme con las demás mujeres; estoy encerrada día y noche. Los guardias me vigilan todo el tiempo. —Su risa sonó como el estertor de un moribundo—. Piensan que me quitaría la vida.

—Sé fuerte, Ethel. Pronto acabará todo. El recurso revocará la sentencia. Serás absuelta. Lo dice Robert. Todo el mundo lo cree.

—Le he pedido a Pooley que retire el recurso.

Clavé la vista en ella, mis manos aferradas a los barrotes.

—¿Estás loca? ¿Por qué diablos has hecho eso?

Comenzó a recorrer la celda de un lado para otro; cuatro pasos hasta una pared y cuatro pasos hasta la pared opuesta.

—No puedo soportar estar aquí, Lesley. Lo odio. ¡Lo odio! Pasará un mes antes de que atiendan mi recurso. Tengo que salir de inmediato. Hoy. No podré soportar ir a juicio otra vez con todo el mundo mirándome, juzgándome una vez más. No puedo. Simplemente no puedo. —Se detuvo—. Le he pedido al sultán que me perdone. —Comenzó a deambular de nuevo sin rumbo.

—Pero, Ethel… —Mi mente barajaba las consecuencias de su decisión—. Sabes lo que eso significa, ¿verdad? ¿Si retiras la apelación? Sí, es posible que el sultán te perdone, pero no serías exonerada del crimen. Seguirías siendo una asesina declarada culpable. Llevarás esa mancha durante el resto de tu vida. No es justo para Dorothy, ni para William. Oh, por amor de Dios, Ethel, ¿quieres sentarte? Me estás mareando.

Se detuvo de forma abrupta, lanzándome una mirada hosca.

—Ya se lo he dicho al señor Pooley y he escrito una carta al *Mail*.

Se dejó caer en la litera y volvió su rostro hacia la pared. La llamé, pero hizo caso omiso.

Robert fue a Kuala Lumpur por una reunión urgente con un cliente. Se llevó a Peter Ong con él. Me alegré de su ausencia, ya que me permitía pasar unos días con Arthur. Qué irónico que Robert y yo tuviéramos cada uno un amante chino. Teníamos esta singularidad en común, pero nunca hablamos de ello. Entre nosotros existía un enorme y denso silencio que se acrecentaba con los años, capa sobre capa, endureciéndose como un arrecife de coral, con la diferencia de que un arrecife de coral es algo vivo, ¿no es así?

—Lo único que comentaba la gente era la decisión de tu amiga de retirar la apelación y solicitar el perdón al sultán —comentó Robert cuando llegó a casa un par de noches después. Acabábamos de sentarnos a cenar—. Todo el mundo está furioso porque ha puesto su destino en manos del sultán. Deberías oír cómo la despedazan. Es absolutamente brutal.

—Le advertí que seguiría siendo una asesina convicta aun en el caso de que el sultán la perdonara.

—Las implicaciones son mucho más desastrosas que eso.

—¿Qué quieres decir, Robert?

—Ethel Proudlock ha perjudicado nuestro prestigio entre los nativos. «¿Cómo podemos permitir que un magnate asiático tenga el poder de decidir sobre la vida o la muerte de una europea, una mujer inglesa?».

—Eso les traería sin cuidado si fueran sus cuellos lo que estuviera en juego.

Robert limpió con cuidado sus labios con la servilleta.

—Sun Wen pronunció un discurso en el Club Chino en Macalister Road la semana pasada —comentó—. Atacó al Gobierno británico de Malaya. Abiertamente. Alguien informó de ello a sir John.

—¿Qué piensa hacer? —Sus palabras me preocuparon, pero intenté que no se me notara. El gobernador de las Colonias del Estrecho era el dios que regía nuestras vidas.

—Ha firmado las órdenes de expulsión de Sun Wen de Penang. Ha de partir mañana en el primer barco.

Las imágenes de la confusión en la sede del Tongmenghui se agolparon en mi mente. Reprimí el impulso de prevenir a Arthur. No habría cartas, ni notas, ni mensajes. No habría nada tangible que nos vinculara, ni pequeñas migas dejadas por el camino.

—¿Qué le sucederá a su familia? —Percibía el vago temblor de mi propia voz—. Sus hijas acaban de empezar el colegio.

—La orden de deportación solo se le aplica a él, pero se prepararán para seguirle más adelante, supongo. Oh, no te angusties tanto, querida. Era cuestión de tiempo que le invitaran a marcharse, lo sabes. —Robert daba vueltas en la mano a su vaso de *whisky*, dispersando destellos de luz sobre las paredes—. Querrás despedirte de él mañana. Transmítele mi adiós. No creo que lo volvamos a ver por aquí nunca más.

Aún sospechaba que yo tenía una aventura con Sun Wen. Mi querido marido podía tener un amante y puede que no compartiéramos cama desde hacía años, pero yo seguía siendo su esposa.

Permanecimos sentados en silencio, ocultando cada uno ante el otro sus verdaderos pensamientos. Lo que sostenía un matrimonio, lo que permitía que durara un año tras otro, comprendí, eran las cosas que no se mencionaban, las verdades a las que, anhelando revelarlas, obligábamos, no obstante, a permanecer escondidas en nuestras gargantas, en lo más profundo, en los compartimentos más oscuros de nuestros corazones.

II

Había más de cien hombres y mujeres reunidos en torno a Sun Wen y su familia cuando llegué al muelle Swettenham al amanecer. Un grupo de funcionarios con coleta de la legación China permanecían retirados, observando. Me abrí paso a empujones a través de la multitud agitada y taciturna, hasta Sun Wen. Chui Fen rodeaba con su brazo los hombros caídos de una mujer mucho mayor. Era la primera vez que veía a su esposa. La mujer robusta de baja estatura estaba llorando, sus dos hijas la consolaban.

Durante un momento, Sun Wen y yo nos miramos. Pensé en la primera vez que le vi, en cómo esa reunión me cambió. Me hizo una reverencia y se puso la mano en el corazón.

—Te doy las gracias, Lesley, por todo lo que has hecho por nuestra revolución. Mi familia te lo agradece. China te lo agradece.

—¿Dónde irás?

—A Inglaterra y después a América, siempre hacia adelante. —Miró a su mujer, a sus hijas, y a Chui Fen—. Mi familia permanecerá aquí. Mandaré a buscarlos cuando se determine mi futuro.

—Si necesitan algo, Sun Wen, cualquier cosa, deben decírmelo.

—Ven a China cuando hayamos creado nuestra república, Lesley. —Tras su actitud tranquila intuí el intento de presentar una apariencia heroica ante su familia y sus seguidores; y, tal vez, sobre todo, ante él mismo—. Ven a ver por ti misma el amanecer del país que has ayudado a crear.

Me agarró de las manos, y después las soltó. Fui a esperar junto a Arthur. Se inclinó ligeramente hacia mí, su brazo rozaba el mío, que mantuve inmóvil, sintiendo la calidez que irradiaba.

Un par de policías sijs escoltaron a Sun Wen hasta el final del muelle, donde el *Edinburgh* esperaba para zarpar. Al pie de la pasarela, se detuvo y dio las gracias a los policías. Enderezó sus hombros y ascendió, avanzando con paso tranquilo. Ya arriba se quitó el sombrero y se giró para contemplar a la multitud congregada a sus pies, sus ojos buscaban a su mujer y sus hijas. Levantó una mano para despedirse de ellas y de todos nosotros; la mantuvo elevada largo rato.

El barco hizo sonar la sirena y los remolcadores cobraron vida, arrastrándolo hasta zona navegable. Alineados en el muelle, Arthur, yo misma, la familia de Sun Wen y los seguidores del Tongmenghui lo contemplamos mientras se alejaba de Penang.

La expulsión de Sun Wen desencadenó una gran actividad entre sus seguidores. Los hombres y mujeres del Tongmenghui recorrieron Penang y Malaya pronunciando discursos y difundiendo los llamamientos de su líder para levantarse contra la dinastía Qing; recaudaron fondos con la formación de compañías de ópera cantonesa y *teochew*[1] que actuaban en los pueblos y en las minas de estaño. Continué visitando el club de lectura dos veces a la semana, trabajando ante la mesa alargada durante una hora o dos antes de escabullirme hacia la Casa de las Puertas.

Aquella mañana, cuando penetré en el *goh kaki*, algo me hizo volver a mirar las puertas exteriores de la casa. Estaban lisas y desnudas, su aspecto no era distinto del habitual, sin embargo, percibí algo diferente que no lograba identificar. Di un paso atrás, pero no hallé nada fuera de lo normal; di otro, esta vez para observar

[1] Variante de ópera característica del sur de China. *(N. de la T.).*

desde un ángulo oblicuo. Ladeé la cabeza ligeramente a un lado y entonces lo vi.

Las tenues líneas en la madera formaban un diseño oculto. El dibujo me resultaba familiar, sin embargo, por más que lo intentaba, no lograba recordar dónde lo había visto antes. Me adelanté ligeramente y las líneas desaparecieron, como el polvo eliminado con un trozo de tela.

—¿Qué es ese símbolo extraño en las puertas principales? —pregunté a Arthur más tarde, cuando estábamos acostados en la cama—. Antes no estaba, ¿no?

—Le pedí a Pak Musa, el artesano del otro lado de la calle, que lo tallara la semana pasada —respondió—. Somerset Maugham lo pone en todos sus libros. Leí en una entrevista que era un signo para alejar la mala suerte.

Por supuesto. Ahora recordaba dónde lo había visto antes.

—Siempre me ha gustado —continuó Arthur—. Pensé, ¿por qué no ponerlo en las puertas principales? Quería proteger esta casa. —Puso su mano en mi mejilla—. Nuestra casa.

III

A finales de agosto estalló una insurrección en Cantón. La situación nos tenía en vilo, nos preguntábamos si sería la chispa que prendería el barril de pólvora. Sin embargo, dos semanas más tarde, la rebelión fue sofocada de manera brutal por el ejército imperial. Fueron ejecutados más de setenta revolucionarios, uno de ellos, un maestro de Penang. El ánimo en el club de lectura era desolador; las discusiones estallaban entre sus miembros, algunos criticaban el débil liderazgo de Sun Wen, otros expresaban su apoyo inquebrantable. Al escuchar las disputas que tronaban a mi alrededor, recordé la noche en nuestra veranda en la que Sun Wen enumeró uno a uno sus numerosos fracasos. Temí que nunca triunfara.

Un mes más tarde, tuvo lugar otro levantamiento, esta vez en Wuchang. Fracasará como todos los demás, comenté a Arthur. No obstante, semana tras semana las provincias vecinas se volvían a levantar contra el Gobierno. La rebelión se propagó como un incendio y las llamas se extendieron por toda China. A Sun Wen, que estaba en América recaudando fondos, los acontecimientos le cogieron desprevenido; regresó a toda prisa a Cantón en el barco más veloz que encontró. No era él quien había organizado las últimas rebeliones, sin embargo, como era natural, debía demostrar que tomaba el liderazgo.

IV

Una tarde, Arthur y yo estábamos sentados junto al pozo de viento en la Casa de las Puertas, bebiendo té y escuchando el tintineo de la lluvia.

—Anoche tuvimos una reunión —empezó a decir Arthur—. Treinta miembros del Tongmenghui de Kuala Lumpur se han ofrecido voluntarios para ir a China. Veinte son de Penang. —El agua ya nos llegaba por los tobillos—. Yo soy uno de ellos.

Dejé mi taza y le clavé la mirada. —Pero… ¿cuánto tiempo estarás fuera? ¿Cuándo regresarás?

—Cuando ya no me necesiten allí.

—Eso podrían ser años. —Me costaba creer lo que estaba escuchando—. No puedes hacerles esto a tus padres, Arthur. ¿Y qué pasa con tu esposa? ¿Y tu hija? No puedes hacerles esto. —Y, sobre todo, pensé, aunque no lo dije en alto, no puedes hacerme esto a mí.

—Si todos pensáramos así, no habría revolución, ningún cambio para mejor, ¿entiendes? Ahora es el momento de actuar, Lesley, de dar todo lo que podamos.

—Eres un maldito egoísta —le recriminé—. Como todos los hombres que he conocido: Robert, Sun Wen, mi padre. Incluso Geoff. Siempre pensando en vuestras necesidades, en vuestro propio placer.

—Estamos a punto de vencer. —Pellizcó una brizna invisible de aire frente a nuestras caras—. Así de cerca, Lesley. Se han de hacer sacrificios. Sun Wen lo asumió hace mucho tiempo. Al igual que debo hacer yo ahora.

—¿Por qué será que cuando los hombres hacéis sacrificios siempre somos las mujeres quienes más sufrimos?

Me levanté y caminé hasta el final del pasillo, mis huellas mojadas me seguían por las baldosas. Toqué una de las puertas que colgaban del techo y la hice girar despacio.

—«Te romperá el corazón». —Me giré para contemplarle. Mis huellas ya se evaporaban de las baldosas, como si yo nunca hubiera existido ni hubiera puesto un pie en la casa.

No entendió mis palabras.

—China —dije—. China te romperá el corazón.

Nos vimos solo una vez más antes de que zarpara hacia Cantón. En el comedor, con las puertas haciendo espirales como únicos testigos, le entregué una bolsita de terciopelo granate.

—Ábrela —dije—. Adelante. No me hagas el feo.

Deshizo el cordón y sacó una cadena del interior. Colgado en un extremo había un amuleto de plata con el mismo dibujo tallado en las puertas. Había calcado el símbolo de una de las novelas de Maugham sobre un papel y se lo había llevado al platero de Kimberly Street.

Cogí la cadena de los dedos de Arthur y se la puse alrededor del cuello, ajustando la posición del amuleto hasta que colgó justo sobre el centro de su pecho. Con la palma de mi mano presioné con firmeza contra su camisa, apretándolo contra su piel.

—Para protegerte —dije—. Para mantenerte a salvo.

Tomó mi mano y la apretó.

—Te escribiré —dijo—. Siempre sabrás dónde estoy y lo que estaré haciendo.

Negué con la cabeza.

—Te lo dije desde el primer día, Arthur, no habrá cartas.

—Pero ahora es distinto.

—No habrá cartas —repetí con firmeza—. Te esperaré aquí en Penang. No me marcharé. No voy a ninguna parte. —Hice un gesto hacia el *guzheng* del rincón—. ¿Tocas algo para mí?

Se sentó junto al *guzheng*, sus manos descansando sobre las cuerdas. Entonces, comenzó a tocar *L'heure exquise*, más despacio de como lo había hecho antes, como si no quisiera llegar al final de la canción. La música se dispersó en el aire, a través de la casa, se filtró en mí y en mi corazón, que latía en el interior de su arca de huesos, se expandía y colapsaba con cada respiración, cada una más pesada que la anterior. Todas las horas exquisitas que habíamos compartido, ¿dónde habían ido a parar? ¿Volveríamos a sostenerlas entre nuestras manos?

La canción llegó a su fin. La última nota se disolvió en el silencio. Nos abrazamos, nos besamos, y di media vuelta para marcharme. Pero entonces recordé que aún quedaba una cosa por hacer. Saqué la llave de mi bolso y se la di.

La volvió a dejar en la palma de mi mano y cerró mis dedos sobre ella, presionando sus labios sobre mi puño.

IV

Una semana después de que Arthur hubiera zarpado hacia Cantón, llegó un paquete a casa. Vi que los sirvientes lo habían dejado en el vestíbulo cuando regresé de la ciudad. Me quedé allí, contemplando una de las hojas del par que integraban un juego de puertas: un halcón que fluía sobre un peñón brumoso y las cuatro líneas de un poema escritas por un guerrero japonés mucho tiempo atrás.

Cuando Robert llegó de trabajar aquella noche, me contó que el sultán de Selangor había anunciado que perdonaría a Ethel con una condición: debía marcharse de Malaya y no regresar jamás.

—Eso es muy duro —dije.

—¿Más duro que una soga en el cuello? No, querida. El sultán tiene razón. Es mejor así, es mejor para ella que se marche y no vuelva más.

—¿Mejor para ella o para todos los demás?

—Puede que el sultán la haya perdonado, pero su propio pueblo, es decir, nosotros, los blancos, nunca lo haremos —sentenció Robert—. Lo único que quiere todo el mundo es olvidar que vivió aquí, olvidar incluso que existió.

Una de las primeras cosas que hizo Ethel Proudlock cuando fue liberada de la cárcel fue conceder entrevistas a los diarios. Me resultaba difícil de entender después de su rotunda negativa a tener algo que ver con la prensa durante su juicio. Continuaba afirmando que era inocente, pero sus palabras no encontraron lugar en los corazones de esas mismas personas que le habían brindado su apoyo, que habían escrito cartas a los periódicos y firmado peticiones exigiendo su libertad.

Le dieron una semana para preparar sus maletas y marcharse de Malaya con su hija. Le ofrecí quedarse en nuestra casa antes de partir a Inglaterra. Se esmeró en guardar las apariencias e hizo grandes esfuerzos por estar alegre y parlanchina, sin embargo, nunca dejó Cassowary House para ir a la ciudad, ni una sola vez; en su lugar, pasó los dos días con nosotros en el jardín o en la playa con Dorothy.

—Echaré de menos Kuala Lumpur y también a ti —dijo Ethel—, pero, ni te imaginas lo contenta que estoy de irme.

Era su última tarde en Penang y tomábamos el té en el jardín. Los árboles se deleitaban mecidos por el viento, sus hojas casi parecían ronronear.

—Escribirás, ¿verdad? —pregunté.

—Por supuesto. Debemos mantenernos en contacto. —Se acercó a mí y me apretó la mano—. Eres una muy buena amiga, Lesley. Lo que hiciste por mí en el juicio… nunca lo olvidaré.

Era la primera vez que tocaba el tema.

—Al final, no fue de mucha ayuda, ¿no?

—No me traicionaste, eso es lo que más me importa.

—¿Qué va a hacer William? ¿Se reunirá contigo en Inglaterra?

La luz desapareció de sus ojos, que adoptaron un aire de ausencia, un vacío, como si ya no hubiera nadie detrás de ellos.

—No quiero volver a verlo.

—No hablarás en serio —dije—. Es tu marido. Permaneció a tu lado durante todo el calvario que pasaste. Te adora.

—Él me obligó a hacerlo, Lesley. —Su voz sonó apagada, tan apagada como habían quedado sus ojos hacía un instante. Pese a que el cielo estaba despejado, de pronto sentí frío—. No tuve elección. Me obligó a hacerlo. Él me obligó a matar a William.

—¿Qué quieres decir? ¿Ethel? ¿De qué estás hablando?

Dio vueltas a la pulsera de su muñeca unas cuantas veces. Después, con una sacudida repentina, como el motor de un vehículo que intenta arrancar, pareció volver a ser ella misma.

—Me alegro de que nos marchemos —dijo sonriendo.

A la mañana siguiente, llevé a la madre y a la hija al puerto. Yo era la única que estaba allí para despedirlas con un saludo de mi mano mientras el barco zarpaba de Penang, pero los periodistas que esperaban en cada escala habían trazado su trayecto por el océano; leí sobre su llegada a Colombo, a Puerto Saíd y finalmente a Tilbury. Después de eso no supe más de ella.

V

Una mañana de enero de 1912, bajé a desayunar y reparé en que Robert me miraba de una forma peculiar por encima de su periódico. Esperó a que me sentara antes de pasármelo.

—Ahora es el presidente Sun Yat Sen —me anunció.

Leí el artículo. La dinastía Qing estaba acabada. Ya no gobernaba China un Hijo del Cielo. Había nacido la República de China.

Dejé el periódico y fijé la vista en el mar. Lo había conseguido. Sun Wen había logrado su sueño. Quería llorar, pero me obligué a reprimir las lágrimas; no delante de Robert. Recé para que Arthur estuviera a salvo, recé para que el amuleto que le había regalado hubiera proyectado su escudo protector sobre él.

Al momento de marcharse Robert a trabajar, me cambié deprisa y salí apresurada hacia el club de lectura. Las celebraciones ya estaban en pleno apogeo cuando llegué. Los miembros ofrecían discursos improvisados e interpretaban canciones patrióticas, interrumpidas de cuando en cuando por alguien que gritaba eslóganes y el nombre de Sun Wen.

Yo celebraba y aplaudía con ellos. Sin embargo, mientras observaba a los hombres y mujeres a mi alrededor, tan jóvenes, tan entusiasmados con la causa, supe que ya no pertenecía a ese lugar. Tal vez nunca pertenecí. Un pequeño fragmento de un mundo más grande que, por un breve lapso de tiempo, me había tendido su mano, había avanzado dejándome atrás. Charlé y reí con todos, pero nadie advirtió —o a nadie le importó— cuando, después de un rato, me marché del lugar, cerrando las puertas detrás de mí.

Fuera, en la calle bulliciosa, me detuve y volví la vista hacia la casa. Pensé en la primera vez que había ido allí y en las numerosas visitas desde aquella noche. A continuación, en silencio, me despedí.

El viento de viejos anhelos impulsó mis velas hasta la Casa de las Puertas. Las contraventanas estaban cerradas, las puertas principales también, clausuradas con un sello invisible.

Al asomar por Victoria Street, mis ojos se toparon con una fila de culis chinos en una barbería india abierta a la intemperie en el callejón. Movida por la curiosidad, me detuve a observarlos. Uno tras otro, los hombres se encaramaban al alto taburete. El barbero colocaba un periódico alrededor de sus hombros y procedía a cortarles la coleta. Todos, sin excepción, se frotaban la parte posterior de su cabeza con la mano, concluida la operación. Algunos recogían su trenza recién cercenada del suelo, la envolvían en torno a la muñeca o se la metían en los bolsillos, pero un gran número de ellos dejaba aquella tira de cabello en el suelo donde había caído. Muchos culis derramaban lágrimas, pero ya fuera por alegría o tristeza, no lo podía saber.

Aquella mañana, mientras permanecía de pie en el callejón y observaba a los culis cortarse las trenzas, me embargó una intensa sensación de envidia por la oportunidad que se les había dado de desechar su viejo yo y comenzar una nueva vida.

Capítulo dieciocho

Lesley
Penang, 1921

Willie permaneció en silencio un tiempo cuando terminé de hablar. Me levanté y me acerqué a las ventanas. No había luna y el aire era pegajoso y cálido; ni siquiera soplaba una leve brisa que removiera el negro tejido nocturno.

Tantas noches hablándole sobre mi vida y mi matrimonio, ¿qué había conseguido? Esperaba sentirme liberada, aliviada. Sin embargo, al final del día solo experimentaba una honda tristeza por mí misma y, eso no lo esperaba, también por Robert.

Algo en el entelado oscuro del mar lanzó destellos que capté de refilón. Al principio creí que me habría equivocado, pero un segundo o dos más tarde apareció de nuevo.

Me alejé de la ventana.

—¿Qué tal un paseo por la playa, Willie?

El mar estaba en calma; las olas, como desganadas. Las mansiones detrás de los árboles, sumidas en la oscuridad. La arena aún se conservaba tibia por el sol diurno. Me puse a andar con paso ligero, guiada por un débil resplandor que procedía de la choza de un pescador. Una semilla de luz fiel como la estrella de un marinero. Habíamos recorrido unos cincuenta pasos cuando me detuve de forma súbita.

—Mira. Allí, en el mar —dije.

No había nada, solo la densa negrura. Entonces, un fragmento de luz azul resplandeció en el agua. Se encendió otro fragmento, seguido de otro, como rayos atrapados en una muralla de nubes tormentosas.

—¡Dios mío! —dijo Willie con voz queda.

Estaba hipnotizado, lo podía sentir.

—¿Sabes qué es lo mejor para una noche pegajosa como esta?

Captó mis intenciones al instante.

—¡Oh, no. Ni hablar!

Pero yo ya me estaba desabrochando la blusa y la falda. Se deslizaron en un susurro a lo largo de mi cuerpo hasta la arena, igual que mi ropa interior un momento después. Me quedé allí en al aire cálido y pegajoso, completamente desnuda. Willie me importaba un comino. Era homosexual, ¿no es cierto? Y, además, no podía verme en la oscuridad; aun así, sentí cómo desviaba el rostro y daba medio paso atrás.

—Allí fuera está negro como el carbón —empezó.

—Oh, deja de quejarte como una vieja, Willie.

Se quitó la ropa, su resistencia era palpable hasta en la oscuridad. La dejó a sus pies y entonces, desnudo, excepto por su desazón, se adentró en el mar conmigo.

El agua estaba templada como la sangre y sentí que me disolvía en ella. Hacía mucho que no nadaba de noche y no pude evitar imaginarme bancos de criaturas en el agua rodeándonos en un tornado silencioso de dientes afilados como cuchillas. Qué idiota. Alejé esos miedos. Nadamos lejos de la orilla, la tierra desvaneciéndose bajo nosotros en valles y abismos, extensas y silenciosas planicies nunca rozadas por el sol desde el principio de los tiempos. No lograba distinguir la costa de tierra firme delante de mí, ni el punto en que el mar se fundía con el cielo. Me giré para mirar detrás de mí, pero la casa y la playa se habían doblado ya en el pliegue de la noche. Tan solo el lejano y vago siseo del oleaje efervescente sobre la arena me aseguró que la tierra aún seguía allí detrás de nosotros. Aún existía.

De pronto nadábamos en el fuego de cobalto, cada brazada, cada sacudida encendían tempestades de plancton que bailaban a nuestro alrededor. El sonido de mi risa rasgaba la noche tranquila y sin viento. Willie también reía. Sumergimos nuestras cabezas bajo el mar centelleante y emergimos de nuevo, el fuego chisporroteaba en nuestros labios. Riachuelos de llamas azules corrían por el cabello y el rostro de Willie. Toqué mi mejilla, sintiéndola resplandecer; recogía el mar en el hueco de mis manos, me maravillaban las serpientes de fuego que ondeaban en mis brazos. Nos sonreímos con un regocijo estúpido, infantil. Nuestros cuerpos desnudos eran visibles en el agua, pero ¿de qué tendríamos que avergonzarnos? En definitiva, no éramos más que dos insectos conservados en ámbar.

Cada vez que se atenuaba el fuego, pataleábamos y agitábamos los brazos, avivando la caldera de agua.

—Si agitamos con fuerza nuestras extremidades durante mucho tiempo y lo bastante rápido —le dije a Willie—, ¿crees que podríamos iluminar el océano entero?

Como un ancla deslizándose desde un barco, me hundí bajo la superficie del mar descendiendo en una crisálida de luz. Los peces oscuros se precipitaban a mi alrededor. El agua se volvió más fría, pero seguí cayendo, embargada por la sensación de estar viajando en el tiempo. ¿Sería porque el mar era tan inconmensurablemente antiguo, tanto que existía incluso antes de que se formaran los firmamentos para dividir las aguas de las aguas? Me vi atrapada por el anhelo atávico de seguir hundiéndome, siempre hacia abajo en la oscuridad impenetrable, perforando un túnel estrecho de luz en el mar sin fondo, nebulosas quemándome la punta de los dedos y dibujando una estela de llamas detrás de mí. ¿Qué sucedería si seguía cayendo hasta el principio de los tiempos?

Una mano agarró mi hombro, sacándome de mi hechizo. Al volverme, vi a Willie. De pronto fui consciente del cinturón doloroso que comprimía mi pecho. Entré en pánico cuando comprendí que me estaba quedando sin aire.

Como si hubiera leído mis pensamientos, Willie me agarró de la muñeca y con una patada nos impulsó hacia arriba, tirando de mí. La superficie parecía demasiado lejos para alcanzarla a tiempo. Mis pulmones gritaban cuando por fin mi rostro atravesó la piel del océano.

Absorbí el cálido aire nocturno a bocanadas. Nos mantuvimos a flote, Willie observándome. Su rostro estaba iluminado por el resplandor del agua, pero sus ojos parecían sumidos en cavernas de sombra.

—Deberíamos regresar —dijo con voz queda.

—Estoy bien, Willie.

Me tendí sobre la espalda y floté en el mar plano y resplandeciente. Al cabo de un rato, Willie me siguió. Aquella noche, uno junto al otro, fluimos entre galaxias de estrellas de mar, mientras en lo alto del cielo asteriscos de luz marcaban las notas a pie de página del libro de la eternidad.

LIBRO TERCERO

Capítulo diecinueve

Willie
Penang, 1921

La marea ya había reclamado al mar cuando Willie bajó a la playa. Bajo el sol matutino, los barrizales ondulados por las corrientes parecían extenderse hasta las orillas peninsulares.

Tan solo había terminado tres historias. Necesitaba escribir otras tres o cuatro cuando estuviera en Londres; una colección satisfactoria, en su opinión, requería al menos media docena. Había escrito el relato de Lesley sobre su aventura con un hombre chino tal como se lo había contado, pero no había pensado en cómo dar forma a la historia. Le aportaría una buena suma de dinero, de eso estaba seguro, no lo bastante para pagar sus deudas, pero, con suerte, suficiente para mantener a raya la voracidad de los acreedores durante unos meses. No obstante, si publicaba la historia destruiría su matrimonio. Podía cambiar algunos detalles aquí y allá para camuflar su identidad, por supuesto, pero los habitantes de las Colonias sabrían a quién se referiría.

Miró a su alrededor y distinguió a Lesley con una mujer malaya en la línea de pleamar. La mujer excavaba en la arena con un palo y tenía un cubo a su lado. Se acercó a ellas y miró dentro del cubo. Echó la cabeza hacia atrás y volvió a mirar. Subiéndose unas encima de otras, distinguió un montón de criaturas, las más extrañas que había visto nunca. Sus caparazones lisos de color oliva le recordaban a los cascos de los soldados en las trincheras y sus colas, largas y tiesas, afiladas como la punta de un sable, parecían muy capaces de infligir una herida mortal. Uno de los cangrejos se había dado la vuelta, exponiendo su boca abierta, suaves branquias palpitantes y cinco pares de patitas pataleando desesperadas.

—Son cangrejos de herradura —dijo Lesley, con una amplia sonrisa ante la repugnancia que evidenciaba el rostro del escritor—. Sus huevos son una exquisitez. Mi vieja *amah* nunca tenía suficientes.

La mujer malaya excavó para extraer otro cangrejo enterrado en la arena; lo sacó por la cola y lo dejó caer en el cubo.

—Le he pedido que le diera seis a Cookie —dijo Lesley—. Oh, no te asustes, Willie, son para los sirvientes, pero puedes probarlos cuando quieras.

Pasearon juntos por la playa y se sentaron en la arena al llegar al final de la bahía. Un águila pescadora planeaba sobre los centelleantes barrizales.

—Anoche… —empezó, después se detuvo, intentando encontrar las palabras.

Nunca jamás se había bañado en el mar de noche y, desde luego, menos con una mujer desnuda a su lado, pero resultó ser una de las experiencias más trascendentales de su vida. Flotando en un mar de luz, se había sentido desconectado de las ataduras del tiempo, eterno. Y después de salir del agua y caminar hasta la casa, estaba convencido de que una fluorescencia azul claro aún resplandecía en su cuerpo.

—Lo llevaré en mis recuerdos hasta el fin de mis días.

Fue lo único que dijo.

—Es raro observarlo hoy en día —dijo ella—, pero cuando Robert y yo estábamos recién casados sucedía casi todos los meses. Nos zambullíamos en el mar a toda velocidad en cuanto veíamos todo iluminado.

Willie se preguntaba qué la habría hipnotizado allá en el fondo la pasada noche. Temiendo lo peor, cuando vio que tardaba en ascender a la superficie, se había sumergido detrás de ella. La encontró a bastante profundidad, envuelta en un bulbo de débil luz oscilante, como un farol a la deriva en las corrientes del mar.

—Me alegré cuando Robert se alistó para ir a la guerra. Eso suena terriblemente desalmado por mi parte, ¿no? Sin embargo, durante esos años en que estuvo fuera, no tuve que fingir que estaba bien. No tuve que fingir que era feliz.

—¿Por qué mentiste por... Ethel en su juicio?

—¿Cómo no iba a hacerlo si me encontraba en la misma situación?

Las montañas de la península emergían de la noche, endureciéndose una vez más en sus formas eternas.

—Parece que están muy cerca, ¿verdad? —dijo Lesley—. Tan cerca, pero al mismo tiempo distantes como un mito o un recuerdo. —Hizo una pausa por un momento y continuó—: Siempre me recuerdan a un poema que aprendí en el colegio: «¿Qué son esas tristes colinas?...».

—«Esa es la tierra del continente perdido. / Veo resplandecer muy ceñido / el alegre sendero que atrás dejé —dijo Willie—. Y por el que ya no puedo volver»[1].

Un trasatlántico P&O pasaba a toda máquina, dirigiéndose hacia el mar de Andamán. Lo más probable era que estuviera navegando hasta la India, bajara por la costa de África para rodear el cabo de Buena Esperanza y, desde allí, se dirigiera a Southampton. Con solo verlo Willie sintió angustia. En tres días él y Gerald también se encontrarían a bordo de un barco para emprender su largo viaje hasta casa.

—La última vez que hablaste con Ethel —dijo Willie, mientras daban un paseo hasta la casa—, ¿a qué crees que se refería cuando te dijo «él me hizo hacerlo, no tuve elección, él me hizo matar a William»?

—No tengo ni idea, Willie. Durante mucho tiempo no dejaba de pensar en ello, tratando de descifrar el sentido de sus palabras, pero... —Se encogió de hombros.

—Hemos viajado por Malaya durante meses, pero nadie me ha contado nada de Ethel Proudlock. Nunca he oído a nadie mencionar... su nombre.

—Ocurrió hace mucho tiempo. La gente de por aquí se avergüenza de ella. Verás, ella los decepcionó. Querían olvidarla, borrar cualquier rastro de su persona. —Retiró una hoja de su hombro—. Y así lo hicieron.

—¿No has vuelto a saber nada de ella?

[1] Extraído de *El muchacho de Shropshire*, A. E. Housman. *(N. de la T.)*.

Negó con la cabeza.

—William se marchó de Kuala Lumpur menos de un año después. Desconozco si se reunieron.

—Me gustaría ver la casa donde Sun... urdió su revolución. —Willie hizo una pausa y después añadió—: y la Casa de las Puertas.

El *rickshaw* los dejó a la entrada del edificio achaparrado de piedra gris del Chartered Bank, y pasearon por Beach Street, repleta de tiendas europeas; relojeros y comerciantes de vino, cafés y salones de té, sastres de caballeros y zapateros. Willie empezaba a sentirse como si estuviera en el Cheltenham del ecuador antes de que Lesley lo llevara a la zona asiática. Las calles laberínticas albergaban templos chinos e hindúes y mezquitas; incluso había una sinagoga de aspecto abandonado. Las tiendas vendían una increíble variedad de objetos —piezas de latón, telas, galletas, aceite de sésamo, nuez moscada, seda, sacos de especias y pescado seco que colgaban de ganchos—, aunque también había otros comercios misteriosos donde, al parecer, no se vendía nada: solo una o dos personas mayores permanecían sentadas en el interior oscuro y vacío, con la mirada puesta en la calle.

Nunca había visto tantas razas asiáticas en un único lugar; malayos y chinos, javaneses y bengalíes, siameses y tamiles, y muchos otros que no pudo identificar. Los vendedores ambulantes anunciaban sus mercancías a gritos, sumándose al barullo de los motores, autobuses y *rickshaws.*

Se quitó la chaqueta de lino y se la echó al hombro. El sudor le pegaba la camisa a la espalda. Se apretujaron entre las cestas de ratán repletas de pescado salado y gambas secas y chalotas, para abrirse paso entre las personas que ocupaban los soportales, mientras Lesley le relataba la historia de las casas de clan frente a las que pasaban. Bajando Love Lane, le llenó la cabeza de relatos espeluznantes sobre chinos adinerados que ocultaban a sus concubinas en la parte superior de las pequeñas casas-tienda de apariencia monótona. Se detuvieron unos minutos para admirar la mezquita de Kapitan Keling, antes de girar a la derecha en un pequeño cruce para adentrarse en Armenian Street.

Había oído hablar mucho a Lesley de esta calle, que a él le parecía indistinguible de las demás. Al igual que en otras partes de la ciudad, las casas-tienda estaban pintadas de colores llamativos, la mitad inferior de sus fachadas se revestía de azulejos de porcelana, los marcos y contraventanas lucían tonos azules o amarillos, verdes y rojos. En algunos *goh kaki* había bicicletas y macetas de flores y bambú. El olor de las especias fritas que llegaba desde alguna cocina le escoció en los ojos y le provocó tos.

—*Belachan* —dijo Lesley, disfrutando de su incomodidad—. Gambas secas fermentadas.

—Gracias a Dios que los hunos… no lo usaron contra nosotros… en la guerra.

Hombres y mujeres mayores sentados en pequeños taburetes de madera charlaban en los corredores; unos niños pequeños se rieron y se taparon la boca con las manos cuando Willie los saludó con un gesto. En el interior de una casa-tienda estallaban los gritos entusiastas de los jugadores de *mahjong*.

Igual que en cualquier ciudad de China —constató Willie—. Los chinos siempre ante sus tableros…

Lesley caminaba delante hasta que se detuvo ante una casa-tienda, esperando a que Willie la alcanzara.

—La sede del Tongmenghui —dijo ella.

El escritor cruzó las manos detrás de la espalda y contempló el edificio de arriba abajo. Por encima del dintel colgaba un cartel rectangular de madera de ébano con un par de ideogramas chinos tallados, recubiertos de pan de oro. Sobre cada una de las ventanas cerradas que flanqueaban las puertas había un orificio de ventilación con su característica forma extraña semejante a un murciélago. A través de las puertas abiertas, divisó a un chino barrigón vestido con unos pantalones cortos blancos raídos y una camiseta; sentado en una silla de ratán, se hurgaba la nariz mientras leía el periódico.

—La casa no… llama la atención. —Willie recorrió con la mirada toda la calle. A pocos metros a su izquierda había un pequeño parque. Más allá, otra calle flanqueada con más casas-tienda—. Está a tiro de piedra de los muelles, con rutas de escape convenientes por si fueran atacados por las autoridades. No me extraña que Sun escogiera Penang para establecer su sede. Aquí están los bancos británicos para mover sus fondos por todo el mundo, un servicio de telégrafos y una… extensa red de transporte.

—Suenas como un auténtico espía —dijo Lesley, mirándole de reojo.

—De modo que es aquí donde solías venir…

—Dos veces a la semana. Los lunes y los jueves.

—Tú también desempeñaste un papel en su revolución. Eres parte de la historia de China.

—Un papel mínimo, insignificante, olvidado hace mucho tiempo.

Regresaron al cruce y atravesaron la calle.

—Aún estamos en Armenian Street —le informó Lesley—. La calle baja hasta el puerto.

Pasearon en medio de la calle, apartándose a un lado para dejar paso a algún *rickshaw* y ocasionales vendedores ambulantes con carretilla. Siguieron hasta la última casa-tienda de la hilera. La expresión expectante del rostro de la mujer indicó a Willie que estaban delante de la Casa de las Puertas.

Examinó la fachada, grabando todos los detalles en su memoria para poder describirla con precisión más tarde. Las ventanas tanto de la planta baja como de la superior estaban cerradas. El espacio sobre el dintel estaba vacío y las puertas principales eran lisas, su madera aparecía desgastada y suave.

—¿Has vuelto a entrar… desde que se marchó Arthur?

—No.

—Pero tienes la llave.

—Volveré a entrar en la casa solo cuando él haya regresado.

Le hizo señas para que pasara al *goh kaki*; él tocó las puertas, estudiándolas, pero no vio nada fuera de lo normal. Ladeó la cabeza a la izquierda y después a la derecha, sintiéndose un poco ridículo. Y entonces lo vio.

Repujada en la superficie de madera había una red de líneas, cada una de unos dos centímetros y medio de ancho, abarcando toda la extensión de las puertas. Estiró la mano y tocó la madera, sus dedos siguiendo la curva de los trazos. No eran más profundas que el grosor de una hoja. Era como una marca de agua oculta en un papel, pensó, cuya forma resultaba visible tan solo con determinado ángulo de luz.

Se apartó. Ahora que sabía que las líneas estaban allí, podía ver con claridad el patrón grabado en ellas; al abrir cualquiera de las dos puertas se partía exactamente por la mitad. Qué extraño era encontrar aquí su propio símbolo; se sintió aturdido, como si le hubiera afectado la humedad.

—¿Ha funciona para ti? —Lesley trazó las líneas del *hamsa* con sus dedos—. ¿Te ha protegido del peligro?

No detectó ni asomo de escepticismo o burla en su voz; por el contrario, sonaba genuinamente interesada en su respuesta, incluso esperanzada.

—He escapado a la muerte muchas veces. —Se sentaron sobre el banco polvoriento junto a las puertas—. Cuando tuve tuberculosis, los médicos dijeron que… no me recuperaría, pero lo hice. Antes de la guerra, hice algo… extraoficial… para el Gobierno. A menudo me hallé en peligro; estuvieron a punto de matarme unas cuantas veces. Y en una ocasión, durante la guerra, conduje… hasta un campo de batalla en mi ambulancia para examinar un edificio. Estaba de pie justo al lado, fumando. Mientras me alejaba, un proyectil… voló por el cielo y explotó contra el muro, derrumbándolo por entero justo en el mismo lugar donde había estado hacía unos segundos.

—El macareo en Sarawak —dijo Lesley—. ¿Qué ocurrió allí?

Ahuecó las manos y las apoyó en las rodillas. Una mujer entró en el *goh kaki* de la casa-tienda del otro lado de la calle con tres varillas de incienso en la mano. Con los ojos cerrados, movía los labios, recitando una oración sin sonido. Al terminar, insertó los palos en el cuenco de latón lleno de ceniza de un pequeño altar rojo que colgaba en la pared. El humo ascendió en espiral desde las varillas, trenzándose y dividiéndose a medida que se elevaba hacia la brillante luz del sol.

—Poco después de llegar a Singapur —empezó Willie—, recibí una invitación del rajá Brooke para visitar… Kuching. Estaba deseando ir, había oído hablar mucho sobre el reino del Rajá Blanco. Me gustó Kuching, era pequeño y pacífico comparado con el… ajetreo de Singapur. Nos quedamos en el palacio del rajá, sobre una colina frente a la ciudad. Quisimos viajar por uno de los grandes ríos hacia el interior, de modo que Gerald y yo alquilamos un barco. Estaba tripulado por cuatro… robustos dayaks.

»Partimos al amanecer. El río tenía una tonalidad marrón y era ancho y tranquilo. Navegábamos en un sampán largo y estrecho que apenas sobresalía del agua. Durante el día nos recostábamos en nuestros almohadones bajo... un toldo de lona, contemplando la orilla o las garcetas que despegaban desde la ribera en bandadas blancas y silenciosas. Los monos chillaban desde árboles de grosor considerable. Gerald interrogó a los barqueros acerca de los... cocodrilos, pero fue silenciado de inmediato; daba mala suerte incluso mencionarlos estando en el río.

»Todos los días, al ponerse el sol, amarrábamos el barco en las orillas del pueblo dayak. Éramos huéspedes del rajá... Brooke y estábamos invitados a quedarnos con los aldeanos. Treinta o cuarenta familias vivían en esas casas comunales alargadas, elevadas sobre pilotes, bajo las cuales picoteaban las gallinas y hocicaban los cerdos. Compartíamos suculentos banquetes con ellos. Por lo general había un jabalí en un espetón o algún pescado con sabor a barro ahumado que preparaban al vapor con helechos... en cañas de bambú. A Gerald le flojeaban las piernas por efecto del *toddy* que bebía con los hombres de la aldea. Me dieron náuseas la primera vez que lo probé y no lo he vuelto a tomar —sonrió—. Los dayaks eran apacibles y amistosos; en ocasiones incluso me olvidaba de que son cazadores de cabezas.

Willie rememoró los montones de objetos redondos y negros que colgaban de las vigas del bajo techo de las casas comunales. Al principio pensó que eran extraños bulbos de ajo seco, pero entonces, con un estremecimiento, reparó en que se trataba de cabezas humanas. A lo largo de la noche, mientras los dayaks los entretenían con su música y sus danzas, que recordaban los movimientos de los pájaros, contempló aquellas cabezas reducidas. *Media vita in morte sumus.* Podía sentir sus miradas sobre él incluso cuando apartaba la vista, y mucho después de que él y Gerald se marcharan de la aldea, continuaron acechándole en sus sueños.

—¿Cuántos días viajasteis río arriba? —preguntó Lesley.

—Una semana —dijo Willie—. En nuestra última noche, antes de regresar... río abajo hasta Kuching, no podía dormir. Salí a la orilla y contemplé el cielo nocturno. Había luna llena, la más grande que había visto en mi vida, con un tinte del color del óxido, como la sangre seca, recordé haber pensado en aquel entonces.

»Partimos a la mañana siguiente. El viaje fue agradable, el día era luminoso, cálido y sin viento. Estaba leyendo bajo el toldo cuando percibí un cambio en el movimiento de nuestro barco. El barquero, de pie en la… proa con sus remos, gritó y señaló río abajo. El agua de pronto… estaba picada y mecía el sampán. Gerald y yo escudriñamos en la distancia, pero al principio no vimos nada fuera de lo normal. Y entonces observé unas débiles líneas blancas… en el agua.

»Un segundo más tarde comprendí que eran olas que se agitaban río arriba a toda velocidad. El viento se avivó y entonces fue cuando pude percibirlo: un rugido grave, como una catarata en la distancia. Las olas se elevaron hacia nosotros, y el estruendo cobró fuerza. El sampán… ahora se mecía con violencia. Las olas alcanzaron más de tres metros. Grité a Gerald mientras la primera ola se doblaba sobre nosotros y nos barría a todos de la borda. Di vueltas y vueltas en el agua y fui arrastrado… hasta las fangosas profundidades. No podía ver nada. Sentí que mi hombro se estrellaba contra algo… duro y dentado. El dolor me atravesó. Sabía que me estaba quedando sin aire. Mantuve la boca cerrada, apretándola con fuerza, pero era imposible luchar contra la desesperada necesidad de abrirla, de respirar.

»Fue en aquel momento cuando sentí que mis pies se hundían en algo blando y… viscoso. No sabía lo que era, pero una parte de mi conciencia… que moría rápidamente, me indicó que había tocado el lecho del río. Con un último destello de voluntad me impulsé hacia arriba con ayuda de las piernas. Sentí que no llegaría nunca. Pero, por fin, después de lo que me pareció… una eternidad, atravesé la superficie del agua. Engullí el aire, hambriento, no me importaba estar tragando… agua.

Willie sacó su pañuelo y se limpió el cuello y la cara. Parecía como si le hubieran pintado el aire sobre la piel con una brocha caliente y empapada.

—¿Dónde estaba Gerald? —preguntó Lesley.

Willie dobló su pañuelo y lo guardó en la mano.

—Busqué en el agua y miré a mi alrededor desesperado. No había señal de él ni de ninguno de los hombres de la tripulación. Las… olas aún llegaban, una tras otra, empujándome hacia abajo, pero tras cada ola me impulsaba otra vez a la superficie. Divisé el sampán; estaba volcado, pero aún a flote. Me sumergí y nadé hacia la embarcación. Agarré la… quilla, pero estaba demasiado resbaladiza. Lo intenté una y otra vez hasta que al fin logré aferrarme a ella. Vi la cabeza de Gerald emerger a la superficie, pero un momento después le perdí de vista de nuevo. Quise gritarle, pero lo único que brotaba de mi garganta era un sonido… chirriante.

»Un momento después, la cabeza de Gerald salió de nuevo a la superficie, esta vez más cerca. Las corrientes le zarandeaban. Vio el sampán y empezó a nadar hacia mí. Estiré el brazo y… tiré de él para acercarlo. Nos aferramos al sampán. Estábamos en medio del río; las orillas estaban lejos. Me fallaban las fuerzas y el dolor del hombro me atormentaba. La quilla del sampán era resbaladiza; no conseguía agarrarla… y me hundía bajo el agua. «No puedo sujetarme —dije—; tenemos que nadar hasta la orilla». «No lo conseguiremos —exclamó Gerald, tirando de mí con un brazo—. Está demasiado lejos. Aguanta, Willie».

»Oímos gritos. Uno de los tripulantes dayak pasó a la deriva, aferrado a un tablón… e impulsándose hacia la orilla. Hizo señas con una mano para que nos uniéramos a él. «Vamos —dijo Gerald». Me sujetó con firmeza y nadamos hasta el barquero. Nos aferramos al tablón. Las olas seguían llegando.

»No sé cuánto tiempo pasó hasta que el río empezó a calmarse. Aún agarrados al tablón, nos impulsamos con las piernas hacia… la orilla. Estaba a punto de rendirme cuando sentí que nuestros pies tocaban el fondo. Salimos del agua a gatas. Nos agarramos a las raíces de los árboles y Gerald me ayudó a ganar la orilla fangosa y resbaladiza. Una vez arriba, nos derrumbamos sobre la tierra y permanecimos allí, jadeando. Estábamos cubiertos de lodo; nuestras piernas, nuestros cuerpos, rostro y cabello, pero estábamos… vivos y a salvo. O, eso pensé yo. Gerald intentó ponerse de pie, pero se desplomó sobre el suelo. Estaba temblando, sus dedos rígidos, su rostro… se contraía de dolor.

Willie dejó de hablar. Las varillas del altar se habían consumido hasta la mitad, empolvando el aire con la fragancia del sándalo.

—¿Qué le sucedía?

—Le estaba dando un ataque al corazón. Reconocí los signos. Grité al… barquero que fuera a buscar ayuda, que mi amigo se moría. El dayak me miró, el pánico reflejado en su rostro. Y entonces, dio media vuelta y… corrió hacia la selva, desapareciendo tras la maleza. Yo estaba demasiado exhausto para hacer nada. Mecí la cabeza de Gerald en mi regazo: «Te pondrás bien —le dije—. La ayuda está en camino. Te pondrás bien».

»No sé cuánto tiempo estuve allí, acariciando la cabeza de Gerald, murmurándole. Al fin escuché gritos desde el río. Un sampán rodeó una curva y apareció ante nuestra vista. De pie en la proa, nuestro barquero dayak nos señaló la orilla mientras remaba agobiado. Cargaron a Gerald sobre el sampán. Apreté su mano con fuerza, negándome a soltarla. Nos condujeron río abajo hasta una… casa comunal.

Lesley asintió despacio.

—No me extraña que tuvierais un aspecto tan enfermizo cuando llegasteis.

—Gerald es uno de los hombres más duros… que conozco, pero estaba seguro de que lo iba a perder. Si lo hubieras visto, Lesley… Pero gracias a Dios se recuperó al cabo de unos días. Al igual que yo. El jefe de la aldea dijo que la luna… llena había enfurecido al río. Salvo uno de los barqueros, el resto de la tripulación murió. Fue un milagro… que sobreviviéramos.

—La sola idea de ahogarse… —Lesley se estremeció.

—¿Sabes lo mejor que se puede hacer si te estás… ahogando? No luchar. Eso es lo que me dijo uno de mis profesores. No tienes más que abrir bien la boca y tragar el agua, dejar que se llenen tus pulmones; te quedarás inconsciente en menos de un minuto —Soltó una risa mordaz—. Es más fácil decirlo que hacerlo, claro.

—El *hamsa* te protegió. —Asintió Lesley casi para sí misma—. Te ha mantenido a salvo durante toda tu vida.

Parecía desesperada por creerlo, pensó Willie. Tal vez tuviera razón. Quizá el símbolo de su padre, ese colofón que ponía en todos sus libros, le había mantenido alejado del peligro.

Pero si el *hamsa* le amparaba, ¿cuál era el precio que pagaba a cambio de su protección? ¿Estaba condenado a vivir una vida muy larga, solo para ver cómo todos sus amigos y seres queridos se quedaban en el camino? Para sobrevivir a todo el mundo, incluso a sus enemigos; para ser testigo del declive de su popularidad, ver sus libros olvidados. Tal vez al final se encontraría rogando para ser liberado de la vida; abriría la boca tanto como pudiera y dejaría que el agua entrara rugiendo a través de su garganta; la tragaría toda.

Antes de volver a pisar la calle, Willie contempló el *hamsa* una vez más. Mientras se alejaban de la Casa de las Puertas, él y Lesley, como por algún acuerdo tácito, miraron atrás al mismo tiempo para echar un último vistazo.

El *hamsa* de nuevo permanecía oculto bajo la madera y las puertas cifradas volvían a estar vacías e imperturbables.

Capítulo veinte

Lesley
Penang, 1921

Willie fue inflexible en cuanto a su resistencia a celebrar una fiesta de despedida sofisticada, de modo que solo invité a Geoff y a su esposa Penelope. Tras reflexionar sobre ello, despaché al sirviente con una invitación para el abogado chino Peter Ong y su mujer.

Robert se encontraba en su estudio escribiendo una carta cuando le informé. Dejó la pluma y me miró.

—¿Por qué se lo has pedido?

—Hace años que no lo ves —dije—. Le tenías mucho afecto, ¿no es así?

Mi marido siguió observándome, pero no pude leer nada en su mirada.

—¿Hay alguien más a quien te gustaría invitar? —preguntó.

—No hay nadie más, Robert.

Me llevó más tiempo de lo habitual vestirme y arreglarme el pelo. Antes de salir de mi dormitorio eché una última mirada al espejo de cuerpo entero. Casi sucumbí a las voces dubitativas de mi cabeza y me cambié de ropa, pero ya iba retrasada.

Robert y los invitados parloteaban en la sala de estar cuando bajé las escaleras. Interrumpió la conversación en cuanto me vio. Los demás siguieron su mirada mientras cruzaba la sala para unirme a ellos con pequeños pasos lánguidos.

—Dios mío, Lesley —dijo Gerald, dejando su bebida en la mesa—, estás absolutamente exótica y atractiva.

Vestía el atuendo completo de las colonias chinas del Estrecho; la *kebaya* y los zapatos *manek-manek*, y me había recogido el pelo al estilo *nyonya*, sujetando el moño con una hilera de horquillas enjoyadas.

—Es lo mismo que llevabas en la… fotografía, ¿me equivoco? —dijo Willie—. ¿Cómo se llamaba? —chasqueó los dedos—… una *kebaya*.

—La misma —dije, aceptando un *pahit* del sirviente.

Geoff cogió mi mano y me hizo trazar un círculo de pequeño diámetro lentamente.

—Te queda preciosa, Les.

—Oh, Geoff. Eres todo un caballero…

—Nuestras sonrisas estaban manchadas por la tristeza de recuerdos compartidos.

El hombre chino de pie junto a Robert dio un paso adelante.

—Mi esposa envía sus disculpas, señora Hamlyn —dijo—. Ha ido a visitar a su hermana a Singapur.

—¡Peter Ong! Dios mío, casi no te reconozco —dije—. Tu aspecto denota cierta … ah… prosperidad.

El abogado rio, dando unos golpecitos a su gran barriga con ternura.

—Me estoy haciendo viejo, señora Hamlyn. Y trabajo demasiado.

Había envejecido, pero aún hablaba de un modo hermoso. Era cuatro o cinco años más joven que yo, si no recordaba mal. Se había casado bien, según me dijeron, con una de las hijas de Towkay Yap. Pensé en la primera vez que le vi, muchos años atrás.

—Robert se molestó en extremo contigo cuando le dejaste para poner en marcha tu propia empresa. —Meneé un dedo amenazador—. Después de todo lo que te había enseñado, las largas horas que pasó formándote…

—La *memsahib* tiene razón —confirmó Robert—. Pero estoy orgulloso de ti.

El sonido del gong nos convocó al comedor. En el pasillo, Geoff me atrajo a un lado, dejando que pasaran los demás.

—Tienes unos invitados interesantes esta noche, Les —murmuró, señalando con la cabeza a la espalda de Peter Ong.

—Pasó hace mucho tiempo. ¿Ahora qué importancia tiene?

Mi hermano negó con la cabeza.

—A veces tengo la sensación de que no te conozco en absoluto.

Las ventanas abiertas del comedor recibían la brisa del atardecer. Robert y yo nos sentamos uno enfrente del otro, en lados opuestos de la larga mesa de damasco, nuestros invitados a cada lado. Había situado a Peter Ong a la izquierda de Robert y Gerald a su derecha. Willie se sentó junto a mí, con Geoff a mi izquierda y su mujer entre él y Gerald.

En algún momento de la noche vi a Robert murmurando algo en el oído de Peter Ong; una sonrisa se expandió en su rostro sonrosado y rozó la muñeca de Robert con suavidad. Desvié la vista y recorrí los rostros sentados en torno a la mesa. Geoff había engordado mucho en los últimos años; cada vez era más la viva imagen de nuestro padre. Últimamente pasaba las noches en el bar del Penang Club, evitando a su esposa. Le observé pasar un panecillo a Penelope, una mujer por la que nunca sentí afecto y que sentía lo mismo por mí. Robert y Gerald reían por algo que había dicho Peter Ong. Y Willie, bueno, los ojos de Willie estaban fijos en Gerald, como siempre.

Por primera vez en mucho tiempo, sentí un deseo agudo y doloroso por Arthur. Once años de silencio se extendían ante nosotros. Había mantenido su palabra, tal como se lo había pedido: sin mensajes y sin cartas.

—¿Estás bien, Lesley? —preguntó Willie con voz queda.

Parpadeando unas cuantas veces, logré extraer una sonrisa desde lo más profundo de mi interior.

—¿Más *belachan brinjal*, Willie?

El silencio se apoderó de la casa. Yo estaba acostada en la cama, escuchando el mar.

Me había sentido devastada por la pena cuando Arthur se marchó a China para unirse a la revolución, sin embargo, a decir verdad, una parte de mí también experimentó alivio. Era lo mejor, me había dicho a mí misma, era mucho mejor así. Era solo cuestión de tiempo que nos descubrieran y quedáramos expuestos. Habíamos logrado lo imposible: mantener nuestra aventura en secreto. Nadie supo de nosotros, nadie sospechó nada. A lo largo de los años mis recuerdos de todo lo que había compartido con él no se desvanecieron, pero perdieron la nitidez de sus contornos, poco a poco se suavizaron y se difuminaron, de tal modo que hubo momentos en los que sentí que nuestra aventura nunca había tenido lugar, que todo había sido una historia sobre la que, durante cierto tiempo, leí con demasiada frecuencia, hasta el punto de no poder distinguir dónde la ficción se convertía en recuerdo y el recuerdo en ficción.

Y, sin embargo, a veces me entristecía saber que nadie conocería nunca la dicha que me había aportado y la tristeza que había tenido que ocultar ante los ojos de las personas de mi entorno cuando lo perdí. Me había dado fuerzas para permanecer en mi matrimonio, para soportarlo. Quería contárselo a alguien, llenar el vacío de su nombre, pero no podía. Así que, en su lugar, hablaba de Sun Wen. Mencionar el nombre de Sun Wen para mí era una manera de mantener a Arthur vivo y presente en mi memoria.

Incluso había intentado escribir todo; cómo nos habíamos conocido y cómo nos convertimos en amantes, las horas que pasamos juntos en la Casa de las Puertas. Pero, cuando leía las palabras, me parecía ficticio, si cabe, más parecido a la trama de un libro. Acabé rompiendo las páginas y esparciéndolas en el mar.

Me puse una bata y bajé las escaleras hasta la veranda. La noche aún era tranquila, permanecía como anclada. Una luna llena blanca descansaba por encima de la casuarina, esparciendo su luz fría y metálica por el jardín. No estaba sola: Willie se apoyaba en la balaustrada, fumando un cigarrillo.

—¿No deberías estar en la cama? —pregunté.

—Nunca puedo dormir la noche antes de… viajar. —Exhaló una fina nube de humo—. Ha sido una fiesta espléndida. —Hizo una pausa—. Fue curioso ver a Robert y a Peter Ong juntos.

—¿Qué les pasó a Verlaine y a su amante? —pregunté.

—¿Rimbaud? —Rebuscó en su memoria y encontró las piezas que buscaba—. Verlaine le disparó en la muñeca izquierda durante una disputa desafortunada. Rimbaud se… querelló contra él. Intento de asesinato. Retiró la demanda más adelante, pero, de cualquier forma, Verlaine estuvo en prisión dos años. Su… relación… nunca superó aquello.

—Pobre Verlaine.

Pensé en Robert y en mí; en Robert y Peter Ong. Pensé en Arthur y en mí; y pensé en Willie y Gerald.

—Nos enamoramos de la persona equivocada —dije—. Tú y Gerald; Robert y Peter Ong; Arthur y yo.

—Yo no me enamoré de la persona equivocada, mi querida Lesley. Solo cometí el error de… de casarme con la persona equivocada.

—Qué cínico, Willie —sentencié.

—Lo que me contaste, tu aventura con Arthur, destruiría tu matrimonio si escribiera sobre ello. —Willie dio una última calada a su cigarrillo y lo tiró al jardín. —Sería tu perdición.

—Eso nunca ha detenido tu pluma, ¿no es así? —dije.

—¿Es eso lo que quieres? ¿Hacerlo estallar… por los aires?

Apoyé mis manos en la balaustrada con suavidad. Al amanecer, aquel forastero en mi salón se marcharía de mi hogar; pero pronto llegaría el día en que yo tampoco estaría viviendo aquí.

—Estoy cansada del silencio que hay entre nosotros, Willie. Estoy muy, muy cansada.

—¿Y qué hay de la aventura de Robert?

—Has debido de escuchar muchas historias como esa a lo largo de los años. Sin embargo, nunca has escrito sobre una aventura homosexual en ninguno de tus libros. Jamás has hecho alusión a ello en ninguno de tus relatos, ni una sola vez. —Le miré—. Y creo que nunca lo harás. ¿Para qué arriesgarte a atraer ese foco en particular sobre ti mismo?

Sus dedos golpeando rítmicamente la balaustrada me recordaban los coletazos de un gato molesto. De pronto dejaron de moverse.

—¿Y el matrimonio de Arthur? ¿Tienes derecho a destruirlo?

Esbocé una sonrisa tenue.

—Mi querido señor Maugham, ¿no habrás creído que iba a usar su verdadero nombre?

Su expresión se tensó un instante y, de pronto, se relajó. Negó con la cabeza, en un gesto a medio camino entre la tristeza y, quiero pensar, la admiración.

—Has pensado en todo, ¿eh?

—Tomé una decisión esta noche. La tomé al final de la cena, mientras comíamos nuestro chendol. Cuando Robert se mude al Karoo —dije—, iré con él.

Asintió, sin decir nada. En sus ojos vi comprensión y compasión.

—Nuestros hijos se quedarán conmocionados cuando sepan que África será su nuevo hogar.

—Pensarán que es una… aventura emocionante. Todos los chicos quieren ir a África.

Ladeé mi cabeza en su dirección.

—¿Tú también querías?

—Yo no era como los demás chicos, Lesley.

—No —dije—. No lo eras.

Me acerqué a él y le di un beso tierno en la mejilla, y después subí a dormir.

Tomábamos el desayuno en la veranda cuando Robert apartó su vista del periódico para decirme que, aunque no había cambiado de opinión sobre mudarse a la granja de su primo en Karoo, había decidido ir solo. Quería que yo me quedara en Penang.

—Alguien tiene que cuidar la casa —dijo.

Le miré fijamente.

—¿No la vas a vender?

—¿Vender la casa? ¿Y que mi mujer y mis hijos vivan en la calle?

Quise decir muchas cosas, pero al final solo logré un comentario vacilante.

—Estaremos apretados de dinero.

—Tendremos que arreglárnoslas. Puedes volver a dar clases, ¿verdad? Y si no hay más remedio, podemos vender los cuadros. Por el Gauguin conseguiríamos un buen precio. Tenía que haberle pedido a Willie que lo comprara. —Su mirada se perdía más allá de la veranda, hasta el jardín, en el mar—. Quiero volver aquí cuando esté mejor. Quiero vivir el resto de mi vida aquí, para oler el viento que viene del mar.

Se replegó de nuevo detrás de su periódico. Escuché su respiración dificultosa; observé sus manos, sus finos dedos artríticos y su anillo de boda, el parpadeo de su pequeño diamante ante la luz. Al fin y al cabo, ¿qué era un diamante, sino una estrella caída que había sido enterrada en la tierra siglos atrás?

—No, Robert —dije.

Mi marido dejó su periódico otra vez.

—¿Qué dices, querida?

—Iré contigo. —Levanté la mano antes de que pudiera abrir la boca—. Sin más discusiones, por favor, Robert. Ninguna más.

Vendimos Cassowary House y embalamos nuestras cosas en cajas; las obras de arte y los muebles; nuestros libros, mis acuarelas, mi piano y la colección de porcelana de las colonias chinas del Estrecho. Descolgué de la pared la puerta con el halcón pintado. Ya le encontraría un sitio en nuestra nueva casa.

Nos invitaron a algunas fiestas antes de marcharnos de Penang. La última se celebró en la mansión de un magnate chino en Leith Street. El padre de nuestro anfitrión había sido el cónsul chino nombrado por la dinastía Qing y había construido la residencia para su séptima esposa. En una ocasión, Arthur me había contado que el cónsul fue uno de los colaboradores clandestinos de Sun Wen. «Puede que ese hombre sea el representante del emperador de China —había dicho—, pero también es un hombre de negocios pragmático que se cubre las espaldas».

Cuando el cuarteto de cuerda tocó un vals, Robert se volvió hacia mí.

—No dejes de bailar por mí, querida.

—Creo que esta noche dejaremos el baile a los jóvenes. ¡Oh, mira!, allí está Noel.

—El pobre hombre está allí de pie, completamente solo. ¿Quieres que le pida que baile contigo?

—No creo que esté interesado —dije—. Mira otra vez.

Toda la atención de Noel estaba puesta en una mujer china que bailaba el vals con un chino. La mujer tendría unos veintipocos años, un rostro alargado bien definido y pómulos pronunciados. En el instante en que terminó la música, Noel se abrió paso entre la multitud hasta ella. Le dijo algo; la joven arqueó una ceja y le miró.

Y entonces, sin mediar palabra, despidió a su compañero de baile y le dio la mano a Noel.

—Dios mío, nunca le había visto tan descarado —dijo Robert.

Noel rodeó a la mujer con sus brazos cuando la música empezó de nuevo. Al principio se movían con torpeza, pero enseguida se adaptaron uno al otro. Hacia la mitad del baile, ella se tropezó. Aún aferrada a su brazo, señaló su zapato.

—Se le ha roto el tacón —apunté—. Se acabó el baile.

Pero me equivoqué. Con los ojos muy abiertos de admiración, observé cómo la joven se quitó los zapatos y los lanzó por encima de las cabezas de otras parejas hasta una esquina de la sala. Descalza, reanudó el baile con Noel, ambos inconscientes de las miradas reprobatorias de que eran objeto.

Nos fuimos de la fiesta poco después, pero al día siguiente supimos que Noel y la joven china habían pasado el resto de la noche bailando juntos. Nuestro amigo nos invitó a su boda, pero para entonces ya habíamos abandonado Penang.

Epílogo

Lesley
Doornfontein, Sudáfrica, 1947

El sol se está poniendo detrás de las montañas cuando salgo al *stoep*. Me siento en mi sillón de mimbre —uno de los que formaban pareja en nuestra veranda de Cassowary House— y me sirvo una copa de vino tinto. Y entonces, como hago cada noche desde que murió Robert, lleno también su copa y la dejo en la mesa entre nosotros. Este es el momento del día en que siento su ausencia con mayor intensidad, cuando recuerdo cómo nos sentábamos aquí, juntos, y bebíamos y hablábamos sobre los libros que estábamos leyendo. Más que nuestras conversaciones, echo de menos nuestros silencios compartidos mientras la llama de un día más se ocultaba tras las montañas.

Esta noche las montañas parecen diferentes. Parecen más lejanas, sus perfiles difuminándose en el cielo. Pienso en las montañas del otro lado del mar, las de mi antiguo hogar.

A lo largo del día, había excavado hasta lo más profundo en las capas de mis recuerdos, para llegar a sus cimientos, rememorando mi vida en Penang y a las personas con las que tuve relación allí —Arthur, mi hermano y Sun Wen—. Pero, sobre todo, había estado reviviendo las dos semanas que pasaron con nosotros Willie y su amante.

—Hoy he recibido un libro, Robert —digo dirigiéndome a la silla vacía que tengo junto a mí—. Uno de los viejos libros de Willie. *La casuarina.* ¿Lo recuerdas? —Doy un sorbo a mi vino, sintiendo el calor en mis entrañas—. Perdóname, es una pregunta estúpida. Por supuesto que lo recuerdas. Era uno de tus favoritos, ¿no es así?

La inmensidad, el vacío del paisaje del Karoo me provocó el llanto cuando nos mudamos aquí. Todo era tan desolador..., la tierra, la luz, los rostros de sus habitantes. Yo era una niña del ecuador, nacida bajo el cielo monzónico; añoraba la humedad empalagosa de Penang, los majestuosos y viejos padauks malayos que daban sombra a las carreteras y los tonos verdes, turquesas y grises del mar camaleónico. Echaba de menos mi jardín de Cassowary House, los árboles que había plantado, las flores y los arbustos que había cuidado. Recordaba las luminosas habitaciones de techos altos de la casa, sus cortinas oscilando en la brisa. En la granja, cada vez que oía restallar los truenos, dejaba lo que estuviera haciendo y salía a la veranda. Al divisar las nubes cargadas que ascendían desde los confines del mundo, les suplicaba en silencio que viajaran hasta nosotros y nos trajeran lluvia para revivir los aromas de la tierra y saciar mi alma. Sin embargo, más pronto que tarde, aquellas carabelas navegaban lejos de mí, dejando una estela de ecos de trueno a su paso.

Con el tiempo, me adapté a mi nueva vida en Doornfontein. A la gente de aquí le importaba un pimiento con quién estaba emparentada, en qué comisiones participaba o con qué esposas de hombres influyentes tomaba el té. Al poco, comprendí que a mí también me traían sin cuidado esas cosas.

Los cielos no estaban atestados de dragones, pero aquí descubrí las estrellas. Eran brillantes y nítidas, muy diferentes de las de Penang. Todas las noches, después de que Robert se retirara a su dormitorio, yo me tendía sobre un tramo de hierba del jardín, examinando el cielo con mis prismáticos, entusiasmada cada vez que divisaba una estrella surcando los cielos. Aprendí los nombres de las constelaciones y sus formas: la Cruz del Sur, el Auriga, la cabellera de Berenice, el Reloj, Orión, Circinus, Apus, Andrómeda. Al poco tiempo las conocía todas, constelaciones del cielo nocturno que, desde el principio de los tiempos, se hundían en la tierra cada mañana para ascender de nuevo a la noche siguiente.

A pesar de mi escepticismo, a medida que pasaron los meses los pulmones de Robert se descongestionaron y se relajaron; su respiración era menos tormentosa. Recuperó su apetito y con el tiempo se fortaleció lo bastante como para volver a montar a caballo. Después de unas pocas lecciones que me dio uno de los trabajadores de las cuadras, empecé a acompañar a Robert en sus paseos por la granja; era algo que nunca habíamos hecho juntos en todos los años que llevábamos casados. Tenía una presencia atractiva montado en su caballo y recordé por qué me había enamorado de él veinte años atrás.

Uno de los últimos días de otoño decidimos cabalgar hasta las vallas del norte de la granja. Partimos temprano en la mañana, cuando el aire olía a tierra descansada y el día aún era un filamento resplandeciente extendido en el horizonte.

Nos encontrábamos en lo alto de un acantilado cuando llegó, desde los confines del mundo, una explosión silenciosa de luz al comienzo del amanecer. Detuvimos los caballos y observamos la luz extenderse por el *veld*[1]. Rozó los picos de las montañas y después iluminó las colinas y los cerros más bajos; recorrió los *kopjes*[2] y los valles, los *kloofs*[3] y las planicies rocosas. El mundo nunca me había parecido tan inmenso como durante aquellos momentos fugaces, cuando la tierra volvía su cara hacia el sol.

Reanudamos el paseo, bajando el acantilado hasta la planicie. El paisaje era siempre el mismo: pardo, inalterable, el vacío polvoriento. Yo iba cuatro o cinco pasos por detrás de Robert cuando le vi alzar la mano lentamente al tiempo que refrenaba su caballo. La tierra era plana y árida salvo por los estrechos farallones rocosos. Precavidos por los chacales, estiré el brazo para coger mi rifle, sujeto a la silla de montar, pero me detuve cuando vi lo que había captado la atención de Robert.

Un par de avestruces picoteaban el suelo a unos tres metros. El plumaje del más grande era negro con parches blancos en la mitad inferior de su cuerpo; el avestruz más pequeño exhibía un

[1] Praderas de la República de Sudáfrica que se extienden por el norte y nordeste del país. *(N. de la T.)*.

[2] En Sudáfrica, pequeña colina, por lo general en una planicie. *(N. de la T.)*.

[3] En Sudáfrica, barranco escarpado con árboles. *(N. de la T.)*.

tono marrón sucio uniforme. Curvaron sus cuellos hacia arriba y nos miraron fijamente, sus ojos grandes, vidriosos orbes ribeteados por gruesas y largas pestañas. Cuando decidieron que éramos inofensivos, bajaron las cabezas y retomaron el picoteo.

No pude evitar sonreír con asombro infantil; nunca los había visto en carne y hueso. Parecían criaturas míticas, ni aves del aire ni bestias de la tierra.

El avestruz de las plumas negras agitó sus alas.

—Ese es el macho —me indicó Robert—. Está en celo, sus piernas están rosadas, ¿lo ves?

—Son mucho más grandes de lo que había imaginado.

—Parecen casuarios, ¿no te parece? —dijo.

Le estudié por el rabillo del ojo. Se sentó erguido e inmóvil, su atención fija en las aves, la mitad superior de su cara recibía la sombra proyectada por el ala de su sombrero de fieltro.

—Un poco, supongo —dije.

Robert espoleó a su caballo para avanzar y yo le seguí. Llevábamos trotando unos diez o quince minutos cuando los avestruces nos adelantaron corriendo, sin sonido, sin peso, las plumas de sus colas gruesas y exuberantes oscilando como árboles al viento. Parecía que las garras de sus patas nunca tocaban el suelo rocoso, ni siquiera para arañarlo con delicadeza. Al contemplarlos, comprendí por qué no pueden volar. No tienen ninguna necesidad de hacerlo.

Permanecimos observando a las aves correr y correr, hacia el horizonte, hacia la eternidad.

En su carta, Geoff me informaba de que Willie había vuelto a visitar Malaya tres años después de su primer viaje. *La casuarina*, el libro que había publicado después de su estancia con nosotros, le había dado más fama que ningún otro. Pero las personas que había conocido en las Colonias del Estrecho estaban furiosas por las historias que había escrito sobre ellas; había traicionado su confianza y ni siquiera se había tomado la molestia de cambiar los nombres.

Pero ¿qué esperaban al final, me dije mientras leía la carta de Geoff, si le habían revelado los secretos sepultados en la oscuridad de sus corazones?

En su segunda visita, el escritor y su secretario se quedaron tres meses, pero, si nos escribió, nunca recibimos su carta.

Robert compró un ejemplar de *La casuarina.* Lo leyó y después me lo pasó sin mediar palabra. Lo abrí con cierto recelo. Después de volver la última página del último relato, *La carta,* permanecí en mi sillón junto a las ventanas, observando el movimiento del sol sobre las montañas. Me maravilló la ingenuidad de Willie y las grandes dosis de imaginación que había aplicado en su historia sobre Ethel. Era como si la hubiera tejido sobre una materia que me resultaba familiar, si bien un poco misteriosa; era objetivo, pero al mismo tiempo del todo ficticio. Después de un rato, abrí de nuevo el libro y releí *La carta* una vez más.

Entrada la noche, cuando llevé nuestros *pahits* de ginebra a Robert, que estaba en la terraza, dijo:

—Es un poco impertinente por parte de Willie incluirnos en sus historias, ¿no te parece?

—Bueno, es tu amigo, Robert.

Willie había elaborado una trama convincente sobre Ethel Proudlock, pero no había escrito sobre Sun Wen, y no había nada en ninguno de sus relatos sobre mi aventura con Arthur; al final no había traicionado su amistad con Robert. Por una parte, estaba decepcionada, pero en el fondo me alegraba.

—Ojalá me hubiera descrito con más precisión. —Robert bajó la mirada hacia su regazo—. No estoy calvo ni gordo, ¿verdad?

Me reí.

—Tampoco ha acertado mucho con mi aspecto.

—Supongo que no hemos salido mal parados, aunque te haya dado un papel de asesina, el muy descarado.

Al leer *La carta,* recordé el extraño comentario de Ethel en el jardín de Cassowary House aquella tarde templada antes de marcharse de Malaya para siempre, y se lo mencioné a Robert.

Mi marido, muy despacio, volvió la cabeza hacia mí.

—¿Te dijo eso? ¿Él me obligó a hacerlo?

—¿Qué crees que pasó entre ellos? Siempre pensé que su matrimonio era satisfactorio, cuando no feliz.

Robert estiró su pie descalzo y frotó la tripa de Claudius. El perro golpeteó el suelo con el rabo; se hacía mayor, pero Robert se había negado a dejarlo atrás en Penang. Me di cuenta de pronto de que no había vuelto a ver a Robert darle queso ni una sola vez.

Tomó un sorbo de su *pahit* y se removió en la silla antes de contestar.

—Lo que estoy a punto de contarte, Lesley, debe permanecer estrictamente entre nosotros —dijo, mirándome directamente a los ojos—. No debes revelarlo a nadie.

—Soy tu mujer, Robert.

Continuó mirándome y reparé en que no estaba seguro de lo que yo había querido decir. Dejó su bebida en la mesa y empezó a contarme la historia.

—Después de que declararan culpable a Ethel, mientras estuvo en prisión a la espera del perdón del sultán, Pooley, el abogado de mayor antigüedad, fue a ver a sir Arthur Young, el alto comisario de los Estados Malayos Federados. Durante el juicio habían llegado a su conocimiento ciertos hechos que indicaban que el asesinato de William Steward había sido premeditado. Pooley le dijo a sir Arthur que no tenía pruebas —continuó Robert—, y que su conclusión estaba basada en hechos que no podía difundir por razones de ética profesional.

Según Pooley, cuando William Proudlock estuvo fuera en Hong Kong, Ethel había dado algunos paseos en coche con Steward y había realizado frecuentes visitas a su *bungalow*. William Proudlock lo descubrió todo cuando regresó, y empezó a chantajear a Steward. Este, por temor a ser avergonzado en público por tener relaciones con una mujer casada, al principio le dio dinero, pero cuando William Proudlock comenzó a exigir más, Steward se hartó. Mantenía a su madre y a su hermana en Inglaterra, no podía pagar más a Proudlock, así que le pidió que le devolviera lo que había estado pagando por su silencio o iría a la policía. William Proudlock se negó, de modo que Steward empezó a presionarlo. Si Proudlock no le devolvía el dinero, todo el mundo en los Estados Malayos Federados se enteraría de que él se había acostado con su esposa.

—Es irónico, ¿no es así? La víctima invirtiendo las tornas —señaló Robert.

Quién hubiera sospechado que William Proudlock fuera un tramposo; más aún, que chantajeara a otro hombre para silenciar la aventura de su esposa. Después de todos estos años, por fin comprendía la razón por la que Ethel aborrecía a su marido.

—¿Qué hizo William? —pregunté.

—Consultó a un abogado de Kuala Lumpur. Quería saber cuáles eran las consecuencias legales si… —Robert hizo una pausa—, si una mujer disparaba a un hombre que intentara violarla.

—Si ella le matara —puntualicé.

—Si ella le matara —asintió—. William le indicó a Ethel lo que quería que hiciera. También la avisó de que se divorciaría de ella en caso de que se negara. Ideó un plan para que ella invitara a Steward a casa una noche, y lo organizó para estar fuera.

—Pero ¿por qué no se negó? Podía haberle abandonado. Podía haber vuelto con su padre.

—No podía pedir ayuda a su padre —continuó Robert—, porque William Proudlock le había contado el plan y él estuvo de acuerdo. Si no seguía sus órdenes, le advirtieron ambos, William se divorciaría de ella y su padre se negaría a acogerla. Así que, ya ves, Lesley no tenía dónde ir y nadie a quien acudir.

Sentí náuseas.

—¿Cómo sabes todo esto?

—Sir Arthur solicitó mi consejo, de manera extraoficial, claro. ¿Recuerdas aquella vez que tuve que irme a Kuala Lumpur a toda prisa? Me había pedido que fuera a verle con urgencia. Había escrito un informe confidencial de lo que le contó Pooley y quería mi opinión antes de enviarlo al Ministerio de las Colonias en Londres.

—¿Hicieron algo al respecto?

—Le dije que, desde mi punto de vista, no se podía hacer nada salvo que Ethel confesara lo que le habían obligado a hacer. Nada en absoluto.

—Pobre Ethel… —dije—. ¡Pobre, pobre Ethel!

No era de extrañar que quisiera marcharse. La obligaron a matar a Steward. La obligaron. Su marido y su propio padre. Bastardos.

—Pooley también mencionó que, basándose en lo que le habían contado, Ethel era ilegítima. Su madre, su verdadera madre, de la que se decía que era euroasiática, era su tía, la hermana de la esposa de su padre.

En una ocasión, Ethel me confió que había tenido una infancia desgraciada y que nunca sintió que perteneciera a la casa de su padre. Pensé que solo estaba siendo dramática en exceso. Ahora deseaba haber sido más empática con ella.

—Willie se acercó mucho a la verdad —dijo Robert—. Si supiera lo cerca que estuvo de acertar…

Un día en junio de 1925, recibí una carta de Geoff. Había incluido la necrológica de Sun Wen publicada en un diario de Hong Kong unos meses antes; había fallecido de cáncer de hígado. En la foto que acompañaba la nota parecía distinguido. Se había divorciado de su mujer y se había casado con la hija de uno de los hombres más ricos de China. No había una sola referencia a Chui Fen en su artículo; me preguntaba qué le habría sucedido. También me preguntaba si Arthur habría regresado a Penang con su esposa y su hija.

A lo largo de los años, Geoff continuó enviándome recortes de periódico sobre Willie. Había perdido una enorme suma de dinero en una inversión desafortunada, pero con el éxito de *La casuarina* —un éxito propiciado, diría sin demasiada modestia, por lo que yo le había contado en el transcurso de tantas noches— había logrado recuperarse de sus pérdidas. En otro artículo leí sobre su divorcio de Syrie. La fotografía le mostraba posando junto a una pared de estuco en la que se había pintado «Villa Mauresque», el nombre de su nuevo hogar en Cap Ferrat; por encima de las letras había un símbolo morisco, tan grande como la mitad superior de su cuerpo. Willie iba vestido con elegancia, como siempre, el cigarrillo insertado en una larga boquilla de marfil entre sus dedos. Había encontrado la casa junto al mar. Me sentía feliz por él.

En el invierno de 1938, dieciséis años después de mudarnos a Doornfontein, Robert sufrió un ataque al corazón cuando estaba ante su escritorio. Vivió cinco días más. Antes de morir, me pidió, con voz débil pero insistente, que volviera a casa, a Penang, después de su muerte. Le cogí la mano y se la besé, pero no dije nada. Para mi sorpresa, mi rostro estaba bañado en lágrimas.

Le enterré en el cementerio familiar en el este de la granja. Había pedido que en su lápida se grabara su frase de Horacio favorita: *Caelum non animum mutant qui trans mare currunt.* En una ocasión, mucho ticmpo atrás, mc cxplicó su significado.

Seguí viviendo en Doornfontein, lejos del mundo, más allá de las montañas. Mis hijos crecieron y se hicieron hombres. Edward estudió derecho en Oxford y se convirtió en abogado del rey, tal como había deseado su padre. James tuvo menos éxito como novelista en Londres. Estalló otra guerra; James se alistó en el Ejército y fue destinado a Malaya. Murió allí, su cuerpo hundido en la tierra de una fosa común, en la tierra donde nació.

Geoff no sobrevivió a la guerra, aunque su esposa sí. Su última carta me informaba de que se había casado de nuevo y se había mudado a Australia. Después, dejamos de escribirnos.

Cae la noche y el frío se filtra en mis huesos. Esta noche no hay luna. Mi copa de vino ya hace rato que está vacía y he estado bebiendo de la de Robert. Entro en la casa y me hago la cena, pero me detengo ante la puerta de madera que cuelga en la pared del pasillo. La pintura se ha desgastado aún más a lo largo de los años, pero el pájaro de la montaña aún sigue allí, fluyendo por encima del desfiladero brumoso, llevando el nombre del guerrero más allá de las nubes.

Willie Maugham debe de tener unos setenta y tantos años, si es que aún está vivo. Supongo que si hubiera muerto me habría enterado, incluso aquí, en medio de la nada. ¿Aún escribe? ¿Aún piensa en mí alguna vez?

Han pasado muchos años desde que leí *La casuarina* por última vez. Después de cenar abro el ejemplar que recibí esta mañana y empiezo de nuevo. Cuando llego al último relato, *La carta*, leo sin prisa. Me tomo mi tiempo, abriéndome a los ecos de las palabras que invoca Willie. Mientras leo, tengo la extraña sensación de que miro hacia abajo desde una gran altura en Cassowary House. Veo el jardín y los árboles: el *pinang*, el árbol de Penang; la casuarina, el padauk malayo y aquel árbol de lluvia sagrado de inmenso perímetro. Veo el arco blanco ante el acceso en forma de medialuna en el césped delantero.

En silencio, apresurada, desciendo más y más, sobrevuelo las tejas de terracota del tejado y atravieso las paredes enyesadas, como el viento atraviesa la seda. Sin que nadie me vea, sin que nadie me escuche, me deslizo por los pasillos y por las habitaciones de mi antiguo hogar. Veo a Robert salir de su estudio, riéndose por algo que acaba de leer; me llama para compartirlo conmigo. Me detengo a observarme mientras leo un cuento a mis hijos en el cuarto de los niños. Me río al ver a Ah Peng regañando a nuestro *syce*, Hassan, en la cocina. Sigo la brisa salada que fluye por la casa hasta la veranda y por el césped iluminado por el sol. Estoy en la playa, vacía salvo por el cielo y las montañas de la península. Y después, nado con Willie en la oscuridad de la noche, en un mar de fuego azul.

La carta había sido llevada al cine, y Robert y yo habíamos ido a ver la película a la sala de proyecciones. Si ya me sentí turbada al leer la historia, sentarme en la oscuridad del teatro y ver a Bette Davis en el papel de Ethel me resultó desconcertante; con mi mano apretada contra la boca observé cómo disparaba a su amante en la veranda. Disparó seis balas contra su cuerpo mientras huía en la noche tropical.

Me pregunto dónde estará Ethel. ¿Estará viva? ¿Será feliz? Si ha leído la historia o, lo que es más probable, si ha visto la película —recuerdo que no era muy dada a la lectura—, no tendrá la más mínima duda de que fui yo quien reveló a Willie los detalles privados de su aventura.

Es cierto, había traicionado a mi amiga, pero al hacerlo también había evitado que la borraran de la historia. Me niego a sentirme culpable. Gracias al relato de Willie, Ethel Proudlock nunca sería olvidada y, en cierto modo, tampoco por mí. Lo que Willie había creado en su obra era tan solo un fragmento extraído de una historia mucho más larga contada por mí. Es un pequeño fragmento, pero para mí es suficiente.

Mis ojos regresan al símbolo de Willie en la página. Con mi dedo índice trazo las líneas que han sido añadidas a mano. Encuadran el anagrama en un rectángulo, la línea del centro lo parte por la mitad, dividiéndolo en los dos paneles idénticos de las puertas principales que guardan una casa, una casa con muchas más puertas en su interior, que giran como los engranajes silenciosos de un gran reloj mecánico.

Ya hace casi cuarenta años desde que vi a Arthur por última vez. Ha sido fiel a su palabra, incluso después de tanto tiempo. Sin cartas, ni notas. En su lugar, me ha mandado este mensaje en un libro, un mensaje que solo yo puedo descifrar: las puertas, que han estado cerradas durante tantos años, ahora están abiertas.

Presionando mi dedo contra el *hamsa*, pienso en el pasado, mi pasado, pero, sobre todo, pienso en las nuevas historias que aún no ha escrito nadie.

Salgo de la cama y me pongo la bata. En la sala de estar, me siento al piano y contemplo las teclas amarillentas. Pasa un minuto, después otro. Alzo las manos desde mi regazo y empiezo a tocar *L'heure exquise*, de Reynaldo Hahn. Toco despacio, presionando las teclas con cuidadosa precisión, enviando cada nota hacia la noche.

Al terminar, toco la misma pieza una vez más. Después, cierro la tapa del piano y salgo al jardín.

La noche es insondable y silenciosa. Mis respiraciones se suspenden en el aire como nubes de polvo lunar. Levanto mi rostro y busco los trazos familiares de lentejuelas en el cielo nocturno. Me quedo aquí durante mucho tiempo, en este inmenso vestíbulo del templo de las estrellas. Debería volver a la cama, me digo. Tengo que madrugar. Durante los próximos días y las próximas semanas hay muchas tareas que hacer: gestiones para el viaje, cosas a las que aferrarme y cosas que debo dejar ir.

No obstante, primero hay una carta que he de escribir y enviar, una carta a Arthur, que me espera en la Casa de las Puertas.

Aquí, en los márgenes del desierto, es justo medianoche, pero al volver la vista hacia el este, girando al compás de la rotación de la Tierra, sé que en una isla al otro lado del mundo ya es de día.

Agradecimientos

La casa de las puertas es una obra de ficción; no obstante, figuran en ella personajes y acontecimientos históricos. El juicio por asesinato contra Ethel Proudlock tuvo lugar en 1911, pero lo trasladé a 1910 para que coincidiera con la prolongada estancia de Sun Yat Sen en Penang.

Los siguientes libros fueron de utilidad durante el desarrollo de mi novela:

Cuadernos de un escritor, de W. Somerset Maugham (Ediciones Península, 2001).

Recapitulación, de Somerset Maugham (Plaza y Janes, 1968).

The Gentleman in the Parlour, de W. Somerset Maugham (William Heinemann, 1930).

La casuarina, de W. Somerset Maugham (ACME Agency, 1948).

The Secret Lives of Somerset Maugham, de Selena Hastings (John Murray, 2009).

Willie: The Life of W. Somerset Maugham, de Robert Calder (Heinemann, 1989).

Somerset and All the Maughams, de Robin Maugham (The New American Library, 1966).

Conversations with Willie, de Robin Maugham (W. H. Allen, 1978).

Somerset Maugham, de Ted Morgan (Triad Granada, 1981).

Recordando al Sr. Maugham, de Garson Kanin (Hatari Books, 2018).

Murder on the Verandah, de Eric Lawlor (HarperCollins, 1999).

Sun Yat Sen, de Marie-Claire Bergère (Stanford University Press, 1998).

The Unfinished Revolution: Sun Yat-Sen and the Struggle for Modern China, de Tjio Kayloe (Marshall Cavendish, 2017).

Sun Yat Sen in Penang, de Khoo Salma Nasution (Areca Books, 2008).

Mi más profunda gratitud al doctor Patrick Tan; gracias por nuestras largas y entretenidas conversaciones acerca de Somerset Maugham, y por tu amistad.

Otros libros de Tan Twan Eng publicados por AMOK

El don de la lluvia

Isla de Penang, Malasia. 1939

Philip, un adolescente malasio mitad chino y mitad inglés pero alienado de ambos mundos, establece una profunda amistad con Endo, un diplomático japonés. Este le descubre la cultura japonesa y la disciplina y armonía del aikido, estableciéndose un vínculo de maestro y alumno basado en la lealtad mutua. La cruel ocupación japonesa de la isla revelará secretos que pondrán a prueba la lealtad de Philip hacia su mentor, su familia y su cultura.

Una fascinante historia de lealtades, amistad, engaños, honor, culpa y redención, en el marco histórico de la ocupación japonesa del sudeste asiático. Un viaje a través de las culturas china, colonial británica, malaya y japonesa, narrada con un maravilloso lenguaje visual.

Escanea para ver el *booktrailer* y más información.

El jardín de las brumas

Isla de Penang, Malasia. 1939

Una superviviente de los campos de prisioneros japoneses, Teoh Yun Ling, busca consuelo entre las plantaciones de Cameron Highlands en la sierra central de Malasia. En ese lugar vive el enigmático Nakamura Aritomo, antiguo jardinero del emperador.

A pesar de su resentimiento, Yun Ling le encarga la creación de un jardín en memoria de su hermana, fallecida en el mismo campo de prisioneros. Aritomo rechaza la propuesta, pero acepta tomarla como aprendiz en la restauración de «El jardín de las brumas».

Mientras trabaja a las órdenes de Aritomo, a lucha entre la guerrilla comunista y los independentistas malayos dibuja un panorama sombrío. Al mismo tiempo, la relación entre ambos desvela antiguos secretos y cicatrices. A veces es necesario recordar para poder olvidar.

Escanea para ver el *booktrailer* y más información.

¿Qué es AMOK?

En malayo, AMOK significa un ataque de locura homicida, un brote de furia salvaje que induce al sujeto a un comportamiento asesino. También es una forma de cocinar el arroz muy rica. Te proponemos un recorrido sin locura homicida, pero sí con mucha pasión y sabor, por la cultura, la civilización y la literatura contemporánea asiática.

Hemos vivido muchos años en Asia, hemos viajado, hemos leído y hemos explorado. Nos hemos enamorado de ella y queremos que tú también lo hagas a través de los libros.

El objetivo de AMOK es compartir autores de narrativa contemporánea, no ficción y novela gráfica, de prestigio reconocido y que aún no han sido descubiertos por los lectores de lengua española.

Queremos ser tu ventana a Asia. Viajarás con nosotros a Singapur, Malasia, Pakistán, Sri Lanka, Indonesia, Laos, China, India... a través de su literatura contemporánea, que te aportará una mirada diferente sobre temas universales como la familia, la sociedad, la identidad y un largo etcétera. Nos acercamos a su historia, costumbres y realidades desde el lenguaje escrito y visual.

¡Abre tu ventana y déjanos mostrarte Asia!

Historias de Asia con un sabor diferente

«Siempre hay uno que ama y otro que se deja amar».

SOMERSET MAUGHAM, *Servidumbre humana*